Grandes Aventuras

JULIO VERNE

Nació en Nantes, Francia, en 1828, y ejerció diversos oficios antes de dedicarse a la literatura, pero lo que más marcó su futura vocación de escritor fue el oficio de libretista de un teatro y la colaboración con Alejandro Dumas hijo. En 1863 se publicó *Cinco semanas en globo*, la primera de una larga serie de novelas de viajes y aventuras que le convertirían en un escritor de gran fama. La fantasía, el exotismo, la utopía, relatos de viajes y supuestos hallazgos científicos son algunos de los ingredientes de sus obras, en las que los personajes, dibujados con cierto esquematismo, ceden en importancia ante la acción, el reto y el combate, ya sea entre seres humanos, con la naturaleza o contra la injusticia. Debido a la influencia de algunos de sus relatos en la literatura posterior, se le considera, junto a H. G. Wells, como uno de los precursores del género de ciencia ficción. Entre sus títulos más célebres destacan *Viaje al centro de la Tierra* (1864), *De la Tierra a la Luna* (1865), *Los hijos del capitán Grant* (1867), *Veinte mil leguas de viaje submarino* (1869) y *La vuelta al mundo en ochenta días* (1873).

JULIO VERNE

DOS AÑOS DE VACACIONES

Título original: DEUX ANS DE VACANCES
Traducción: E. M.

ISBN 84-8280-700-5 (Obra completa)
ISBN 84-8280-775-7

IMPRESORES

Impreso en Colombia
Printed in Colombia.

PRIMERA PARTE

CAPITULO I

En la noche del 9 de marzo de 1860, las nubes, que se confundían con el mar, limitaban a unas cuantas brazas el espacio que podía abarcar la vista.

Por aquel mar embravecido, cuyas olas mugían proyectando lívidos reflejos, huía un ligero barco, casi a palo seco.

Era un yate de cien toneladas, un *schooner*, como llaman a las goletas en Inglaterra y Norteamérica.

Este *schooner* era el «Sloughi», nombre que se hubiera buscado en vano en el cuadro de popa, arrancado en parte por debajo del coronamiento a causa de algún accidente que lo mismo pudo ser la marejada, que un abordaje.

Eran las once de la noche. En la latitud en que se hallaban y a principios de marzo, las noches son bastante largas. Los primeros albores del día no se dejarían ver hasta las cinco de la madrugada. Pero ¿serían acaso menores los peligros que amenazaran al «Sloughi» cuando el sol iluminase el espacio? ¿No se hallaría a merced de las olas constantemente la frágil embarcación? Era lo más probable, y sólo si disminuyera la resaca o amainase el huracán, podría salvarse del más horroroso de los naufragios: el que ocurre en medio del océano, lejos de toda tierra en la que a veces hallan su salvación los náufragos.

En la popa del «Sloughi» y en la rueda del timón se hallaban tres muchachos, uno de catorce años y otros dos de trece, acompañados de un grumete de raza negra, que contaba apenas doce. Reunían todos ellos sus fuerzas para impedir las inclinaciones del buque a babor y a estribor, que hubieran podido hacerle zozobrar. Ardua tarea; porque la rueda del timón, al girar, y pese a los esfuerzos de los niños, podía de un momento a otro lanzarlos por encima de la borda. Es más, poco antes de las doce azotó tal golpe de mar el costado del yate, que fue milagro que no se rompiera el timón.

Los niños, que habían sido derribados por el agua, pudieron levantarse al instante.

—¿Funciona aún el timón, Briant? —preguntó uno de ellos.

—Sí, Gordon —respondió Briant, que tornó a ocupar su sitio y conservaba toda su sangre fría.

Luego, volviéndose al tercero, añadió:

—Agárrate bien, Doniphan, y no nos acobardemos, que hay otros a quienes salvar.

Estas frases fueron dichas en inglés; mas, por el acento de Briant, se notaba que era de origen francés.

Éste se volvió al grumete y dijo:

—¿Estás herido, Mokó?

—No, señor Briant; pero procuremos mantener el buque de popa a las olas, si no queremos irnos a pique.

En aquel momento se abrió la escotilla que daba al salón del *chooner*, y aparecieron al nivel de la cubierta dos cabecitas, al mismo tiempo que la bonachona cara de un perro cuyos ladridos empezaron a oírse.

—¡Briant...! ¡Briant! —exclamó un niño de nueve años—, ¿qué sucede?

—Nada, Ixerson, nada... —replicó Briant—. Baja otra vez con Dole... ¡y a escape!

—Es que tenemos mucho miedo —añadió el otro niño, que era más pequeño.

—¿Y los demás? —preguntó Doniphan.

—Los demás también están asustados —respondió Dole.

—Vamos, volved abajo —dijo Briant—, encerraos con las sábanas, cerrad los ojos, y así no tendréis miedo. No hay ningún peligro.

—¡Cuidado...! ¡Otra ola! —exclamó Mokó.

Un violento choque se sintió en la popa; pero, por fortuna, no entró agua; pues de haber entrado por la escotilla, el barco, demasiado pesado, no hubiera podido mantenerse a flote.

—¡Volveos adentro —exclamó Gordon— y no me hagáis enfadar! ¡Que no tenga que volver a repetíroslo!

—Vamos, niños, iros —añadió Briant con más dulzura.

Las dos cabecitas desaparecieron, al mismo tiempo que otro muchacho, que acababa de subir, preguntó:

—¿No nos necesitas, Briant?

—No; Baxter —respondió Briant—, Cross, Webb, Service, Wilcox y tú quedaos con los pequeños. Bastamos aquí los cuatro.

Baxter volvió a cerrar por dentro.

—Los demás también tienen miedo —había dicho Dale.

Pero ¿acaso no había más que niños a bordo de aquel *schooner* llevado por el huracán? Sí; sólo había niños. ¿Y cuántos eran? Unos quince, contando a Gordon, Briant, Doniphan y el grumete. ¿Y en qué circunstancias se habían embarcado? Pronto lo sabremos. ¿Y no había ni un solo hombre en el yate? ¿No había un capitán para gobernarlo, ni un marinero para ayudar en las maniobras, ni un timonel que dirigiera el buque en medio de aquella tempestad? ¡No! ¡Ni uno!

Así pues, ¡no había a bordo nadie que pudiese decir la posición exacta del «Sloughi» en medio de aquel océano...! ¡Y qué océano! El más grande de todos, el Pacífico, que tiene dos mil leguas de anchura desde las tierras de Australia y Nueva Zelanda hasta el litoral sudamericano.

¿Qué había ocurrido? ¿Había desaparecido en alguna catástrofe la tripulación del *schooner*? ¿La habían raptado, acaso, los piratas de la Malasia, no dejando a bordo más que unos cuantos niños entregados a sí mismos y el mayor de los cuales no pasaba de catorce años? Un yate de cien pulgadas necesita, por lo menos, un capitán, un contramaestre y cinco o seis hombres; y de ese personal indispensable para maniobrar, ya no quedaba más que un grumete. Por último, ¿de dónde venía el *schooner*, de qué paraje de Australia o de cuál de los archipiélagos de Oceanía? ¿Cuándo había zarpado y para qué destino? A esas preguntas, que cualquier capitán hubiese hecho, si hubiera encontrado al «Sloughi» en tan alejados mares, seguramente habrían podido responder aquellos niños; mas no se divisaba ningún barco ni de los transatlánticos, cuyos itinerarios se cruzan en los mares oceánicos, ni de esos buques mercantes, de vapor o veleros, que Europa y América mandan a centenares hasta los puertos del Pacífico. Y aun cuando uno de tales buques, tan potentes por su máquina o por su velamen, hubiera estado en aquellos parajes, harto trabajo tendría en luchar a su vez contra la tempestad y, por consiguiente, no podría socorrer al yate agitado por el mar.

Entretanto, Briant y sus compañeros se esforzaban por evitar las inclinaciones del barco.

—¿Qué hacemos? —dijo Doniphan.

—Todo lo que sea posible para salvarnos, con la ayuda de Dios.

Así respondió el joven Briant, cuando el hombre más enérgico apenas hubiera podido conservar alguna esperanza.

En efecto, la tempestad era cada vez más violenta y el viento amenazaba fuertemente el «Sloughi», ya medio desmantelado hacia cuarenta y ocho horas y en cuyo palo mayor, roto a cuatro pies de altura por encima de la fogonadura, no se podía izar ninguna vela de capa con que poder gobernar más seguramente el buque. El palo de mesana, al que faltaba el galope, resistía aún, pero veíase acercarse el momento en que, falto de los obenques, caería sobre cubierta. A proa, las tiras del petifoque batían con denotaciones comparables a las armas de fuego. No quedaba ya más vela que la mesana, pronto a desgarrarse también; pues los pobres chicos no habían tenido suficiente fuerza para tomar el último rizo, y disminuir su superficie. Si aquella vela se rompía, el *schooner* ya no podría resistir el viento, y las olas lo atacarían de costado, lo echarían a pique y los pasajeros desaparecerían con él en el abismo.

Hasta entonces no se había visto mar adentro ni una isla, ni había aparecido al Este ningún continente. Terrible eventualidad era el encallar y, sin embargo, los niños no le hubieran temido tanto como a los furores de aquel interminable mar. Un litoral cualquiera, con sus escollos, sus rompientes, los constantes ataques de la marejada, era preferible a aquel océano pronto a abrirse bajo sus pies.

Así, pues, los muchachos miraban siempre al horizonte, esperando ver adónde encaminarse.

Pero nada se distinguía en aquella profunda oscuridad.

De pronto, hacia la una de la madrugada, un chasquido espantoso dominó el silbido del huracán.

—¡Se ha roto el palo de mesana! —exclamó Doniphan.

—¡No! —respondió el grumete—. Es la vela, que se ha soltado de las berlingas.

—¡Hay que quitarlas! —ordenó Briant—. Gordon, ponte en el timón con Doniphan; y tú, Mokó, ven a ayudarme.

Si Mokó, como grumete, debía tener nociones de náutica, tampoco carecía de ellas Briant, por haber cruzado ya el Atlántico y el Pacífico cuando fue de Europa a Oceanía, habiéndose familiarizado algo con las maniobras de un barco. Esto explica el por qué los demás, que no sabían nada de eso, habían tenido que confiar a Briant y a Mokó la dirección del *schooner*.

En un instante, Briant y el grumete corrieron valerosos hacia el palo, pues era preciso deshacerse a toda costa de la mesana, que formaba una bolsa en su parte inferior y exponía al buque a caer de lado, y si esto llegara a suceder sería de todo punto imposible levantarlo, a menos de cortar del todo el palo por su pie, después de quitarle los obenques metálicos, cosa que no hubieran podido conseguir unos niños.

En tales condiciones, Briant y Mokó dieron pruebas de notable destreza. Resueltos a conservar todo el trapo posible para mantener el

«Sloughi» viento en popa mientras durase la borrasca, consiguieron largar la driza de la verga, que cayó a cuatro o cinco pies de la cubierta. Los jirones de la mesana, cortados con un cuchillo por su parte inferior y sujetos por algunas abrazaderas, fueron amarrados a las cabillas del empavesado, no sin que ambos intrépidos muchachos estuvieran veinte veces a punto de ser arrastrados por las olas.

Con tan reducido velamen, el yate pudo conservar la dirección que seguía desde hacía ya largo tiempo; pues sólo la masa de su casco ofrecía bastante presa al viento para correr con la velocidad de un torpedo. Lo que importaba, sobre todo, era poder librarse de las olas huyendo con más rapidez que ellas, para evitar algún golpe de mar por encima del coronamiento.

Hecho esto, Briant y Mokó se reunieron con Gordon y Doniphan para ayudarles a gobernar.

En aquel momento, la puerta del tambucho abrióse por segunda vez, y asomó por ella una cara infantil. Era Santiago, hermano de Briant, tres años menor que él.

—¿Qué quieres, Santiago? —le preguntó el mayor.

—¡Ven... ven! —respondió el niño—. ¡Hay agua hasta en el salón!

—¿Será posible? —exclamó Briant.

Y precipitándose hacia el tambucho, bajó casi de un salto.

El salón estaba confusamente alumbrado por una lámpara que el balanceo mecía con frecuencia. Esta luz permitía distinguir una docena de niños tendidos en los divanes o en las literas del «Sloughi». Los más pequeños (los había de ocho y nueve años), apretados unos contra otros, estaban aterrorizados.

—No hay peligro —les dijo Briant, con intención de tranquilizarlos—. Estamos aquí nosotros... No tengáis miedo... Os aseguro que no pasará nada...

Entonces, paseando por el suelo del salón un farol encendido, vio que cierta cantidad de agua corría de un lado a otro del yate.

¿De dónde venía aquella agua? ¿Había penetrado por alguna grieta? Era menester averiguarlo.

Junto al salón estaba la gran cámara, luego venía el comedor y por último, a proa, el camarote de la tripulación.

Briant recorrió esos diversos departamentos y observó que el agua no penetraba ni por encima ni por debajo de la línea de flotación. Esa agua, despedida hacia proa por la inclinación del yate, provenía de los golpes de mar que entraban por la proa y filtraban por las rendijas del tambucho del castillo de proa. Por lo tanto, no había ningún peligro por ese lado. Briant tranquilizó a sus compañeros cuando volvió a pasar por el salón, y, algo menos inquieto, ocupó de nuevo su sitio en el timón. El schooner, muy sólidamente construido, forrado recientemente con buenas planchas de cobre, no podía hacer agua y se hallaba en estado de resistir los golpes de mar.

Era la una de la madrugada. En aquella hora de la noche, más oscura aún por el espesor de las nubes, la borrasca se desencadenaba furiosamente y el yate navegaba como si todo él estuviera sumergido en un elemento líquido. Gritos agudos de petreles rasgaban los aires. ¿Podía deducirse de la aparición de estas aves que la tierra estuviese cerca? No, porque se las encuentra a veces a varios centenares de leguas de la costa. Además, impotentes para luchar contra la corriente aérea, esos pájaros de las tempestades las seguían, como el *schooner*, cuya velocidad no hubiera podido disminuir ninguna fuerza humana.

Una hora más tarde oyóse a bordo otro desgarro; acababa de romperse lo que de la mesana quedaba, esparciéndose por el espacio como si fuesen enormes gaviotas.

—Ya no tenemos vela —exclamó Doniphan—, y es imposible colocar otra.

—¡Qué importa! —respondió tranquilo Briant—. Ten la seguridad de que no dejaremos de ir de prisa.

—¡Vaya una contestación! —replicó Doniphan—. ¡Si es ése tu modo de maniobrar!

—¡Cuidado con las olas! —dijo Mokó—. Es necesario atarnos fuertemente, si no queremos que nos arrastren.

No bien había terminado de pronunciar estas palabras el grumete, entraron por encima del coronamiento muchas toneladas de agua; Briant, Doniphan y Gordon fueron despedidos contra el tambucho, al que se agarraron; pero el grumete desapareció con aquella masa líquida, que barrió de popa a proa el «Sloughi», arrastrando parte de la obra muerta, dos botes y la chalupa, a más de algunas berlingas y la bitácora. Sin embargo, como las empavesadas habían sido levantadas de pronto, el agua pudo salir, rápidamente, lo cual salvó al yate del peligro de zozobrar bajo aquel exceso de carga.

—¡Mokó...! ¡Mokó...! —exclamó Briant, en cuanto pudo hablar.

—¿Se habrá caído al mar? —preguntó Doniphan.

—No, no se le ve ni se le oye —repuso Gordon, que acababa de asomarse a la borda.

—Hay que salvarlo... Echaremos una boya y cuerdas por si acaso —respondió Briant.

Y con una voz que retumbó con fuerza, durante unos segundos de calma, gritó de nuevo:

—¡Mokó...! ¡Mokó...!

—¡A mí! ¡A mí...! —respondió el grumete.

—No está en el agua —dijo Gordon—. Su voz viene de proa...

—Yo le salvaré —exclamó Briant.

Y se arrastró por la cubierta, evitando como pudo el choque de las poleas que se columpiaban al extremo de las jarcias, procurando librarse de las caídas casi inevitables en aquella cubierta resbaladiza con el balanceo del buque.

La voz del grumete cruzó otra vez el espacio y luego quedó en silencio.

Después de muchos esfuerzos, Briant llegó al tapacete de la tripulación.

Llamó... No obtuvo respuesta.

¿Sería que el mar se había llevado a Mokó, después de proferir éste su último grito? En ese caso, el desgraciado niño debía de estar ya muy lejos a barlovento, porque el viento no podía empujarle con tanta violencia como el *schooner*. Y en ese caso... estaba perdido...

¡No! Otro grito más débil llegó hasta Briant e hizo que éste se precipitase hacia el guindaste, en cuyo montante se empotraba el pie del bauprés. Allí sus manos encontraron un cuerpo que se debatía.

Era el grumete, cogido en el ángulo que formaban las empavesadas al juntarse en la proa. Además, una driza, que con sus esfuerzos se ponía cada vez más tirante, le rodeaba el cuello, exponiéndole a morir por estrangulación después de haberle librado de que las olas le arrastrasen al mar.

Al verlo, sacó Briant el cuchillo y cortó, no sin trabajo, la cuerda que sujetaba al grumete.

Mokó fué llevado hacia la popa, y cuando tuvo bastante fuerza para hablar, exclamó:

—Gracias, señor Briant, gracias.

Volvió a su puesto del timón, y los cuatro se amarraron para resistir a las enormes olas que se alzaban contra el «Sloughi».

Al contrario de lo que había creído Briant, la velocidad del yate disminuyó algo desde la desaparición de la mesana, y esto constituía un nuevo peligro. En efecto, las olas, más veloces que el yate, podían asaltarle por la popa e inundarlo. Pero, ¿qué podían hacer ellos? Era imposible izar nada que tuviera la menor apariencia de vela.

En el hemisferio austral, el mes de marzo corresponde al mes de septiembre del hemisferio boreal; y como ya eran las cuatro de la mañana, la luz del día no tardaría en aparecer al Este, es decir, sobre aquella parte del océano hacia donde la tempestad empujaba al «Sloughi». Tal vez al amanecer disminuiría en intensidad el huracán o se divisaría la tierra, y en ambos casos la muerte de aquella tripulación de chiquillos se decidiría en algunos minutos. Y lo verían al asomar el alba en la lejanía.

A eso de las cuatro y media, deslizáronse por el cenit algunas luces difusas; pero, por desgracia, las tinieblas limitaban el alcance de la vista a menos de un cuarto de milla. Pasaban las nubes con una velocidad espantosa. El huracán no había perdido nada de su fuerza, y a lo lejos el mar desaparecía bajo la espuma de las olas al romperse. El *schooner*, tan pronto levantado en la cresta de una ola como hundido en el fondo de un abismo, hubiera zozobrado veinte veces si el viento le hubiese cogido de través.

Los cuatro muchachos miraban atónitos aquel caos de olas desordenadas, comprendiendo muy bien que si no volvía pronto la calma su situación era desesperada, pues el «Sloughi» no resistiría veinticuatro horas la marejada, que acabaría por arrancar los tapacetes.

En aquel mismo instante gritó Mokó:

—¡Tierra...! ¡Tierra...!

A través de un desgarrón de la niebla creyó el grumete divisar al Este los contornos de una costa. ¿No se equivocaba? Nada más difícil de reconocer que esos vagos alineamientos que se confunden tan fácilmente con pequeñas nubes.

—¿Tierra? —preguntó Briant.

—Sí —respondió Mokó—; tierra al Este.

E indicaba un punto del horizonte bien oculto en aquel momento por la bruma.

—¿Estás seguro? —preguntó Doniphan.

—Sí... Sí... segurísimo —respondió el grumete—. Si la niebla se vuelve a despejar, mire usted bien allí... un poco a la derecha del palo del trinquete... Mire... mire...

La bruma, que acababa de aclararse, empezaba a despegarse del mar para remontarse a las zonas superiores. Y momentos después reapareció en el océano en un espacio de varias millas delante del yate.

—Sí, tierra... Es tierra, en efecto —exclamó Briant.

—Y una tierra muy baja —añadió Gordon, que acababa de observar con más atención el litoral señalado.

Esta vez no cabía duda. Era tierra, continente o isla, se perfilaba a cinco o seis millas en un amplio sector del horizonte. Con la dirección que llevaba, y de la que la borrasca no le permitía apartarse, el «Sloughi» no podía dejar de ser llevado allí en menos de una hora; pero era de temer que se destrozara al llegar, sobre todo si las rompientes lo detenían antes que llegase a la tierra franca. Pero los pobres chicos no pensaban en semejante cosa; en aquella tierra que se ofrecía a sus ojos les parecía ver la salvación.

En aquel instante, el viento se puso a soplar con más furia; el «Sloughi», llevado como una pluma, se precipitó hacia la costa, que destacaba claramente como un trazo de tinta en el fondo blancuzco del cielo. En lontananza se elevaba un acantilado, cuya altura no pasaría de ciento cincuenta o doscientos pies; por delante extendíase una playa amarillenta orillada a la derecha por mesas redondas que parecían pertenecer a algún bosque del interior.

Si el «Sloughi» pudiera llegar a aquella playa arenosa sin encontrar un banco de arrecifes, si la embocadura de algún río les ofreciese un refugio, tal vez los pasajeros podrían salir sanos y salvos.

Mientras Doniphan, Gordon y Mokó se quedaban en el timón, Briant se fue a popa, y examinó aquella tierra que se acercaba a simple vista por la enorme velocidad con que navegaba el yate; pero buscaba en vano un sitio donde poder encallar en condiciones favorables. No se veía una embocadura de río o de riachuelo ni una faja de arena en donde se pudiera embarrancar de golpe. En efecto, delante de la playa se extendía una fila de escollos cuyas negras cimas salían de las ondulaciones de la marejada, sacudidas sin cesar por la monstruosa resaca. Allí, al primer choque, se haría pedazos el «Sloughi».

Briant pensó entonces que más valía que todos sus compañeros estuvieran sobre cubierta en el momento en que el buque encallara; y, abriendo la puerta del tapacete, gritó:

—¡Arriba todos!

El perro se lanzó inmediatamente fuera, seguido de diez niños que se arrastraron hasta la popa. Los más pequeños, al ver las olas, que el escollo hacía más temibles, profirieron gritos de espanto.

Poco antes de las siete de la mañana, el «Sloughi» llegó al lado de los rompientes.

—¡Agarraos, agarraos bien! —gritó Briant.

Y medio despojado de sus vestidos, se acercó a socorrer a los que la resaca arrastrase; porque seguramente el yate iba a rodar por los arrecifes.

Sintióse de repente una primera sacudida; el «Sloughi» dio un golpe con la popa, y aunque su casco se resintió algo, no penetró el agua por el forro exterior.

Levantado por una segunda ola, fue llevado a unos cincuenta pies hacia delante, sin rozar siquiera con las rocas, cuyas puntas sobresalían por mil sitios. Luego, inclinado a babor, quedó inmóvil en medio del hervor de la resaca.

Si bien no estaba en alta mar, hallábase todavía a un cuarto de milla de la playa.

CAPITULO II

En aquel momento, el espacio, libre de su cortina de bruma, permitía abarcar con la mirada un vasto radio alrededor del *schooner*. Las nubes seguían corriendo con suma rapidez y la borrasca no había perdido aún nada de su furor; sin embargo, tal vez diera ya sus últimos golpes contra aquellos desconocidos pasajeros del océano Pacífico.

Y era de esperar, porque la situación no ofrecía menos peligro que durante la noche, cuando el «Sloughi» luchaba contra las violencias del mar. Reunidos unos junto a otros, aquellos niños debían de creerse perdidos cuando rompía alguna ola sobre cubierta y los llenaba de espuma, y eran tanto más rudos los choques cuanto que el *schooner* no podía esquivarlos. Sin embargo, aunque se estremecía hasta las cuadernas cada vez que era atacado por el mar, no parecía que se le hubiera abierto el casco ni al rozar contra el borde de los arrecifes ni en el momento en que se había incrustado, por decirlo así, entre las crestas de la roca. Briant y Gordon, después de bajar a sus camarotes, habíanse percatado de que el agua no entraba en la sala, por lo cual tranquilizaron como pudieron a sus compañeros, en particular a los pequeños.

—No temáis —repetía constantemente Briant—, el yate es muy sólido, y no está lejos de la costa... Esperaremos y procuraremos llegar a la playa.

—¿Y por qué hemos de esperar? —preguntó Doniphan.

—Eso es, ¿por qué? —añadió un niño de unos doce años, llamado Wilcox—. Tiene razón Doniphan... ¿Por qué esperar?

—Porque el mar está aún muy agitado y nos arrastraría a las rocas —respondió Briant.

—¿Y si el yate se destroza? —exclamó otro muchacho llamado Webb, poco más o menos de la misma edad que Wilcox.

—No creo que eso sea de temer —replicó Briant—, cuando menos mientras baje la marea. En cuanto ésta se retire todo lo que el viento permita, nos cuidaremos del salvamento.

Briant tenía razón. Aunque las mareas sean relativamente poco considerables en el océano Pacífico, pueden producir una diferencia de nivel bastante importante entre la pleamar y la bajamar. Así pues, adelantarían mucho con esperar algunas horas, sobre todo si aflojaba el viento. Tal vez la resaca dejase en seco parte del banco de arrecifes, y entonces no sería tan peligroso salir del *schooner* y se les haría más fácil salvar el cuarto de milla que les separaba de la playa.

Sin embargo, por razonable que fuera ese consejo, Doniphan y otros dos o tres no parecían muy inclinados a seguirlo; agrupáronse a proa y hablaron en voz baja. Lo que ya se veía claramente es que Doniphan, Wilcox, Webb y otro muchacho llamado Cross, no estaban muy dispuestos a entenderse con Briant. Durante la larga travesía del «Sloughi», si habían consentido en obedecerle, era porque Briant, como hemos dicho, estaba algo acostumbrado a navegar; pero siempre pensaron que en el momento en que se hallaran en tierra volverían a su libertad de acción, sobre todo Doniphan, quien, por su instrucción e inteligencia, se creía superior a Briant, como también a todos sus demás compañeros. Esto aparte, la envidia de Doniphan a Briant databa de larga fecha, y por el mismo hecho de ser francés, aquellos ingleses jóvenes se mostraban poco inclinados a sufrir su dominio.

Así pues, era de temer que aquellas disposiciones aumentasen la gravedad de una situación ya bastante inquietante.

Mientras tanto, Doniphan, Wilcox, Cross y Webb miraban aquella sábana de espuma sembrada de torbellinos, surcada por corrientes, que parecían muy peligrosas de cruzar. El más hábil nadador no hubiera resistido a la resaca de la marea que bajaba y que el viento azotaba de través. La recomendación de esperar algunas horas estaba muy justificada, y Doniphan y sus compañeros tuvieron que rendirse a la evidencia y acabaron por ir a popa, donde estaban reunidos los más jóvenes. Briant decía entonces a Gordon y algunos otros de los que le rodeaban:

—No nos separemos por nada del mundo... Permanezcamos juntos o estamos perdidos.

—Supongo que no pretenderás imponernos la ley —exclamó Doniphan, que acababa de oírle.

—Yo no pretendo nada —respondió Briant—, salvo que es menester proceder de común acuerdo para salvación de todos.

—Tiene razón Briant —añadió Gordon, muchacho frío y serio, que nunca hablaba sin meditar bien lo que decía.

—Sí... Sí —exclamaron dos o tres de los menores a quien un secreto instinto inducía a acercarse a Briant.

No replicó Doniphan; pero él y sus compañeros persistieron en mantenerse aparte, esperando la hora de proceder al salvamento.

Y ahora, ¿qué tierra era aquélla? ¿Pertenecía a una de las islas del océano Pacífico o pertenecía a algún continente? Esa cuestión no podía resolverse, por hallarse el «Sloughi» demasiado pegado a la costa para poder observarla en un perímetro suficiente. Su concavidad, que formaba una ancha bahía, terminábase por dos promontorios, uno bastante elevado y cortado a pico hacia el Norte, y el otro con una punta afilada hacia el Sur; pero, al otro lado de esos cabos, ¿no se redondearía el mar de manera que bañase los contornos de una isla? Eso es lo que en vano intentó Briant reconocer con los anteojos de a bordo.

En efecto, en caso de que aquella tierra fuera una isla, ¿cómo llegarían a dejarla, si fuese imposible desencallar el barco, que la marea ascendente no tardaría en demoler arrastrándolo contra las rocas? Y si aquella isla estaba desierta —como las hay en los mares del Pacífico—, ¿cómo podrían aquellos niños, reducidos a sí mismos y sin más recursos que los que salvasen de las provisiones del yate, cómo podrían, digo, hacer frente a sus múltiples necesidades?

En cambio, en un continente serían mucho mayores las probabilidades de salvación, ya que ese continente tendría que ser el de la América del Sur. Allí, al través de los territorios de Chile o de Bolivia, encontrarían asistencia, si no inmediatamente, a lo menos algunos días después de tomar tierra. Verdad es que en aquel litoral, próximo a las Pampas, eran de temer muy malos encuentros; pero a la sazón, sólo se trataba de llegar a tierra.

El tiempo era bastante claro para dejar ver todos los detalles del lugar; distinguíanse nítidamente el primer plano de la playa, el acantilado que se hallaba detrás de ella y también los macizos de árboles agrupados en su base. Es más, Briant indicó la embocadura de un río a la derecha de la orilla.

En resumen, si el aspecto de aquella costa no tenía nada de atractivo, la cortina de verdor indicaba cierta fertilidad comparable a la de las zonas de latitud media. Sin duda más allá del acantilado, al abrigo de los vientos del mar, debía desarrollarse la vegetación con cierto vigor por hallarse un suelo más favorable.

En cuanto a estar habitada, no lo parecía aquella parte de la costa, en la que no se veía ni casa, ni cabaña, ni aun en la embocadura del río. Quizá los indígenas, si los había, residieran con preferencia en el interior del país, donde no estarían tan expuestos a los abusos bruscos de los vientos del Oeste.

—No veo la menor señal de humo —dijo Briant, bajando el catalejo.

—Ni hay ninguna embarcación en la playa —añadió Mokó.

—¿Cómo podría haberla, si no hay puerto? —dijo Doniphan.

—No es necesario que haya puerto —repuso Gordon—. Las barcas de pesca pueden hallar refugio a la entrada de un río, y podría ser que la tempestad hubiera obligado a meterlas en el interior.

No era desacertada la observación de Gordon. El caso es que, sea por la causa que fuere, no se descubría ninguna embarcación y, en realidad, aquella parte del litoral parecía totalmente desprovista de habitantes. ¿Sería habitable en caso de que los tiernos náufragos tuvieran que permanecer allí unas semanas? He aquí lo primero que debía preocuparles.

Entretanto la marea se iba retirando poco a poco, demasiado lentamente porque el viento del mar se lo impedía, aunque parecía aflojar soplando hacia el Noroeste. Importaba, pues, estar preparados para el momento en que el banco de arrecifes ofreciera un paso transitable.

Eran cerca de las siete Todos se cuidaron de subir a la cubierta del yate los objetos de primera necesidad, reservándose el recoger los demás cuando el mar los llevase a la costa. Grandes y chicos se dedicaron a esa tarea. Había a bordo bastantes provisiones de conservas, galletas y carnes saladas y ahumadas. Formaron con ellas unos cuantos bultos destinados a ser distribuidos entre los de más edad, que se encargarían de trasladarlos a tierra.

Mas para poder efectuar ese traslado era menester que el banco de arrecifes quedara en seco y confiaban en que la marea baja y el reflujo bastarían para dejar al descubierto las rocas hasta la playa. Briant y Gordon observaron cuidadosamente el mar. Con la modificación en la dirección del viento dejábase sentir la calma y empezaban a apaciguarse los hervores de la resaca al mismo tiempo que se advertía fácilmente la disminución de las aguas a lo largo de las puntas emergentes. Esto aparte, el *schooner* se resentía de los efectos de aquella disminución, inclinándose más hacia babor. Y hasta era de temer, si la inclinación se acentuaba, que cayera de lado; porque era de formas muy finas y tenía la quilla alta, como los yates de marcha rápida. En ese caso, si el agua invadía la cubierta antes de que los niños pudieran salir de la embarcación, la situación llegaría a ser sumamente grave.

Era lamentable que la tempestad se hubiera llevado los botes; porque, con estas embarcaciones, capaces de contenerlos a todos, Briant y sus compañeros ya hubieran podido intentar llegar a la costa. Además, ¡qué facilidad para establecer comunicación entre el litoral y el *schooner*, para transportar tantos objetos útiles como tendrían que dejar ahora a bordo! Y aparte de esto, la próxima noche, si se destrozaba el «Sloughi», ¿de qué valdrían sus restos, cuando la resaca los hubiera arrojado contra los arrecifes? ¿Podrían seguir utilizándolos? ¿No quedarían totalmente averiadas las provisiones que se salvasen? ¿No se verían reducidos los jóvenes náufragos únicamente a los recursos de aquella tierra?

Era una circunstancia bien enfadosa no tener embarcación para proceder al salvamento.

De pronto oyéronse gritos a proa. Baxter acababa de hacer un descubrimiento de gran importancia.

La canoa del *schooner*, que se creía perdida, hallábase metida entre las jarcias del bauprés. Esa canoa no podía llevar más que a cinco o seis personas; pero como estaba intacta —según observaron al ponerla sobre cubierta— no sería imposible utilizarla en caso de que el mar no permitiera pasar a pie enjuto las rompientes. Por lo tanto, convenía esperar el momento en que estuviera más baja la marea; y, sin embargo, esto dio motivo a una discusión en la que se pelearon de nuevo Briant y Doniphan.

En efecto, Doniphan, Wilcox, Webb y Cross, después de apoderarse de la canoa, preparáronse a echarla al agua cuando se les acercó Briant.

—¿Qué vais a hacer? —preguntó.

—Lo que se nos antoje —respondió Wilcox.

—¿Vais a embarcaros en esa canoa?

—Sí —contestó Doniphan—, ¡y no serás tú quien nos lo impida!

—¡Pues seré yo —replicó Briant—, yo y todos los que tú quieres abandonar!

—¿Abandonar...? ¿De dónde has sacado eso? —respondió altivamente Doniphan—. Yo no quiero abandonar a nadie, para que lo sepas... Una vez en la playa, uno de nosotros volverá a traer el bote.

—¿Y si no puede venir? —exclamó Briant, que a duras penas se contenía—. ¿Y si se rompe contra esas rocas?

—¡Embarquémonos! ¡Embarquémonos! —exclamó Webb, que acababa de dar un empujón a Briant.

Y, ayudado de Wilcox y de Cross, levantó la embarcación para arrojarla al mar.

Pero Briant la agarró por uno de los extremos, gritando:

—¡No embarcaréis!

—¡Eso lo veremos! —dijo Doniphan.

—¡No embarcaréis! —repitió gritando Briant, muy decidido a resistir por interés de todos—. La canoa ha de estar reservada a bordo para los más pequeños, por si, al bajar la marea, queda bastante agua para llegar a la playa.

—¡Déjame en paz! —exclamó Doniphan, arrebatado por la cólera—. Te repito, Briant, que no serás tú quien nos impida hacer lo que queramos.

—Y yo te repito —exclamó Briant— que te lo impediré.

Los dos mozalbetes estaban prontos a lanzarse uno contra el otro. En esta disputa, Wilcox, Webb y Cross iban a ponerse, naturalmente, de parte de Doniphan; en tanto que Baxter, Service y Garnett se pondrían en favor de Briant, de lo cual podían resultar consecuencias deplorables; pero en esto intervino Gordon.

Gordon, el de más edad y también el más dueño de sí, comprendiendo lo lamentable de semejante proceder, tuvo el buen acierto de interponerse en favor de Briant.

—Vamos, vamos —dijo—, un poco de paciencia, Doniphan. Bien ves que el mar está aún muy furioso y que nos expondríamos a perder la canoa.

—¡No quiero que Briant nos imponga la ley —exclamó Doniphan—, como ha tomado la costumbre de hacer de algún tiempo a esta parte!

—¡No...! ¡No...! —replicaron Webb y Cross.

—Yo no quiero imponer la ley a nadie —respondió Briant—; pero tampoco consentiré que nadie la imponga cuando se trata del interés general.

—De ese interés nos cuidamos nosotros lo mismo que tú —repuso Doniphan—; y ahora que estamos en tierra...

—Todavía no, por desgracia —respondió Gordon— No te obstines, Doniphan, y aguardemos un momento favorable para emplear la canoa.

Gordon acababa de representar muy oportunamente el papel de moderador entre Doniphan y Briant —lo cual le había ocurrido más de una vez—, y sus compañeros se rindieron a su ruego.

La marea había bajado ya dos pies. ¿Habría algún canal entre los rompientes? Convenía mucho averiguarlo.

Briant, pensando que podía comprender mejor la posición de las rocas, si las examinaba desde el palo de mesana, llegóse a la popa del yate, cogió los obenques de estribor y, a fuerza de puños, se elevó hasta las crucetas.

Al través del banco de arrecifes dibujábase un paisaje cuya dirección indicaba las puntas que emergían a cada lado y que convenía seguir si se quería llegar a la playa embarcándose en la canoa; pero a aquella hora había aún demasiados remolinos en la superficie de los rompientes para aprovecharlo con buen resultado. Indefectiblemente, la embarcación hubiera sido arrojada contra alguna punta y se hubiera abierto en un instante.

Además, era preferible esperar, por si el mar, al retirarse, dejaba un paso transitable.

Desde lo alto de las crucetas en que se había puesto a horcajadas, empezó Briant a examinar más detenidamente el litoral. Paseó el anteojo a lo largo de la playa y hasta el pie del acantilado. La costa parecía absolutamente inhabitada entre los dos promontorios, separados por una distancia de ocho a nueve millas.

Al cabo de media hora de observación, bajó Briant y fue a comunicar a sus compañeros lo que había visto. Si Doniphan, Wilcox, Webb y Cross afectaron escucharle sin decir nada, no sucedió lo mismo con Gordon, que le preguntó:

—¿No eran las seis de la mañana cuando encalló el «Sloughi»,
Briant?

—Sí —respondió el último.

—¿Y cuánto tiempo se necesita para bajamar?

—Creo que cinco horas... ¿No es así, Mokó?

—Sí... de cinco a seis horas —respondió el grumete.

—Entonces, a eso de las once —dijo Gordon— será el momento
más favorable para intentar llegar a la costa.

—Así lo he calculado —contestó Briant.

—Pues bien —añadió Gordon—, estemos preparados para ese instante y tomemos algún alimento. Si nos vemos obligados a echarnos
al agua, al menos no lo hagamos hasta algunas horas después de la
comida.

Buen consejo que había de venir, naturalmente, de aquel prudente muchacho. Cuidáronse, pues, del desayuno, compuesto de conservas
y galleta. Briant vigiló particularmente a los pequeños Jenkins, Iverson, Dole y Costar. Con esa despreocupación natural de su edad, empezaban a tranquilizarse, y tal vez hubieran comido sin medida alguna, porque no habían tomado nada en veinticuatro horas por decirlo
así, pero no se excedieron, y algunas gotas de brandy, suavizadas por
un poco de agua, les proporcionaron una bebida confortante.

Hecho esto, Briant fue a la proa del *schooner* y allí, acodado sobre
el empavesado, volvió a examinar los arrecifes.

¡Con qué lentitud se efectuaba el decrecimiento del mar! Sin embargo, veíase claramente bajar de nivel, puesto que la inclinación del
yate se acentuaba. Mokó echó una sonda y reconoció que aún quedaban por lo menos ocho pies de agua sobre el banco. ¿Podrían esperar que bajase el reflujo lo bastante para dejarlo en seco? No lo
creía Mokó y opinó que debía decírselo a Briant en secreto, para no
alarmar a nadie.

Entonces, Briant fue a participárselo a Gordon y ambos comprendieron en seguida que el viento, aunque hubiera variado algo hacia
el Norte, impediría que el mar bajase tanto como lo hubiera hecho
con tiempo de calma.

—¿Qué hemos de hacer? —dijo Gordon.

—No lo sé. No lo sé... —respondió Briant—. ¡Y qué desgracia es
no saber...! ¡No ser más que unos niños, cuando nos convendría ser
hombres!

—La necesidad nos instruirá —respondió Gordon—. No desespere-
mos, Briant, y obremos con prudencia.

—Sí, obremos, Gordon. Si no salimos del «Sloughi» antes de que
vuelva la marea, si aún tenemos que permanecer una noche a bordo,
estamos perdidos.

—Es evidente; porque el yate quedará destrozado. Por eso debemos
salir de él a toda costa.

—Sí, a toda costa, Gordon.

—¿No convendría construir una especie de balsa?

—Ya lo había pensado —respondió Briant—; por desgracia, la tempestad se nos ha llevado casi todas las berlingas, y en cuanto a romper los empavesados para intentar construir una balsa con sus restos,
no tenemos ya tiempo. Queda la canoa, y ésta no la podemos emplear,
porque la mar está muy alborotada. No. Lo que sí podríamos intentar
es tender un cable a través de una roca y así tal vez podamos llegar
cerca de la playa.

—¿Y quién llevará el cable?

—Yo —respondió Briant.

—Y yo te ayudaré.

—No, yo solo —repuso Briant.

—Vete a la canoa.

—Sería exponernos a perderla, Gordon, y vale más conservarla como último recurso.

Pero antes de poner en ejecución tan peligroso proyecto Briant quiso tomar una precaución muy útil, para evitar toda eventualidad.

Había a bordo cinturones salvavidas, y obligó a los pequeños a que se los pusieran inmediatamente. En caso de que tuvieran que salir del yate, cuando por la excesiva profundidad del agua no pudiesen caminar a pie los niños, esos aparatos los mantendrían a flote, y los más crecidos los empujarían hasta la orilla, agarrándose ellos del cable.

Entonces eran las diez y cuarto. Antes de cuarenta y cinco minutos la marea alcanzaría su más baja depresión. En el estrave del «Sloughi» ya no se acusaban más que cuatro o cinco pies de agua; pero no parecía que el mar hubiera de perder más de algunas pulgadas. A unas setenta yardas el fondo volvía a subir sensiblemente, lo cual podía verse por el color negruzco del agua y por las numerosas puntas que emergían a lo largo de la playa. Lo difícil sería pasar por las profundidades que el mar acusaba a proa del yate. No obstante, si Briant conseguía largar un cable en aquella dirección y fijarlo sólidamente en una de las rocas, ese cable, después de sujetarlo a bordo por medio de un guindaste, permitiría llegar a algún lugar en que pudieran sentar pie. Además, dejando resbalar por el cable los fardos que contenían las provisiones y los utensilios indispensables, llegarían sin daño alguno a tierra.

Por muy peligrosa que fuera esa tentativa, Briant no quiso dejar a nadie el cuidado de reemplazarle, y tomó sus disposiciones en consecuencia.

Había a bordo muchos de esos cables de unos cien pies de largo, que se usan como guindaletas o remolques, y Briant tomó uno de mediano grosor que le pareció conveniente y cuyo extremo se enrolló en la cintura, después de haberse desnudado.

—¡Eh, vosotros! —gritó Gordon—, venid a proa para lanzar el cable.

Doniphan, Cross y Webb no podían negar su concurso a una operación cuya importancia comprendían. Por eso, sean cuales fuesen sus discusiones, se prepararon a desenrollar el cable necesario, con objeto de ahorrar esfuerzos a Briant. En el momento en que iba a meterse en el agua acercósele su hermanito, exclamando:

—¡Hermano! ¡Hermano!

—No temas, Santiago, no temas por mí —respondió Briant.

Un instante después, veíasele en la superficie del agua andando vigorosamente en tanto que el cable se desenrollaba detrás de él.

Aun con la mar en calma, hubiera sido difícil aquella maniobra; porque la resaca batía con violencia a lo largo de las rocas. Corrientes y contracorrientes impedían al atrevido muchacho mantenerse en línea recta y, cuando le envolvían, costábale gran trabajo salir.

No obstante, Briant se acercaba poco a poco a la playa, mientras sus compañeros iban desenrollando el cable; pero era evidente que empezaban a agotársele las fuerzas, a pesar de que aún sólo se hallaba a unos cincuenta pies del *schooner*. Ante él ahondábase una especie de torbellino, producido por el encuentro de dos marejadas contrarias. Si conseguía contornearlas tal vez lograra su objetivo, porque, pasadas esas marejadas, el mar parecía más tranquilo. Así pues, intentó echarse a la izquierda con un violento esfuerzo; pero inútilmente, pues ni aun hubiera podido conseguirlo un nadador vigoroso en toda la fuerza de la edad. Cogido por el enlace de las aguas, Briant fue llevado irresistiblemente al centro del torbellino.

—¡A mí...! ¡halad...! ¡halad...! —grito antes de desaparecer.

A bordo del yate, llegó a su colmo el espanto.

—¡Halad! —ordenó fríamente Gordon.

Y sus compañeros apresuráronse a volver a enrollar el cable, con objeto de traer de nuevo a Briant a bordo, antes de que le asfixiase una larga inmersión.

En menos de un minuto, subieron a Briant a cubierta, aunque sin conocimiento; pero pronto volvió en sí en brazos de su hermano.

La tentativa, que tenía por objeto fijar el cable en la superficie del banco de arrecifes, había fracasado. Ninguno hubiera podido emprenderla de nuevo con probabilidades de éxito. Por consiguiente los desdichados niños veíanse reducidos a esperar... ¿A esperar qué? ¿Algún socorro? ¿Y de dónde podría venirles?

Eran ya más de las doce del mediodía y la marea se dejaba sentir y aumentaba la resaca. Al mismo tiempo, como había luna nueva, la marea iba a ser mucho más viva que la víspera; por lo cual, a poco que el viento volviera a soplar del mar, el *schooner* se expondría a salir de su lecho de roca..., resbalaría de nuevo y zozobraría en la superficie del arrecife, y nadie sobreviviría a ese desenlace del naufragio. Y no podrían hacer nada, absolutamente.

Todos los niños, en la popa, los pequeños rodeados por los mayores, contemplaban el mar que iba engrosando, al tiempo que las puntiagudas rocas desaparecían una tras otra. Por desgracia, el viento había vuelto al Oeste y, como en la noche anterior, azotaba sobremanera la tierra. Con el agua más profunda, las olas, más altas, cubrían el «Sloughi» con su rocío y no tardarían en reventar contra él. Sólo Dios podía venir en ayuda de los jóvenes náufragos, cuyas oraciones se mezclaban a sus agudos gritos de espanto.

Poco antes de las dos, el yate, levantado de nuevo por la marea, dejaba de inclinarse a babor; pero, a consecuencia del cabeceo, la proa chocaba contra el fondo, mientras que a popa el codaste permanecía aún fijo en el lecho de rocas. Poco después sucediéronse sin tregua los choques del extremo de la quilla, y el «Sloughi» empezó a moverse con un balanceo horroroso. Los niños tuvieron que agarrarse unos a otros para no ser despedidos por la borda.

En aquel momento, una montaña de espuma que venía de alta mar alzóse a dos cables del yate. Parecía un enorme macareo cuya altura pasaba de veinte pies, y llegó con la furia de un torrente, cubrió el banco de arrecifes, levantó el «Sloughi» y lo arrastró por encima de las rocas, sin rozar siquiera su casco.

En menos de un minuto, en medio de los hervores de aquella masa de agua, el «Sloughi», llevado hasta el centro de la playa, fue a chocar contra un montículo de arena a doscientos pies de los primeros árboles agrupados al pie del acantilado. Y allí permaneció inmóvil, esta vez en tierra firme, en tanto que el mar, al retirarse, dejaba en seco toda la playa.

CAPITULO III

En aquella época, el colegio Chairman era uno de los más estimados de la villa de Auckland, capital de Nueva Zelanda, importante colonia inglesa del Pacífico. Había en él un centenar de alumnos pertenecientes a las mejores familias del país. Los maoríes, que son los indígenas de ese archipiélago, no hubieran conseguido meter en aquel colegio a sus hijos, para quienes, por lo demás, estaban reservadas otras escuelas. En el colegio Chairman no había más que muchos ingleses, franceses, norteamericanos y alemanes, hijos de propietarios, rentistas, negociantes o funcionarios públicos del país, y en él recibían una educación completísima, idéntica a la que se da en los establecimientos similares del Reino Unido.

El archipiélago de Nueva Zelanda se compone de dos islas principales: al norte, Ika-Na-Mawi, o isla del Pez, y al sur, Tawai-Ponamu, o tierra del Jaspe Verde. Separadas por el estrecho de Cook, hállanse entre los 34 y 35 paralelos Sur, situación equivalente a la que en el hemisferio boreal ocupa la parte de Europa que comprende a Francia y al Norte de África.

La isla de Ika-Na-Mawi, muy recortada en su parte meridional, forma una especie de trapecio irregular que se prolonga hacia el Noroeste siguiendo una curva que se termina por el cabo Van-Diemen; y poco más o menos en el nacimiento de esa curva, en un punto en que la península no mide sino algunas millas, está edificada Auckland.

Así pues, la ciudad está situada como lo está en Grecia, Corinto, lo que le ha valido el nombre de Corinto del Sur. Tiene dos puertos abiertos, uno del Este y el otro al Oeste; aquél, en el golfo de Hauraki, es poco profundo, por lo cual ha habido que proyectar alguno de esos largos *piers*, a la moda inglesa, adonde pueden atracar los buques de regular tonelaje. Entre otros se cuenta el *Commercial Pier*, al cual llega Queen's Street, una de las principales calles de la población.

Hacia el centro de esa calle se encuentra el colegio Chairman. Ahora bien, en la tarde del 15 de febrero de 1860, salían de dicho colegio un centenar de niños acompañados de sus padres. Iban muy alegres, muy contentos, como pájaros a quienes acaban de abrir la jaula.

Y es que comenzaban las vacaciones. Dos meses de independencia, dos meses de libertad. Y para cierto número de aquellos alumnos, había también la perspectiva de un viaje por mar, del que hacía mucho tiempo se hablaba en el colegio Chairman. Excusado es decir la envidia que excitaba a aquellos a quienes su buena suerte iba a permitir tomar pasaje a bordo del yate «Sloughi», que se disponía a visitar las costas de Nueva Zelanda en una travesía de circunnavegación.

Ese lindo *schooner*, fletado por los padres de los colegiales, estaba preparado para una campaña de seis semanas. Pertenecía al padre de uno de ellos al señor William H. Garnett, antiguo capitán de marina mercante en quien se podía tener absoluta confianza. Una subscripción abierta entre las distintas familias había de sufragar los gastos del viaje, que se realizaría en las mejores condiciones de seguridad y comodidad. Gran alegría era ésa para aquellos muchachos, y difícil hubiera sido emplear mejor algunas semanas de vacaciones.

En los colegios ingleses, la educación difiere muy sensiblemente de la que se da en los colegios de Francia. Allí dejan a los alumnos más iniciativa y, por consiguiente, una libertad relativa que influye bastante felizmente en su porvenir. Son niños mucho menos tiempo. En una palabra, la educación va allí pareja con la instrucción. De ahí que, en su mayor parte, son corteses, atentos, cuidadosos en el vestir y, lo que es digno de notarse, poco propensos al disimulo o la mentira aun cuando se trate de eludir algún justo castigo. Hay que observar también en esos establecimientos escolares que los niños no se hallan tan sujetos a la vida común y a las leyes del silencio que de ella derivan. Las más de las veces, ocupan cuartos aparte, toman en ellos sus comidas y, cuando se sientan a la mesa de un refectorio, pueden hablar en completa libertad.

Los niños se clasifican en divisiones, según su edad. En el colegio de Chairman había cinco divisiones. Si en la primera y la segunda se agrupaban niños que aún besaban a sus padres en las mejillas, en en la tercera, los mayorcitos reemplazaban el beso filial por el apretón de manos de hombres hechos. No tenían pasante que los vigilase, se les permitía la lectura de novelas y periódicos, tenían días de asueto renovados con frecuencia, horas de estudio bastante restringidas, ejercicios corporales bien entendidos, gimnasia, boxeo y toda clase de juegos; pero como correctivo de esa independencia, de la que rara vez hacían mal uso los alumnos, eran de rigor los castigos corporales, principalmente los azotes. Por lo demás, el ser azotado no es nada deshonroso para jóvenes anglosajones, y se someten sin protesta a ese castigo, cuando comprenden que lo han merecido.

Nadie ignora que los ingleses respetan mucho las tradiciones, tanto en la vida privada como en la vida pública, y estas tradiciones, aun cuando sean absurdas, pero no se parecen nada a las novatadas francesas. Los antiguos alumnos están encargados de proteger a los novatos, mas lo hacen a condición de que éstos les presten en pago ciertos servicios domésticos, a los que no pueden sustraerse. Estos servicios, que consisten en llevarles el desayuno por la mañana, en cepillarles las ropas, en limpiarles el calzado, en hacer recados, se conocen con el nombre de *faggisme*, y los que han de prestarlos se llaman *fags*. Los más pequeños, los de las primeras divisiones, son los que sirven de *fags* a los alumnos de las divisiones superiores, y si aquéllos se niegan a obedecer, se les hace la vida insoportable; pero ninguno de ellos piensa en desobedecer y esto les acostumbra a doblegarse a una disciplina que casi no se conoce entre los alumnos de los colegios franceses. Además, la tradición lo exige, y si hay algún país que la observe de veras, es el Reino Unido, en donde se impone lo mismo al más humilde *cockney* de la calle que a los lores de la Alta Cámara.

Los alumnos que habían de tomar parte en la excursión del «Sloughi» pertenecían a las diferentes divisiones del colegio Chairman, y como se ha podido observar, a bordo del *schooner* los había desde la edad de ocho años hasta la de catorce. ¡Y estos quince muchachos, comprendido el grumete, iban a ser arrastrados muy lejos y por mucho tiempo a unas terribles aventuras!

Conviene dar a conocer sus nombres, su edad, aptitudes, caracteres, la posición de sus familias y las relaciones que existían entre ellos, en el colegio que acababan de dejar en la época habitual de vacaciones.

A excepción de dos franceses, los dos hermanos Briant y de Gordon, que era yanqui, todos los demás eran de origen inglés.

Doniphan y Cross pertenecían a una familia de ricos propietarios que ocupaba un lugar preeminente en la sociedad de Nueva Zelanda. De trece años y algunos meses de edad, eran primos y pertenecían ambos a la quinta división. Doniphan, elegante y cuidadoso de su persona era, sin duda alguna, el alumno más distinguido del colegio. Inteligente y estudioso, procuraba no decaer nunca, tanto por el placer de instruirse como por el deseo de sobresalir entre sus compañeros. Cierta altivez aristocrática le había valido el apodo de lord Doniphan, su carácter imperioso le inducía a querer dominar en cualquier sitio en que se hallase. De ahí venía la rivalidad entre él y Briant, que se remontaba a muchos años y que se había acentuado, sobre todo desde que las circunstancias acrecieran la influencia de Briant en sus compañeros. En cuanto a Cross, era un alumno ordinario, pero lleno de admiración por todo cuando pensaba, decía o hacía su primo Doniphan.

Baxter, de la misma división y de trece años de edad, muchacho frío, reflexivo, trabajador, muy ingenioso, muy diestro, era hijo de un comerciante de bastante modesta fortuna.

Weeb y Wilcox, de doce años y medio, se contaban entre los alumnos de la cuarta división. De inteligencia mediana, bastante voluntariosos y de carácter pendenciero, siempre se habían mostrado muy exigentes en la observancia de las prácticas del *faggisme*. Pertenecían a familias ricas y que ocupaban un lugar principal entre la magistratura del país.

Garnett, de la tercera división, como su compañero Service, ambos de doce años, eran hijos, uno de un capitán de marina retirado y el otro de un colono acomodado, que vivía en North-Shore, en la costa septentrional del puerto de Waitemala. Las dos familias estaban muy unidas, y a esa intimidad se debía que Garnett y Service hubiesen llegado a ser inseparables. Tenían un corazón noble, pero poca afición al trabajo y, si les hubiesen dado libertad, habrían abusado seguramente de ella. Garnett era, sobre todo, un apasionado —pasión lamentable— por el acordeón, tan apreciado en la marina inglesa. Y así, como hijo de marino, tocaba a ratos perdidos su instrumento predilecto y no se había olvidado de llevarlo a bordo del «Sloughi». En cuanto a Service, indudablemente era el más alegre de la cuadrilla, el verdadero gracioso del colegio Chairman, que sólo pensaba en aventuras de viajes y que estaba sugestionado por el «Robinson Crusoe» y el «Robinson Suizo», de los que había hecho su lectura favorita.

Hay que citar también a otros dos muchachos de nueve años. El primero, Jenkins, era el hijo del director de la Sociedad de Ciencias: la «New-Zelanda Royal-Society»; el otro Iverson, hijo del pastor de la iglesia metropolitana de San Pablo. Aunque se hallaban todavía en la tercera y en la segunda división, respectivamente, se los citaba entre los mejores alumnos del colegio Chairman.

Venían luego dos niños, Dole, de ocho años y medio y Costar, de ocho años, hijos ambos de oficiales del ejército anglozelandés, que vivían en la pequeña ciudad de Uchunga, a seis millas de Auckland, en el litoral del puerto de Manpkau. Eran dos chiquillos de los cuales nadie decía nada, a no ser que Dole era muy testarudo, y Costar, demasiado goloso. Si no brillaban apenas en la primera división, no dejaban, sin embargo, de creerse muy adelantados, porque sabían leer y escribir, lo cual, a su edad, no era para vanagloriarse mucho.

Como se ve, todos esos niños pertenecían, a las familias respetables, establecidas de tiempo atrás en Nueva Zelanda.

Falta hablar de los otros tres muchachos, embarcados en el *schooner*, el norteamericano y los dos franceses.

El americano era Gordon, de catorce años, y tanto su semblante como su figura llevaban impreso el sello de una rudeza muy yanqui. Aunque algo torpe y pesado, era, indudablemente, el más juicioso de la quinta división. No brillaba tanto como su compañero Doniphan, pero poseía en cambio, un espíritu justo y un sentido práctico de que con frecuencia había dado pruebas. Le gustaban las cosas serias, por ser de carácter observador y de temperamento frío. Metódico hasta la municiosidad, ordenaba las ideas en su cerebro como los objetos en su pupitre, en donde todo estaba clasificado, rotulado y anotado en su cuadernito especial. En resumen, sus compañeros le estimaban y reconocían sus buenas cualidades y, aunque no fuera inglés de nacimiento siempre le recibían muy bien. Gordon era originario de Boston; pero huérfano de padre y madre, no tenía más pariente que su tutor, antiguo agente consular que, después de haber hecho fortuna, se había domiciliado en Nueva Zelanda y hacía ya años que habitaba en una de aquellas lindas villas diseminadas por las alturas, cerca del pueblo de Mount-Saint-John.

Los dos jóvenes franceses, Briant y Santiago, eran hijos de un ingeniero distinguido que, hacía dos años y medio fue a encargarse de la dirección de las grandes obras de desecación de los pantanos del centro de Ika-Na-Mawi. El mayor tenía trece años, era poco aplicado, aunque muy listo, frecuentemente pasaba a ser uno de los últimos de la quinta división. Sin embargo cuando quería, con su facilidad de asimilación y su notable memoria, pasaba a los primeros lugares, y esto hacía más envidioso a Doniphan. Por eso él y Briant, nunca estaban en buena armonía en el colegio Chairman y ya hemos visto a bordo del «Sloughi», las consecuencias de ese desacuerdo. Además; Briant, era audaz, emprendedor, diestro en los ejercicios corporales, vivo en la réplica, y también servicial, buen chico, sin la vanidad de Doniphan, algo desaliñado y sin gran elegancia; en una palabra, era muy francés, y por eso mismo, muy distinto de sus compañeros de origen inglés. Por lo demás, muchas veces había protegido a los débiles contra el abuso que los mayores hacían de sus fuerzas; y en lo que a él concernía, jamás quiso someterse a las obligaciones del *faggisme*. Esto daba lugar a resistencias, luchas, peleas, de las cuales, gracias a su vigor y a su valor, salía casi siempre victorioso. En general le querían, y al tratarse de la dirección del «Sloughi», sus compañeros, salvo raras excepciones, no habían titubeado en obedecerle, tanto más cuanto que, cuando sabemos, había podido adquirir algunas nociones de náutica durante su travesía de Europa a Nueva Zelanda.

En cuanto al pequeño Santiago, le habían considerado hasta entonces como el más travieso de la tercera división —sino de todo el colegio Chairman, sin exceptuar a Service—, que inventaba sin cesar bromas nuevas, jugando terribles malas pasadas a sus compañeros y dando ocasión para que le castigasen más de lo debido; pero, como veremos, su carácter se había modificado absolutamente desde la partida del yate sin que se supiese por qué motivo.

Ésos eran los muchachos a quienes la tempestad acababa de arrojar a una de las tierras del Océano Pacífico.

Durante aquella excursión de algunas semanas a lo largo de las costas de Nueva Zelanda, el «Sloughi» había de ser mandado por su propietario, el padre de Garnett, uno de los más atrevidos *yachtmen* de los mares de Australia. ¡Cuántas veces había aparecido el *schooner* en el litoral de Nueva Caledonia, de Nueva Holanda, desde el estrecho de Torres, hasta las puntas meridionales de la Tasmania y hasta los mares de las Molucas, de Filipinas y de las Célebes, tan funestas a veces para barcos de mayor tonelaje! Pero era un yate construido sólidamente, muy marinero y que resistía admirablemente el mar, aun con fuertes temporales.

La tripulación se componía de un contramaestre, seis marineros, un cochero y un grumete, Mokó, joven negro de doce años, cuya familia llevaba mucho tiempo al servicio de un colono de Nueva Zelanda. Merece mencionarse también un hermoso perro de caza *Phann*, de raza americana, que pertenecía a Gordon y que nunca se separaba de su amo.

Habíase señalado para el 15 de febrero la partida del barco. Y en espera de esa fecha el «Sloughi» permanecía amarrado por la popa al extremo del *Commercial-Pier*, y, por consiguiente, a bastante distancia del puerto.

En la noche del 14, cuando fueron a embarcarse los jóvenes pasajeros, no estaba a bordo la tripulación. El capitán Garnett no debía llegar hasta el momento de zarpar el barco, y sólo el contramaestre y el grumete recibieron a Gordon y sus compañeros, pues los tripulantes habían ido a tomar una última copa de whisky. Es más, así que todos los niños estuvieron instalados y acostados, el contramaestre fue a reunirse con su tripulación en una de las tabernas del puerto, en donde cometió la imperdonable torpeza de entretenerse hasta hora muy avanzada de la noche. En cuanto al grumete, se quedó dormido en el cuarto de la tripulación.

¿Qué sucedió entonces? Probablemente nunca habrá de saberse. Lo cierto es que, por negligencia o por maldad, se soltó la amarra del yate... sin que advirtieran nada a bordo.

Una noche oscura envolvía el puerto y el golfo de Hauraki. El viento de tierra se dejaba sentir con fuerza y el *schooner*, cogido por debajo por una corriente de reflujo que iba mar adentro, empezó a navegar hacia alta mar.

Cuando se despertó el grumete, el «Sloughi» corría como arrastrado por una marejada que no podía confundirse con la resaca habitual. Mokó se apresuró a subir a la cubierta... ¡El yate iba al garete!

A los gritos del grumete, Gordon, Briant, Doniphan y algunos otros, saltando de sus camas, salieron del tapacete. En vano llamaron en su auxilio. Ya no veían ni siquiera una sola de las luces de la ciudad o del puerto. El *schooner* se hallaba en pleno golfo, a tres millas de la costa.

Ante todo, por consejo de Briant, al cual se unió el grumete, los niños intentaron izar una vela, para volver al puerto dando bordadas; pero, demasiado pesada para poder orientar convenientemente, esa vela no produjo más efecto que el de arrastrarlos más lejos, por la presa que daba al viento del Oeste. El «Sloughi» dobló el cabo Colville, pasó el estrecho que lo separa de la isla de la Gran Barrera, y pronto estuvo a muchas millas de Nueva Zelanda.

Se comprenderá la gravedad de semejante situación. Briant y sus compañeros no podían esperar ya ningún socorro de tierra, y si algún buque del puerto salía en su busca, pasarían muchas horas antes de que los alcanzase, eso suponiendo que fuera posible encontrar el *schooner* en medio de tan profunda oscuridad.

Y además, al llegar el día, ¿cómo distinguir un barco tan pequeño, perdido en alta mar? En cuanto a salir de apuros por sus propios esfuerzos, ¿cómo podrían conseguirlo aquellos niños? Si el viento no variaba, tendrían que renunciar a volver a tierra.

Verdad es que les quedaba la probabilidad de encontrar un barco que navegase con rumbo a uno de los puertos de Nueva Zelanda: y por esta razón, por muy problemática que fuese tal eventualidad, Mokó se apresuró a poner un farol en lo alto del palo de mesana, ya no pudieron hacer más que esperar a que amaneciera.

En cuanto a los pequeños, puesto que no les había despertado el tumulto, se creyó conveniente dejarlos dormir, puesto que su espanto no hubiera hecho más que aumentar el desorden de a bordo.

No obstante, hicieron otras varias tentativas para volver el «Sloughi» de popa al viento; pero al punto derivaba con rapidez hacia el Este.

De pronto, a dos o tres millas vieron una luz. Era una luz blanca, en la punta de un mástil; después aparecieron las dos luces de situación, roja y verde, y como se veían ambas a la vez era señal de que un transatlántico navegaba directamente hacia el yate.

En vano profirieron los muchachos gritos desesperados. El estruendo de las olas, el silbido del vapor que salía por los tubos de escape del transatlántico, el viento que se había vuelto más violento, todo contribuía a que sus voces se perdieran en el espacio.

Pero, si no podían oírlos, ¿no veían los marineros de guardia el farol del «Sloughi»? Era una última esperanza.

Por desgracia, con el cabeceo rompióse la driza, el farol cayó al agua y ya nada indicó la presencia del «Sloughi», hacia el cual corría el transatlántico con una velocidad de doce millas por hora.

En pocos segundos, fue abordado el yate y hubiese naufragado al instante, si el choque hubiera sido de costado, pero el abordaje se produjo sólo por la popa y no estropeó más que una parte del barandado, sin tropezar con el casco.

Había sido tan ligero el choque, que, dejando al «Sloughi» a merced de una borrasca muy próxima, el transatlántico prosiguió su camino.

Con mucha frecuencia, los capitanes no se preocupan apenas de socorrer al barco que han abordado. Esa es una conducta criminal de la que se tienen numerosos ejemplos; pero, en aquel caso, es muy posible que a bordo del transatlántico no sintieran nada del choque con aquel yate tan ligero, que ni siquiera habían entrevisto en la oscuridad.

Llevados entonces por el viento, los niños debieron de creerse perdidos. Cuando amaneció el día, la inmensidad estaba cubierta. En aquella parte poco frecuentada del Pacífico, los buques que van de

Australia a América o de América a Australia, siguen las rutas más meridionales o más septentrionales. Ni uno solo pasó a la vista del yate. Llegó la noche, más mala aún, y aunque hubo momentos de calma, no cesó de soplar del Oeste el viento.

Ni Briant ni sus compañeros podían tener idea de lo que iba a durar la travesía. En vano intentaron maniobrar de manera que volviera el yate a las costas neozelandesas. Les faltaba ciencia para modificar la marcha y fuerzas para izar las velas y práctica para desenvolverse.

En esas condiciones, Briant, desplegando una energía superior en mucho a su edad, empezó a ejercer en sus compañeros una influencia que hasta el mismo Doniphan tuvo que sufrir. Si ayudado por Mokó, no consiguió llevar el barco hacia el Oeste, cuando menos empleó lo poco que sabía en mantenerle en suficientes condiciones de navegación. No dejó de trabajar, veló noche y día, y recorrió obstinadamente con la mirada el horizonte, en busca de una probabilidad de salvación. Cuidóse de mandar arrojar al agua algunas botellas que contenían un documento relativo al «Sloughi». Débil recurso, desde luego, pero que él no quiso descuidar.

Entretanto, los vientos del Oeste seguían empujando al yate a través del Pacífico, sin que fuera posible contener su marcha ni disminuir su velocidad.

Ya sabemos lo que había sucedido. A los pocos días de ser arrastrado el *schooner* fuera de los pasos del golfo de Hauraki, desencadenóse una tempestad que duró dos semanas con una impetuosidad extraordinaria. Asaltado por las olas monstruosas, después de haber estado cien veces a punto de ser aplastado por enormes golpes de mar, lo que hubiera sucedido de no tener tan buenas condiciones náuticas y de no estar tan sólidamente construido, el «Sloughi» encalló en una tierra desconocida del océano Pacífico.

¿Y cuál sería la suerte de aquel colegio de náufragos arrastrados a mil ochocientas leguas de Nueva Zelanda? ¿De dónde le vendría un socorro que en absoluto no podrían encontrar por sí mismos?

Sus familias tenían motivos para creerlos hundidos con el *schooner*, y he aquí por qué:

En Auckland, así que se hubo comprobado la desaparición del «Sloughi» en la noche misma del 14 al 15 de febrero, se avisó al capitán Garnett y a las familias de aquellos desdichados niños. No hace falta insistir en el efecto que tal acontecimiento produjo en la ciudad, en donde la consternación fue general.

Pero si se había soltado o roto la amarra, tal vez la marea no hubiera llevado al *schooner* muy lejos del golfo y acaso fuera posible encontrarlo, a pesar de que el viento del Oeste, que iba adquiriendo violencia, pudiera dar lugar a las más dolorosas inquietudes.

Por esta razón, sin perder un instante, el comandante del puerto tomó sus medidas para socorrer al yate. Dos vaporcitos salieron a reconocer el mar en varias millas fuera del golfo de Hauraki. Recorrieron toda la noche aquellos parajes, en donde la mar empezaba a ponerse muy dura; y al llegar el día, cuando regresaron, quitaron toda esperanza a las familias afectadas por tan espantosa catástrofe.

En efecto, si bien aquellos vapores no encontraron al «Sloughi», recogieron cuando menos algunos de sus restos, tales como los trozos del coronamiento, caídos al mar después del choque con el transatlántico peruano «Juito», choque del que ni siquiera éste se había enterado.

En aquellos restos se leían aún tres o cuatro letras de la palabra «Sloughi». Así, pues, se tuvo por seguro que el yate había sido destrozado por algún golpe de mar, y que, a causa de este accidente, se había perdido con todo cuanto llevaba, a unas doce millas de Nueva Zelanda.

CAPITULO IV

La costa estaba desierta, como había supuesto Briant al observarla desde las crucetas del palo de mesana. Hacía una hora que yacía el *schooner* en la playa en su lecho de arena y aún no había aparecido ningún indígena. Ni entre los árboles que se agrupaban delante del acantilado, ni cerca de las orillas del río, crecido por las aguas de la marea ascendente, se veía una casa, una cabaña ni una choza. Tampoco había huellas de pies humanos en la superficie de la playa, orillada por un largo cordón de algas. En la embocadura del riachuelo no se veía ninguna embarcación de pesca. Por último, no se vislumbraba tampoco en el aire ninguna columna de humo en todo el perímetro de la bahía comprendida entre los dos promontorios del Norte y del Sur.

En primer lugar Briant y Gordon pensaron en internarse por entre los grupos de árboles, para llegar al acantilado y, si era posible, subir a éste.

—Estamos en tierra, que ya es algo —dijo Gordon—; pero ¿qué tierra es ésta que parece deshabitada?

—Lo importante es que no sea inhabitable —respondió Briant—. Tenemos víveres y municiones para algún tiempo. No nos falta más que un abrigo, y hay que buscarlo. A lo menos, para los pequeños. Ellos ante todo.

—Sí... Tienes razón.

—En cuanto a saber en dónde estamos —siguió diciendo Briant—, ya tendremos tiempo de verlo cuando hayamos arreglado lo más urgente. Si es un continente, tal vez tengamos probabilidades de ser socorridos; si es una isla... una isla deshabitada... ¡Pues bien, ya veremos...! Ven, Gordon, vamos de exploración.

Los dos llegaron rápidamente al límite de los árboles, que se extendían oblicuamente entre el acantilado y la orilla derecha del río, a trescientos pasos de la embocadura.

En aquel bosque no había señal alguna de paso del hombre, ni un claro, ni una vereda. Viejos troncos, abatidos por la edad, yacían en el suelo, y Briant y Gordon se hundían hasta las rodillas en la alfombra de hojas muertas. Sin embargo, los pájaros huían tímidamente, como si ya hubieran aprendido a no fiarse de los seres humanos. Así, pues, era probable que aquella costa, si no estaba habitada, recibiera accidentalmente la visita de los indígenas de algún territorio cercano.

En diez minutos, cruzaron ambos muchachos el bosque, cuya espesura iba haciéndose más impenetrable en las cercanías del acantilado rocoso que se alzaba como una muralla a pico, en una gran altura media de ciento ochenta pies. ¿Tendría el basamento de ese acantilado alguna fragosidad, en la cual fuera posible cobijarse? Hubiera sido de desear. En efecto, allí, una caverna protegida contra los vientos del mar por la cortina de árboles y fuera de los ataques del agua, hubiese ofrecido un excelente refugio, y en él hubieran podido instalarse provisionalmente los jóvenes náufragos en espera de que una exploración más detenida de la costa les permitiese aventurarse con seguridad por el interior del país.

Por desgracia, en aquel acantilado, tan abrupto como una muralla, Gordon y Briant no descubrieron ninguna gruta, ni siquiera algún sendero por donde poder elevarse hasta la cumbre. Para llegar al interior del territorio habría que contornear probablemente aquel acantilado, cuya disposición había reconocido Briant cuando lo observaba desde las crucetas del «Sloughi».

Durante media hora bajaron los dos hacia el Sur, a lo largo de la base del acantilado. Entonces llegaron a la orilla derecha del río, que volvía a subir sinuosamente en la dirección del Este. Si esa orilla estaba sombreada por hermosos árboles, la otra bordeaba una comarca de aspecto muy diferente, sin verdor, sin grieta alguna. Parecía un vasto pantano que se extendiera hasta el horizonte del Sur.

Decepcionados en su esperanza, sin haber podido elevarse hasta la cima del acantilado, desde donde, sin duda, hubieran podido observar al país en muchas millas a la redonda, volvieron Briant y Gordon al «Sloughi».

Doniphan y algunos otros iban y venían por las rocas, en tanto que Jenkins, Iverson, Costar y Dole se entretenían en juntar conchas.

En una conversación que tuvieron con los mayores, Briant y Gordon dieron a conocer el resultado de su exploración. Y en espera de que las investigaciones pudieran profundizarse más, pareció conveniente no abandonar el *schooner*. A pesar de tener la quilla muy estropeada y de estar muy inclinado a babor, podía servir de morada provisional, en el mismo lugar en que había encallado. Aunque la cubierta estaba entreabierta a proa, por encima de la cámara de la tripulación, el salón y los camarotes de popa ofrecían, por lo menos, suficiente abrigo contra las ráfagas. En cuanto a la cocina, no había sufrido daño alguno, con gran satisfacción de los pequeños, a quienes interesaba muy particularmente la cuestión de las comidas.

En realidad, tuvieron aquellos jóvenes la suerte de no verse obligados a transportar a la playa los objetos indispensables para su instalación; porque, aun suponiendo que lo hubieran conseguido, ¿a qué dificultades y a qué obstáculos no se habrían visto expuestos? Si el «Sloughi» hubiera quedado al borde de los primeros escollos, ¿cómo hubieran podido proceder al salvamento del material? ¿No hubiera deshecho el mar rápidamente el yate, y qué se hubiera podido salvar entonces de los restos esparcidos por la arena, conservas, armas, municiones, vestidos y toda clase de herramientas, tan necesarias a la existencia de aquella gente menuda?

Por fortuna, la marea había llevado al «Sloughi» más allá del banco de arrecifes, y si se hallaba en estado de no navegar jamás, cuando menos era habitable; puesto que sus partes altas habían resistido en primer lugar a la borrasca y luego al choque y nada podría sacarle de aquel hoyo arenoso en que se había hundido su quilla. Sin duda, por los ataques sucesivos del sol y de la lluvia, acabaría por dislocarse, cederían las bordas, la cubierta terminaría de abrirse, y el abrigo que en aquel momento ofrecía llegaría a ser insuficiente. Mas, para entonces, los jóvenes náufragos podrían llegar a alguna ciudad, o algún pueblo, o, si la tempestad los había arrojado a una isla desierta, podrían descubrir una gruta en las rocas del litoral.

Por lo tanto, lo mejor era quedarse provisionalmente a bordo del «Sloughi», y así lo hicieron el mismo día. Una escala de cuerda instalada a estribor, por el lado que se inclinaba el yate, permitió a grandes y chicos llegar a los tapacetes de cubierta. Mokó, que, como grumete, sabía algo de cocina, ayudado por Service, que se complacía en guisar, se cuidó de preparar un almuerzo. Todos comieron con buen apetito, y hasta Jenkins, Iverson, Costar y Dole mostraron cierta alegría. Únicamente Santiago Briant, que antes era el más animado del colegio, seguía manteniéndose aparte. Tal mudanza en su carácter y en sus costumbres no podía menos de sorprender; pero Santiago, que se había vuelto taciturno, esquivaba siempre las preguntas que sobre ello le dirigían sus compañeros.

Al fin, muy cansados, después de tantos días y tantas noches pasadas en medio de los mil peligros de la tempestad, no pensaron más que en dormir. Los pequeños se distribuyeron por los camarotes del yate, en donde no tardaron en reunírseles, los mayores. No obstante, Briant, Gordon y Doniphan quisieron velar por turno. Era de temer la aparición de una manada de fieras o de alguna cuadrilla de indígenas, que no serían menos temibles. Mas no sucedió nada. La noche transcurrió tranquilamente, y cuando salió el sol, después de una oración de gracias a Dios, ocupáronse en los trabajos que las circunstancias requerían.

En primer lugar, hubo que hacer inventario de las provisiones del viaje; luego, del material, incluyendo armas, instrumentos, herramientas y vestidos, etcétera. La cuestión del alimento era la más grave, ya que aquella costa parecía muy desierta. En ella limitábanse los recursos a los productos de la pesca y de la caza, si es que no faltaba esta última. Hasta entonces, Doniphan, que era un cazador muy experto, no había visto sino numerosas bandadas de volátiles en la playa; pero hubiera sido muy lamentable verse reducido a alimentarse de aves marinas. Convenía saber inmediatamente el tiempo que podrían durar las provisiones del *schooner* escatimándolas lo más posible.

Y, una vez hecho el cálculo, salvo la galleta, de la que había una cantidad considerable, las conservas, el jamón, los pastelillos de carne compuestos de harina de primera calidad, de cerdo picado y especias, la carne de vaca, las salazones, las latas de adobo, no durarían arriba de dos meses, aun cuando recurriesen a ellas con suma parquedad. Por consiguiente, convenía recurrir desde un principio a los productos del país, para ahorrar las provisiones, por si tenían que recorrer algunos cientos de millas para llegar a los puertos de la costa o a los pueblos del interior.

—¡Con tal de que no esté averiada parte de estas conservas! —dijo Baxter—. Si el agua del mar ha penetrado en la bodega después de encallar el barco...

—Eso lo podemos ver abriendo las latas que nos parezcan averiadas —respondió Gordon—. Tal vez podamos aprovecharlas volviendo a cocer su contenido.

—Yo me encargo de ello —respondió Mokó.

—Y no tardes en poner manos a la obra —dijo Briant— porque los primeros días tendremos que vivir de nuestras provisiones.

—¿Y por qué no visitar hoy mismo las rocas que se alzan al norte de la bahía y coger huevos que sirvan para comer? —dijo Wilcox.

—Sí... sí... —exclamaron Dole y Costar.

—¿Y por qué no pescar? —añadió Webb—. ¿No hay cañas a bordo y peces en el mar...? ¿Quién quiere ir de pesca?

—¡Yo...! ¡Yo...! —exclamaron los pequeños.

—Bien, bien —respondió Briant—. Pero no se trata de jugar y sólo daremos cañas a los pescadores formales.

—Pierde cuidado, Briant —respondió Iverson—, que lo haremos como si fuera un deber.

—Bueno, pero empecemos por hacer el inventario de lo que contiene el yate —dijo Gordon—. No hay que pensar sólo en la comida.

—Podríamos coger algunos moluscos para el almuerzo —dijo Service.

—Conforme —exclamó Gordon—. Id tres o cuatro de los pequeños, y acompáñalos tú, Mokó.

—Sí, señor Gordon.

—Y vigílalos bien —añadió Briant.

—No tenga usted cuidado.

El grumete, con quien se podía contar, muchacho muy servicial, listo y valeroso, había de prestar grandes servicios a los jóvenes náufragos. Era particularmente fiel a Briant, quien, por su parte, no ocultaba la simpatía que le inspiraba Mokó, simpatía de que sin duda se hubieran avergonzado sus compañeros anglosajones.

—¡En marcha! —exclamó Jenkins.

—¿No los acompañas tú, Santiago? —preguntó Briant a su hermanito.

Santiago respondió negativamente.

Jenkins, Dole, Costar e Iverson partieron, pues, guiados por Mokó y subieron a lo largo de los escollos que el mar acababa de dejar en seco. Tal vez, en los intersticios de las rocas, pudieran cosechar una buena provisión de moluscos, mejillones, almejas y hasta ostras, y, crudos o cocidos, estos crustáceos contribuirían grandemente al desayuno. Los niños iban brincando, pues veían en esa excursión, más que la utilidad, el recreo. Muy propio era eso de su edad, y apenas si conservaban el recuerdo de las pruebas por que acababan de pasar, ni la preocupación de los peligros con que el porvenir los amenazaba.

No bien se hubo alejado la pequeña cuadrilla, los mayores emprendieron sus investigaciones a bordo del yate. Por una parte, Doniphan, Cross, Wilcox y Webb hicieron el recuento de las armas, las municiones, los vestidos, los objetos de cama y los útiles y herramientas de a bordo. Por otra, Garnett, Briant, Baxter y Service contaron las bebidas, los vinos, cerveza, brany, whisky, ginebra, encerrados en el fondo de la cala, en barriles que contenían de diez a cuarenta galones cada uno. A medida que se iba inventariando cada objeto, registrábalo Gordon en un cuaderno de bolsillo, cuaderno lleno ya de notas relativas tanto al acondicionamiento como al cargamento del *schooner*. El metódico americano —contador de nacimiento, podemos decir— tenía ya un estado general del material y parecía que no le faltaba más que comprobarlo.

Y ante todo, comprobó que había un juego completo de velas de repuesto y aparejos de todas clases, betas, cables, guindaleras, etcétera. Si el yate hubiera estado aún en condiciones de navegar, no hubiese faltado nada para reponer totalmente su aparejo; pero si aquellos lonas de primera calidad, aquellas cuerdas nuevas no habían de servir ya para aparejar, sabrían aprovecharlas cuando se tratase de su instalación. Algunos útiles de pesca, redes de mano y cañas o aparejos, figuraban también en el inventario, y serían preciosos utensilios, por poco que abundase la pesca por allí.

Como armas, he aquí las que inscribió en su cuaderno Gordon: ocho escopetas de caza de fuego central, otra escopeta grande, de largo alcance, y una docena de revólveres; como municiones, trescientos cartuchos de caza para las armas que se cargaban por la culata, dos barriles de pólvora de veinticinco libras cada uno y una gran cantidad de perdigones, granalla y balas. Esas municiones, destinadas a cazar durante las escalas del «Sloughi» en las costas de Nueva Zelanda, se emplearían más provechosamente ahora, para asegurar la vida común, y plegue al cielo que no tuvieran que usarlas para defenderse. La bodega contenía también gran cantidad de cohetes destinados a las señales nocturnas, unos treinta cartuchos de cañón y proyectiles para los dos cañoncitos del yate, que era de desear no tuviesen que emplearse para repeler un ataque de los indígenas.

En cuanto a los objetos de tocador y a los utensilios de cocina, había los suficientes para las necesidades de los pequeños náufragos, aun en el caso de que tuviera que prolongarse su permanencia allí. Si parte de la vajilla había sido rota al chocar el «Sloughi» contra los arrecifes, quedaba bastante para el servicio de la cocina y de la mesa. Por lo demás, ésos no eran artículos de absoluta necesidad; era preferible que hubiera vestidos de franela, de paño y de algodón en cantidad suficiente para poderse mudar según las exigencias de la temperatura. En efecto, si aquella tierra se hallaba en la misma latitud de Nueva Zelanda, cosa probable, puesto que desde su partida de Auckland, el *schooner* había sido siempre impelido por vientos del Oeste, eran de esperar intensos calores durante el estío y grandes fríos en invierno. Felizmente, había a bordo gran cantidad de esas ropas, indispensables en una excursión de varias semanas, porque en el mar nunca está de más el abrigarse. Esto aparte, los cofres de la tripulación suministraban pantalones, marineras de lana, impermeables, gruesas camisetas, que sería fácil adaptar a las medidas de grandes y chicos, lo cual permitiría afrontar los rigores de la estación invernal. Excusado es decir que, si las circunstancias obligaban a dejar el *schooner* por una morada más segura, cada cual se llevaría su ropa de cama completa, pues el barco estaba bien provisto de colchones, sábanas, almohadas y mantas, y teniendo cuidado, esos diversos objetos podrían durar mucho tiempo.

¡Mucho tiempo...! Palabras que tal vez significasen «siempre». ¿Quién podría asegurarlo?

He aquí ahora lo que apuntó Gordon en su cuaderno, en la sección de instrumentos de a bordo: dos barómetros aneroides, un termómetro centígrado de alcohol, dos relojes marinos, dos de esas trompetas o bocinas de cobre que se usan durante la niebla y que se dejan oír a larga distancia, tres anteojos de pequeño y largo alcance, una brújula de bitácora y otras dos de modelo reducido, un *storm-glass* para indicar la proximidad de las tempestades y, por último, varias banderas del Reino Unido, sin contar toda la serie de banderas de señales que se usan para comunicarse en el mar de un buque a otro. Finalmente, había también una pequeña canoa de caucho, de esas que se pliegan como una maleta y bastan para cruzar un río o lago.

En cuanto a herramientas, la caja del carpintero contenía un surtido bastante completo, sin contar sacos de clavos, tirafondos y tornillos y herrajes de todas clases para las pequeñas reparaciones del viaje. Tampoco faltaban botones, hilos y agujas; porque en previsión de frecuentes remiendos, las madres de aquellos niños habían tomado sus precauciones. No se expondrían a verse privados de fuego; porque, con una abundante provisión de fósforos, las mechas de yesca y los eslabones les bastarían para mucho tiempo y podrían estar tranquilos a este respecto.

Había también a bordo grandes mapas, pero eran especiales de las costas del archipiélago neozelandés y, por consiguiente, inútiles en aquellos parajes desconocidos. Por fortuna, Gordon se había llevado uno de esos atlas generales que comprenden la geografía del Antiguo y del Nuevo Mundo, precisamente el atlas de Stieler, que parece ser lo más perfecto de su clase que tiene la geografía moderna. Además, la biblioteca del yate poseía cierto número de obras buenas, inglesas y francesas, sobre todo relatos de viajes y algunos libros de ciencia, sin contar los dos famosos Robinsones que había salvado Service, como salvó en otro tiempo Camoens sus *Luisiadas*, lo cual había hecho también Garnett con su famoso acordeón, que salió sano y salvo de los choques del encallamiento. Por último, después de todo lo necesario para leer, había también un calendario de 1860, en el que se encargó Baxter de borrar sucesivamente cada día transcurrido.

—El 10 de marzo —dijo— es el día que ha embarrancado el pobre «Sloughi»... Por lo tanto, borro ese 10 de marzo y también todos los días de 1860 que le precedieron.

Hemos de mencionar también una suma de quinientas libras en oro, encontradas en la caja de caudales del barco. Tal vez tuviera su empleo ese dinero, si los pequeños náufragos conseguían llegar a un puerto de donde pudieran hacerse repatriar.

Gordon se cuidó entonces de sacar minuciosamente la cuenta de los diversos barriles apilados en la bodega. Muchos de ellos, llenos de ginebra, cerveza o vino, se habían desfondado durante el choque contra los arrecifes y su contenido se había derramado por las bordas desunidas. Aquélla era pérdida irreparable, y habría que ahorrar todo lo posible lo que quedaba.

En resumen, en la bodega del *schooner* había aún cien galones de clarete y de sherry, cincuenta galones de ginebra, de brandy y de whisky y cuarenta barriles de cerveza de 25 galones (1) de cabida cada uno, más unos treinta frascos de licores variados que, bien envueltos en su funda de paja, pudieron resistir el choque de las rompientes.

Como se sabe, los quince supervivientes del «Sloughi» podían decir que tenían asegurada por cierto tiempo la vida material. Faltaba examinar si el país suministraría algunos recursos que les permitieran economizar sus reservas. Si la tempestad les había arrojado a una isla, no podían tener esperanza de salir de ella nunca, a no ser que viniera algún barco por aquellos parajes y ellos pudieran señalarle su presencia. Reparar el yate, restablecer sus cuadernas agrietadas en el fondo, rehacer las bordas, hubiera exigido un trabajo superior a sus fuerzas y el empleo de herramientas de que no disponían. En cuanto a construir un nuevo barco con los restos del antiguo, no podían ni pensarlo, aparte de que no estaban iniciados en las cosas de la navegación, por lo cual no hubieran podido cruzar el Pacífico para volver a Nueva Zelanda. Sin embargo, con las embarcaciones del *schooner*, no hubiera sido imposible llegar a algún otro continente o alguna otra isla, si los había por allí cerca, en aquella parte del Pacífico. Pero los dos

(1) El galón inglés equivale a unos cuatro litros y medio.

botes habían sido arrebatados por los golpes de mar y no quedaba a bordo más que la canoa, propia, a lo sumo, para navegar a lo largo de la costa.

Hacia el mediodía, los pequeños, guiados por Mokó, volvieron al «Sloughi». Habían acabado por ser útiles, poniéndose a trabajar seriamente, y así traían buena provisión de moluscos, que el grumete condimentó luego. En cuanto a los huevos, debía de haberlos en gran cantidad, porque Mokó observó la presencia de innumerables palomas de especie comestible que anidaban en las altas fragosidades del acantilado.

—Muy bien —dijo Briant—. Una mañana de éstas organizaremos una cacería, que podrá ser muy fructífera.

—Seguramente —respondió Mokó—, y tres o cuatro disparos nos darán palomas a docenas. En cuanto a los nidos, encaramándose por una cuerda, no será difícil cogerlos.

—Convenido —dijo Gordon—. Entretanto, si Doniphan quisiera ir de caza mañana...

—Con mucho gusto —respondieron los tres muchachos, encantados de poder disparar contra aquellos miles de volátiles.

—Pero —añadió Briant— os recomiendo que no matéis demasiadas palomas. Ya sabremos encontrarlas cuando nos hagan falta. Ante todo, conviene no derrochar inútilmente los perdigones y la pólvora....

—Bueno, bueno —respondió Doniphan, que casi no podía sufrir las observaciones, sobre todo si procedían de Briant—. No es la primera vez que manejamos la escopeta y no necesitamos consejos de nadie.

Una hora después, anunció Mokó que estaba preparada la comida. Todos subieron a prisa a bordo del *schooner* y se instalaron en el comedor. La mesa se inclinaba sensiblemente a babor, por efecto de la inclinación del yate; pero aquello no podía molestar gran cosa a muchachos acostumbrados al balanceo. Los crustáceos, particularmente los mejillones, fueron declarados excelentes, aunque su preparación dejaba bastante que desear. Pero a esa edad, no hay mejor condimento que el apetito. Hicieron una comida muy aceptable con galleta, un buen trozo de vaca en conserva y agua fresca, cogida en la embocadura del río en el momento de la bajamar, para que no tuviera gusto salobre, y en la que echaron algunas gotas de brandy.

Dedicaron la tarde a algunas obras de arreglo en la bodega y a escoger los objetos de que habían hecho inventario. Durante este tiempo, Jenkins y sus pequeños compañeros pescaban en el río, donde hormigueaban peces de diversas especies. Luego, después de cenar, fueron todos a descansar, excepto Baxter y Wilcox, que debían quedarse de guardia hasta el amanecer.

Así pasaron la segunda noche en aquella tierra del océano Pacífico.

En resumen, aquellos muchachos no carecían de los recursos que con mucha frecuencia faltan a los que naufragan en parajes desiertos. En el estado en que se hallaban, hombres válidos y mañosos, tendrían muchas probabilidades de salir de apuros, pero en cambio ellos, el mayor de los cuales apenas tenía catorce años, ¿conseguirían subvenir a las necesidades de su existencia, si estaban condenados a permanecer muchos años en semejantes condiciones...? Era muy dudoso.

CAPÍTULO V

¿Isla o continente? Esa seguía siendo la grave cuestión que preocupaba a Briant, Gordon y Doniphan, a quienes su carácter e inteligencia convertían en los verdaderos jefes de aquella gente menuda. Al pensar en el porvenir, cuando los más pequeños sólo se cuidaban del presente, hablaban con frecuencia de ese tema. En todo caso, ya fuera insular o continental aquella tierra, era evidente que no pertenecía a la zona de los trópicos, como lo demostraba su vegetación: encinas, hayas, abedules, alisos, pinos y abetos de diversas especies, numerosas mirtáceas y saxífragas, que no son los árboles o arbustos esparcidos por las regiones centrales del Pacífico.

Y hasta parecía que aquel territorio había de estar un poco más elevado en latitud que el Polo austral. Así pues, podía temerse que fueran allí muy rigurosos los inviernos. En el bosque que se extendía al pie del acantilado, una espesa alfombra de hojas secas cubría ya el suelo. Sólo los pinos y abetos conservaban su ramaje, que se renueva de estación en estación, pues su verdor es perenne.

—Por esto —dijo Gordon al día siguiente del en que habían transformado el «Sloughi» en morada sedentaria— me parece prudente no instalarnos definitivamente en esta parte de la costa.

—Eso creo yo también —respondió Doniphan—. Si esperamos a la mala estación, sería demasiado tarde para ir a algún lugar habitado, a poco que tengamos que andar algunos cientos de millas.

—¡Paciencia! —repuso Briant—. Aún no estamos más que a mediados de marzo.

—Pues bien —replicó Doniphan—, el buen tiempo puede durar hasta fines de abril, y en seis semanas se anda mucho camino...

—Cuando hay camino —replicó Briant.

—¿Y por qué no ha de haberlo?

—¡Naturalmente! —repuso Gordon—. Pero, si lo hay, ¿sabemos acaso dónde va a conducirnos?

—Yo no sé más que una cosa —respondió Doniphan—, y es que sería absurdo no dejar el *schooner* antes de la temporada de los fríos y las lluvias; para eso, es menester no ver obstáculos a cada paso.

—Más vale verlos —repuso Briant— que aventurarse como locos por un país que no conocemos.

—Pronto llamas tú locos —dijo agriamente Doniphan— a los que no piensan como tú.

Tal vez esa respuesta de Doniphan iba a provocar nuevas réplicas de su compañero y a hacer que la conversación degenerase en disputa, cuando intervino Gordon diciendo:

—De nada sirve discutir, y para salir de apuros, empecemos por entendernos. Doniphan tiene razón al decir que si somos vecinos de algún país habitado, habrá que llegar a él sin demora. Pero Briant pregunta si eso es posible, y no deja de tener razón al responder así.

—¡Qué diablo! —exclamó Doniphan—. Subiendo hacia el Norte, volviendo a bajar hacia el Sur, y encaminándonos luego al Este, bien acaremos por llegar...

—Sí, si estamos en un continente —dijo Briant—; pero no, si nos hallamos en una isla y esta isla está desierta.

—Por eso —respondió Gordon— conviene reconocer lo que es. En cuanto a dejar el «Sloughi» sin habernos cerciorado de si hay o no hay un mar al Este...

—¡Pero si será él quien nos abandone! —exclamó Doniphan, propenso siempre a obstinarse en sus ideas—. No podrá resistir a las borrascas de la mala estación en esta playa.

—Convengo en ello —contestó Gordon—. Y, sin embargo, antes de aventurarse por el interior, es indispensable saber adónde vamos.

Tenía tan manifiestamente razón Gordon, que Doniphan hubo de ceder de buen o mal grado.

—Yo estoy dispuesto a ir de exploración —dijo Briant.

—Yo también —añadió Doniphan.

—Todos lo estamos —dijo Gordon—; pero como sería una imprudencia llevar a los niños a esa exploración, que puede ser larga y fatigosa, creo que bastarán dos o tres de nosotros.

—Es de lamentar —dijo entonces Briant— que no haya una colina elevada desde cuya altura pudiéramos observar el territorio. Por desgracia, estamos en tierra baja, y desde el mar no he divisado una sola montaña, ni siquiera en el horizonte. Parece que no hay más altura que ese acantilado que se alza detrás de la playa. Al otro lado habrá, sin duda, selvas, llanuras, pantanos, a cuyo través corre ese río cuya embocadura hemos explorado.

—Por lo tanto, convendrá ver esa comarca —respondió Gordon— antes de intentar dar la vuelta al acantilado, en donde Briant y yo hemos buscado en vano una caverna.

—Pues bien, ¿por qué no ir al norte de la bahía? —preguntó Briant—; yo creo que subiendo al cabo de la sierra veríamos a lo lejos...

—En eso pensaba yo precisamente —respondió Gordon—. Sí, ese cabo, que puede tener de doscientos cincuenta a trescientos pies, debe dominar el acantilado.

—Propongo que vayamos a él —dijo Briant. .

—¿Para qué? —preguntó Doniphan—. ¿Qué podemos ver desde allí?

—Pues... lo que haya —replicó decidido Briant.

En efecto, en la punta extrema de la bahía alzábase un montón de rocas, una especie de morro, parecía unirse al acantilado. Desde el «Sloughi» hasta aquel promontorio no habría más de siete u ocho millas, siguiendo la curva de la playa, y cinco, a lo sumo, a vuelo de abeja, como dicen los norteamericanos. Y Gordon no debía de equivocarse mucho al calcular en trescientos pies la altura del promontorio sobre el nivel del mar. ¿Sería suficiente esa altitud para que la vista pudiera extenderse mucho por el país? ¿No tendría la mirada hacia el Este algún obstáculo? Sea lo que fuere siempre se reconocería lo que había al otro lado del cabo, es decir, si la costa se prolongaba indefinidamente al Norte o si más allá se extendía el océano. Por consiguiente, convenía ir al extremo de la bahía y emprender aquella ascensión. A poco que se descubriera el territorio por el Este, abarcaría la mirada una extensión de muchas millas.

Decidióse poner en ejecución ese proyecto, y si Doniphan no lo creía de gran utilidad (sin duda porque la idea se le había ocurrido a Briant y no a él), no por eso dejaría de dar excelentes resultados. Al mismo tiempo tomaron la firme resolución de no abandonar el «Sloughi» mientras no supieran con certeza si habían embarrancado en el litoral de un continente, que no podía ser más que el continente americano.

Sin embargo, no pudo emprenderse la excursión en los cinco días siguientes, porque el tiempo se había vuelto muy brumoso y de vez en cuando lloviznaba, y mientras el viento no tendiese a refrescar, los vapores que nublasen el horizonte harían imposible el reconocimiento proyectado.

Más no fueron perdidos aquellos días, sino que los dedicaron a diferentes trabajos. Briant se cuidaba de los pequeñitos, a quienes vigilaba sin cesar, como si su naturaleza necesitase prodigarse en cariño paternal, y su constante preocupación era que estuviesen todo lo bien atendidos que las circunstancias permitían. Así, como la temperatura tendía a bajar, obligó a ponerse ropas de más abrigo, arreglándoles las que había en los cofres de los marinos. Fue un verdadero trabajo de sastre, realizado por el ingenioso Mokó, que, como grumete, sabía coser. En realidad, no se puede decir que Costar, Dole, Iverson y Jenkins estuvieran elegantemente vestidos con aquellos pantalones y marineras, demasiado holgados; mas no importaba, pues así podrían mudarse y pronto se acostumbrarían a esos vestidos.

Por lo demás, no les dejaba ociosos. Dirigidos por Garnett o por Baxter, iban muy a menudo a coger moluscos a la hora de la marea baja, o a pescar con redes y cañas en el lecho del río, lo cual era para ellos un entretenimiento y un beneficio para todos. Ocupados así en un trabajo que les agradaba, casi no pensaban en aquella situación, cuya gravedad no hubieran podido comprender. Sin duda, el recuerdo de sus padres les apenaba, como apenaba también a sus compañeros; pero quizá no se les ocurriera pensar que acaso no volvieran a verlos nunca. Gordon y Briant no salían apenas del «Sloughi», de cuya conservación se habían encargado. Service se quedaba a veces con ellos, y siempre jovial, mostrábase también muy útil. Quería a Briant y nunca había formado parte de aquellos de sus compañeros que congeniaban más bien con Doniphan. Briant, a su vez, le tenía gran cariño.

—Esto va bien... Esto va bien —repetía a gusto Service—. En verdad que nuestro «Sloughi» lo ha dejado muy oportunamente en la playa una ola complaciente sin hacerle gran daño... Suerte es ésa que no tuvieron ni Robinson Crusoe ni el Robinson Suizo en su isla imaginaria.

¿Y Santiago Briant? Pues bien, si Santiago acudía en ayuda de su hermano en los diversos detalles de a bordo, apenas respondía a las preguntas que le dirigían y apresurábase a volver la vista cuando le miraban de frente.

Briant no dejaba de preocuparse seriamente de aquella actitud de Santiago. Como le llevaba cuatro años, siempre había ejercido gran influencia en él. Ahora bien, desde la partida del *schooner*, como ya hemos dicho, parecía que Santiago fuese un niño lleno de remordimiento. ¿Tendría que reprocharse alguna falta grave, falta que no se atrevía a confesar ni siquiera a su hermano mayor? Lo cierto es que más de una vez sus ojos irritados demostraban que acababa de llorar.

Briant llegó a preguntarse si estaría en peligro la salud de Santiago. Si el niño caía enfermo, ¿qué cuidados podrían darle? Era ésa una grave preocupación que le impulsaba a interrogar a su hermano acerca de lo que sentía, a lo cual éste se limitaba a responder:

—No... No... No tengo nada. Nada.

Y no era posible sacarle nada más.

Durante el tiempo que transcurrió del 11 al 15 de marzo, Doniphan, Wilcox, Webb y Cross se dedicaron a dar caza a los pájaros anidados en las rocas. Iban siempre juntos, y veíase que deseaban formar bando aparte. Esto no dejaba de inquietar a Gordon, y, así, cuando se presentaba la ocasión, intervenía con unos y otros, intentando hacerles comprender lo necesario que era estar unidos; Pero, Doniphan sobre todo, respondía con tanta frialdad a sus consejos, que Gordon consideraba prudente no insistir. Sin embargo, no perdía la esperanza de destruir aquellos gérmenes de disidencias, que podían llegar a ser funestos y, además, tal vez los acontecimientos trajesen la reconciliación que sus consejos no podían conseguir.

Durante aquellos días brumosos que impidieron emprender la proyectada excursión al límite de la bahía, fueron bastante fructíferas las cacerías. Doniphan, apasionado por los ejercicios deportivos, era verdaderamente diestro en el manejo de la escopeta. Muy orgulloso de su habilidad —hasta demasiado—, desdeñaba los demás útiles de caza, tales como trampas o redes, a las que daba la preferencia Wilcox. En las circunstancias en que se encontraban sus compañeros, es probable que este muchacho les fuera más útil que aquél. En cuanto a Webb, tiraba bien, pero sin poder compararse con Doniphan, y Cross se limitaba a aplaudir las proezas de su primo. Merece ser citado también el perro *Phann*, que se distinguía en la caza y no vacilaba en arrojarse a las olas para coger las piezas caídas más allá de los escollos.

Hay que confesar que entre las piezas cazadas por los jóvenes cazadores, había gran cantidad de aves marinas que no servían para nada a Mokó, tales como mergos, meucas, gaviotas y somorgujos. Verdad es que las palomas de las rocas sirvieron mucho, como los patos, cuya carne era muy apreciada y que, a juzgar por la dirección que seguían al ahuyentarlos las detonaciones, debían de habitar en el interior.

Mató también Doniphan algunos de esos ostreros que viven generalmente de moluscos y los comen con fruición. En resumen, había donde elegir; pero, en general, esa caza requería cierta preparación para perder su sabor aceitoso, y Mokó, a pesar de su buen deseo, no siempre vencía esa dificultad a satisfacción de todos. Sin embargo, nadie podía mostrarse muy exigente, como repetía a menudo el previsor Gordon, porque había que economizar las conservas del viaje, aunque no la de galleta, de que estaban abundantemente provistos.

¡Qué prisa tenía por efectuar la ascensión del cabo, ascensión que tal vez resolvería la importante cuestión de averiguar si estaban en una isla o en un continente! En efecto, de esta cuestión dependía el porvenir y, por consiguiente, la instalación provisional o definitiva en aquella tierra.

El 15 de marzo el tiempo pareció favorable para la realización de semejante proyecto. Durante la noche el cielo se había desprendido de los espesos vapores que en él había acumulado la calma de los días precedentes. Un viento de tierra acababa de limpiarlo en pocas horas. Vivos rayos de sol doraron la cresta del acantilado y era de esperar que por la tarde, cuando fuera iluminado oblicuamente el horizonte del Este aparecería con bastante nitidez, y ese horizonte era precisamente el que se trataba de examinar. Si por aquel lado se extendía una lína de agua continua, era señal de que aquella tierra era una isla, y en tal caso, los socorros no podrían llegar más que de algún buque que apareciese.

No se habrá olvidado que la idea de aquella excursión al norte de la bahía se le ocurrió a Briant y que éste había resuelto emprenderla solo. Claro está que hubiera consentido a gusto que le acompañase Gordon; pero hubiese estado muy intranquilo al dejar a sus compañeros sin que este último estuviese allí para vigilarlos.

En la noche del 15, después de comprobar que el barómetro señalaba buen tiempo fijo, Briant avisó a Gordon que partiría al amanecer del día siguiente. Recorrer una distancia de diez u once millas, entre ida y vuelta, no era cosa para embarazar a un muchacho de su vigor, al que no arredraba la fatiga, y seguramente le bastaría aquel día para llevar a buen término su exploración, y Gordon podía tener la seguridad de que estaría de vuelta antes de la noche.

Así, pues, partió Briant al despuntar el alba, sin que los demás se enterasen de su marcha. No llevaba más armas que un palo y un revólver, por si encontraba alguna fiera, aunque los cazadores no habían visto rastro de éstas en sus anteriores excursiones.

A esas armas defensivas unió Briant un instrumento que había de facilitar su misión una vez que estuviera en la punta del promontorio: uno de los anteojos del «Sloughi», anteojo de gran alcance y de notable claridad. Al mismo tiempo, en un morral colgado del cinto, llevaba galleta, un trozo de carne y una cantimplora con un poco de brandy mezclado con el agua; en una palabra, lo necesario para comer y, en caso preciso, para cenar, si cualquier incidente retrasaba su regreso al *schooner*.

Briant, caminando a buen paso, siguió primeramente el contorno de la costa, que marcaba, en el límite interior de los arrecifes, un largo cordón de algas, húmedas aún por las últimas aguas de la marea descendente. Al cabo de una hora pasaba de la punta extrema donde llegaron Doniphan y sus compañeros cuando fueron a cazar palomas de las rocas. Esos volátiles no tenían ya nada que temer, pues Briant no quería entretenerse, para llegar lo antes posible al pie del cabo. El tiempo era claro, el cielo estaba totalmente limpio de niebla y había que aprovecharlo. Si las brumas llegaban a acumularse hacia el Este por la tarde, fracasaría en su exploración.

Durante la primera hora Briant pudo caminar con bastante rapidez y recorrer la mitad del trayecto. Si no se presentaba ningún obstáculo, pensaba llegar al promontorio antes de las ocho de la mañana; pero a medida que el acantilado se acercaba al banco de escollos, el suelo de la playa era más accidentado. La faja de arena era tanto más reducida cuanto que las rompientes iban invadiéndola. En vez de ese terreno elástico y firme que se extendía entre el bosque y el mar en las proximidades del río, Briant se vio, a partir de entonces, obligado a aventurarse por entre las rocas resbaladizas, algas viscosas, charcas que tenía que contornear, piedras movedizas, las cuales no le ofrecían suficiente apoyo. De ahí, una marcha muy fatigosa y, lo que es más lamentable, un retraso de más de dos horas.

«Sin embargo, tengo que llegar al cabo antes de la marea alta —pensaba Briant—. Esta parte de la playa ha sido cubierta por la última marea y seguramente lo será también por la próxima, hasta el pie del acantilado. Si me veo obligado a retroceder, o a refugiarme en alguna roca, llegaré demasiado tarde. Así, pues, he de pasar a todo trance antes de que las aguas invadan la playa.»

Y el animoso muchacho, que no quería sentir la fatiga que empezaba a entorpecerle los miembros, procuró tomar un camino más corto. En varios lugares tuvo que descalzarse para cruzar enormes charcos de agua hasta media pierna; luego, cuando volvía a hallarse en la superficie de los escollos, aventurábase por ellos, no sin temer algunas caídas, que evitó a fuerza de actividad y destreza.

Como pudo observar, precisamente era en aquella parte de la bahía donde se mostraba con mayor abundancia la caza acuática, y casi se puede decir que hormigueaban palomas, ostreros y patos. También retozaban allí al borde de las rompientes dos o tres parejas de focas, que, por lo demás, no se espantaron ni intentaron meterse en el agua, de lo cual podía inferirse que si dichos anfibios no desconfiaban del hombre, es porque no creían tener nada que temer de él y que, cuanto menos desde hacía muchos años, no había ido a darles caza nadie. Pero reflexionando un poco, Briant dedujo también de la presencia de las focas que aquella costa debía de estar más elevada en altitud de lo que él había creído, que debía de ser más meridional por lo tanto que el archipiélago neozelandés. Por consiguiente, el *schooner* debió navegar mucho a la deriva hacia el Sudeste en su travesía por el Pacífico.

Y en esto pareció confirmarse más cuando Briant, al llegar al pie del promontorio, vio una bandada de esos pájaros niños que frecuentan los parajes antárticos. Pavoneábanse a cientos, agitando torpemente los alones, que más les servían para nadar que para volar. Por lo demás, para nada sirve su carne rancia y aceitosa.

Eran entonces las diez de la mañana, y así vemos el tiempo que había tardado Briant en andar las últimas millas. Extenuado, hambriento, le pareció prudente reponerse para intentar la ascensión del promontorio, cuya cresta se alzaba a trescientos pies sobre el nivel del mar.

Por consiguiente, sentóse en una roca, al abrigo de la marea ascendente que llegaba ya al banco de arrecifes. Sin duda una hora después no hubiera podido pasar entre las rompientes y el basamento al acantilado sin peligro de ser cercado por el flujo. Pero aquello no podía inquietarle ya, y por la tarde, cuando el reflujo hubiera descubierto de nuevo la playa, hallaría el paso libre en aquel lugar.

Un buen trozo de carne y algunos sorbos de la cantimplora bastaron para calmarle el hambre y la sed mientras la parada daba reposo a sus miembros. Al mismo tiempo, se puso a reflexionar. Solo y lejos de sus compañeros, intentaba examinar fríamente la situación, muy decidido a proseguir hasta el fin de la obra de la salvación común, tomando en ella la mayor parte, y si la actitud de Doniphan y algunos otros para con él no dejaba de preocuparle, es porque veía en ella una causa muy enfadosa de división. No obstante, estaba resuelto a oponer una resistencia absoluta a todo acto que le pareciese comprometedor para sus compañeros. Pensaba luego en su hermano Santiago, cuya moral le apenaba bastante. Parecíale que aquel niño ocultaba alguna falta cometida —probablemente antes de la marcha—, y se prometía apremiarle tanto sobre esto, que Santiago se viera obligado a responderle.

Prolongó Briant durante una hora aquella parada, para recobrar todas sus fuerzas, tras lo cual recogió el zurrón, se lo echó a la espalda y empezó a subir por las primeras rocas.

Situado en la misma extremidad de la bahía el promontorio, que terminaba en una punta aguda, tenía una formación geológica bastante extraña. Parecía una cristalización de origen ígneo, que se había formado por la acción de las fuerzas plutónicas. Aquel morro, al contrario de lo que parecía de lejos, no estaba unido al acantilado. Además, por su naturaleza, difería absolutamente de éste, pues se hallaba compuesto de rocas graníticas, en vez de esas estratificaciones calcáreas semejantes a las que orillan la Mancha, al oeste de Europa.

Y Briant lo observó y observó también un paso estrecho separaba el promontorio del acantilado. Más allá, hacia el Norte, se extendía la playa hasta perderse de vista; pero ya que aquel morro dominaba desde una elevación de cien pies las alturas circundantes, la mirada podría abarcar una vasta extensión de terreno, y eso era lo importante.

La ascensión fue bastante penosa. Tuvo que ir elevándose de roca en roca, a veces tan altas, que le costaba mucho trabajo alcanzar su reborde superior. Sin embargo, como pertenecía a esa categoría de niños que podrían clasificarse en el orden de los trepadores, como, desde su más tierna edad había mostrado gran afición a la escalada y como en ello había conseguido una audacia, una ligereza y una agilidad poco ordinarias, por fin puso el pie en la cima después de haber evitado más de una caída que hubiera podido ser mortal.

Ante todo, miró Briant con el catalejo en dirección al Este.

Aquella región era plana en toda la extensión que podía abarcar la vista. Su mayor altura era el acantilado y su meseta descendía ligeramente hacia el interior. Al otro lado, algunas intumescencias hacían sinuoso el suelo, sin modificarse sensiblemente el aspecto del país. En aquella dirección cubríanlo verdes selvas que ocultaban bajo sus macizos, amarilleados· por el otoño, el lecho de los ríos que debían de correr hacia el litoral. Era una superficie plana hasta el horizonte, cuya extensión podría calcularse en unas diez millas. Por lo tanto, no parecía que el mar orillase por aquella parte del territorio, y para comprobar si era un continente o una isla habría que organizar una excursión más larga en dirección al Este.

En efecto, hacia el Norte, Briant no divisaba el extremo del litoral, extendido en una línea recta de siete a ocho millas. Después, al otro lado de un nuevo cabo muy alargado, volvíase cóncavo y formaba una inmensa playa arenosa, que daba la idea de un vasto desierto.

Hacia el Sur, detrás del otro lado, puntiagudo al extremo de la bahía, corría la costa del Nordeste a Sudoeste, limitando un vasto pantano que contrastaba con las playas completamente desiertas del Norte.

Briant examinó atentamente con el catalejo todos los puntos de aquel vasto perímetro. ¿Estaba en una isla? ¿Estaba en un continente? No podría decirlo. Pero, si era isla, tenía mucha extensión; eso es cuanto podía afirmar.

Volvióse luego hacia el Oeste. La mar resplandecía bajo los rayos oblicuos del sol que declinaba lentamente hacia el horizonte.

De pronto, llevándose rápidamente el anteojo a la vista, lo dirigió hacia la línea extrema del mar.

—¡Barcos! —exclamó—. ¡Pasan barcos!

En efecto, tres puntos negros aparecían en la periferia de las brillantes aguas a una distancia que no bajaría de quince millas.

¡Qué emoción sintió Briant! ¿Sería juguete de una ilusión? ¿Tenía allí tres barcos a la vista?

Bajó Briant el catalejo, secó el cristal empapado por su aliento y miró de nuevo... Realmente aquellos tres puntos parecían ser tres buques de los que sólo se veían tres cascos. En cuanto a su arboladura nada se divisaba y además no había ninguna columna de humo que revelase que fuesen transatlánticos en marcha.

Al punto pensó Briant que si eran buques se hallaban a una distancia demasiado grande para que pudieran distinguir sus señales, y como era muy posible que sus compañeros no hubiesen visto aquellos barcos lo mejor era volver rápidamente al «Sloughi» para encender una gran hoguera en la playa y entonces... después de la puesta del sol...

Reflexionando de ese modo no dejaba Briant de observar los tres puntos negros ¡y cuál no sería su decepción al comprobar que no se movían!

De nuevo miró con el catalejo teniéndolo unos minutos en el campo del objetivo y no tardó en reconocer que no eran sino tres pequeños islotes situados al oeste del litoral y cerca de los cuales debió de pasar el *schooner* cuando la tempestad lo arrastraba hacia la costa, pero que en medio de la niebla densísima habían sido siempre invisibles. La decepción fue muy grande.

Eran las dos de la tarde. El mar empezaba a retirarse dejando en seco el cordón de arrecifes por la parte del acantilado. Briant, pensando que ya era hora de volver al «Sloughi», se preparó a bajar otra vez al pie del morro.

No obstante, quiso recorrer una vez más el horizonte del Este; pues, a causa de la posición más oblicua del sol, tal vez divisara algún otro punto del territorio que no había podido ver hasta entonces.

Observó, pues, de nuevo aquella dirección muy atentamente, y no tuvo que arrepentirse de haberse tomado este cuidado.

En efecto, en el punto más lejano a que podía alcanzar su vista, más allá de la última cortina de verdor, distinguió muy claramente una línea azulada, que se prolongaba de Norte a Sur en una extensión de muchas millas y cuyos dos extremos se perdían detrás de la masa confusa de los árboles.

—¿Qué es eso? —se preguntó.

Miró con mayor atención aún.

—¡El mar...! ¡Sí! ¡Es el mar!

Y por poco se le cae de las manos el anteojo.

Puesto que el mar se extendía al Este, ya no había duda de que el «Sloughi» no había encallado en un continente, sino en alguna isla, en una isla perdida en aquella inmensidad del Pacífico, una isla de la cual sería imposible salir.

Y entonces, como en una rápida visión, acudieron a la imaginación del muchacho todos los peligros que les esperaban. Encogiósele el corazón hasta el punto de que ya no sentía sus latidos... Pero sobreponiéndose a aquel involuntario desfallecimiento, comprendió que no debía dejarse abatir, por inquietante que fuera el futuro.

Un cuarto de hora después, Briant había bajado a la playa, y, emprendiendo de nuevo el camino seguido por la mañana, llegaba antes de las cinco al «Sloughi», en donde sus compañeros esperaban con impaciencia su regreso.

CAPITULO VI

Aquella misma noche, después de cenar, Briant dio a conocer a los mayores el resultado de su exploración, que se resumía de este modo: en la dirección del Este, al otro lado de la zona de las selvas, había divisado muy claramente una línea de agua trazada de Norte a Sur, y no cabía duda de que era el mar; por lo tanto, el lugar a donde tan desdichadamente fue a encallar el «Sloughi» era una isla y no un continente.

Al principio, Gordon y los demás acogieron con viva emoción lo que afirmaba su compañero. Así pues, hallábanse en una isla y no tenían medio alguno de salir de ella. Habían de renunciar al proyectado propósito de buscar por el Este el camino del continente y veíanse reducidos a esperar el paso de un buque que navegase a la vista de aquella costa.

—¿No se habrá equivocado Briant en su observación? —dijo Doniphan.

—Es verdad, Briant —añadió Cross—, ¿no habrás tomado por el mar alguna barrera de nubes?

—No —respondió Briant—, estoy seguro de no haberme equivocado. Lo que he visto hacia el Este era efectivamente una línea de agua, que se redondeaba en el horizonte.

—¿A qué distancia? —preguntó Wilcox.

—A unas seis millas del cabo.

—¿Y no habrá más allá montañas o tierras altas? —añadió Webb.

—No... el cielo nada más.

Briant se mostraba tan seguro de lo que decía, que no hubiera sido razonable conservar la menor duda a este respecto.

Sin embargo, Doniphan se obstinó en su idea, como hacía siempre al discutir con él.

—Pues yo repito —siguió diciendo— que Briant ha podido equivocarse, y mientras no lo veamos nosotros con nuestros propios ojos...

—Y es lo que vamos a hacer —dijo Gordon—; porque debemos saber a qué atenernos.

—Y añadiré que no hemos de perder ni un solo día —dijo Baxter— si queremos marcharnos antes de que empiece la mala estación, en caso de que nos hallemos en un continente.

—Mañana mismo, si lo permite el tiempo —añadió Gordon—, emprenderemos una excursión que durará, sin duda, varios días. Y digo si el tiempo lo permite, porque sería una locura aventurarse con mal tiempo por esas espesas selvas del interior.

—Convenido, Gordon —respondió Briant—, y en cuanto lleguemos a la costa opuesta a la isla...

—Si es tal isla —exclamó Doniphan, encogiéndose de hombros—.

—Lo es —replicó Briant con ademán de impaciencia—; yo no me he engañado... He visto claramente el mar en la dirección del Este... Sólo que Doniphan se complace en contradecirme, como siempre.

—No creo que seas infalible, Briant.

—No, no lo soy; pero esta vez ya veremos si he cometido algún error. Yo mismo iré a reconocer el mar, y si Doniphan quiere acompañarme...

—¡Ya lo creo que te acompañaré!

—Y nosotros también —repitieron tres o cuatro de los mayores.

—Bien... bien... —dijo Gordon—, moderémonos, compañeros. Aunque no somos más que niños, procuremos proceder como hombres; nuestra situación es grave y cualquier imprudencia podría agravarla aún más. No, no conviene que nos aventuremos todos por esas selvas. En primer lugar, los pequeños no nos podrían seguir y, ¿cómo vamos a dejarlos solos en el «Sloughi»? Que realicen la excursión Doniphan y Briant, y que les acompañen dos de sus camaradas.

—Yo —dijo Wilcox.

—Y yo —añadió Service.

—Conforme —respondió Gordon—, con cuatro bastará. Si tardáis en volver, algunos de nosotros podrían ir a buscaros, mientras los demás se quedan en el *schooner*. No os olvidéis de que éste es nuestro campamento, nuestra casa, nuestro hogar, no hablemos de abandonarlo hasta tener la seguridad de hallarnos en un continente.

—Estamos en una isla —respondió Briant—. Lo afirmo por última vez.

—Eso es lo que veremos —replicó Doniphan.

Los prudentes consejos de Gordon pusieron término al desacuerdo de aquellas cabecitas jóvenes. Indudablemente —y el mismo Briant lo reconocía— importaba avanzar a través de las selvas del centro para llegar a la línea de agua que él había visto. Además, aun suponiendo que fuera efectivamente un mar que se extendiera al Este, ¿no podría ser que en aquella dirección hubiesen otras islas separadas solamente por un canal que pudiera pasarse sin dificultad? Y, si esas islas forman parte de un archipiélago, si en el horizonte se veían alturas, ¿no habría que reconocerlo antes de tomar una determinación, de la que pudiera depender la salvación? Lo que era indudable, es que no había ninguna tierra al Oeste, desde aquella parte del Pacífico hasta los parajes de Nueva Zelanda. Así pues, los jóvenes náufragos no podrían llegar a un país habitado más que buscándolo por la parte en donde sale el sol.

No obstante, no convenía emprender la exploración más que con buen tiempo; pues, como acababa de decir Gordon, era menester razonar como hombres y no como niños. En las circunstancias en que se hallaban, ante las amenazadoras eventualidades de lo por venir, si no se desarrollaba precozmente la inteligencia de los muchachos y vencían la ligereza y la inconsecuencia naturales de su edad; si, además, reinaba entre ellos el desacuerdo, comprometerían absolutamente una situación bastante crítica ya. Por eso Gordon decidió hacer todo lo posible para mantener el orden entre sus compañeros.

A pesar de todo, por mucha prisa que tuviera Doniphan y Briant por partir, varió el tiempo, y les obligó a aplazar la partida. A la mañana siguiente empezó a caer a intervalos una lluvia fría, y el continuo descenso del barómetro indicaba un período de borrascas cuyo final no podía preverse, por lo cual hubiera sido muy temerario aventurarse en tan desventajosas condiciones.

¿Era cosa de lamentarlo, después de todo? Indudablemente, no. Se comprende que todos ellos —excepto los pequeños—, tuvieran grandes deseos de saber si el mar les rodeaba por todas partes; pero, aun cuando hubieran tenido la certeza de estar en un continente, ¿podrían pensar en lanzarse en medio de un país que no conocían y precisamente cuando se aproximaba la mala estación? Si el recorrido se cifraba en cientos de millas, ¿podrían soportar ellos las fatigas? ¿El más vigoroso de ellos no tendría fuerzas para llegar hasta el fin? No. Semejante empresa, para ser llevada con prudencia, había de aplazarse hasta la época de los días largos, cuando ya no hubiera que temer las inclemencias del invierno. Por consiguiente tendrían que resignarse a pasar la temporada de los fríos en el campamento del «Sloughi».

Entretanto, Gordon no dejó de intentar reconocer en qué parte del océano había ocurrido el naufragio. El atlas de Stieler, que pertenecía a la biblioteca del yate, contenía una serie de mapas del Pacífico. Ahora bien, al querer fijar la ruta seguida desde Auckland hasta el litoral de América, no se descubría hacia el Norte, al otro lado del grupo de las islas Tuamotu, más que la isla de Pascua y la de Juan Fernández, en la que Selkirk, verdadero Robinson, pasó parte de su vida. Al Sur, en todo el espacio sin límites del océano Atlántico, no se veía una sola tierra. Si se miraba al Este, no se tropezaba más que con los archipiélagos de las islas Chiloé o de la Madre de Dios, sembradas en los linderos de Chile y, más abajo, los del estrecho de Magallanes y de la Tierra de Fuego, contra los cuales vienen a romperse las terribles mareas del cabo de Hornos.

Por consiguiente, si el *schooner* había sido arrojado a una de esas islas deshabitadas que confinan con las Pampas, habría que recorrer centenares de millas para llegar a los lugares habitados de Chile o de la República Argentina, sin que se pudiera esperar ningún socorro en medio de aquellas inmensas soledades, en donde amenazan al viajero peligros de todas clases.

Ante semejantes eventualidades, convenía proceder con suma prudencia y no exponerse a perecer miserablemente aventurándose por lo desconocido.

Así lo pensaba Gordon, y Briant y Baxter compartían su modo de ver; y, probablemente, Doniphan y sus partidarios acabarían por reconocerlo.

No obstante, seguía en pie el proyecto de ir a reconocer el mar entrevisto por el Este; pero, en los quince días que siguieron, fue imposible ponerlo en ejecución; porque el tiempo era abominable, llovía de la mañana a la noche y desencadenábanse las borrascas con suma violencia, por lo que hubiera sido imposible el paso por la selva, y así tuvieron que retrasar la exploración, a pesar de los muchos deseos de saber a qué atenerse respecto de si era isla o continente.

En aquellos largos días de huracanes, Gordon y sus compañeros permanecieron confinados a bordo, pero no estuvieron en modo alguno desocupados. Aparte de los cuidados que exigía el material, tenían que reparar constantemente las averías del yate, que se resentía mucho de aquellas intemperies. La cubierta ya no era impermeable y, en algunos sitios, se filtraba el agua por las junturas, cuya estopa se deshilachaba poco a poco y era necesario taponarlas sin cesar.

Por lo tanto, lo más urgente era buscar sitio mejor donde cobijarse. Suponiendo que pudieran subir hacia el Este, tardarían cinco o seis meses en hacerlo, y seguramente no resistiría tanto tiempo el

«Sloughi»; y si había que abandonarlo en medio de la mala estación, ¿dónde hallarían refugio?, ya que la parte del acantilado expuesta al Oeste no ofrecía la menor fragosidad que pudiera aprovecharse. Así, pues, había que emprender nuevas investigaciones por el lado opuesto al abrigo de los vientos del mar y, en caso necesario, construir una morada bastante grande para toda aquella gente menuda.

Entretanto, tuvieron que efectuar reparaciones urgentes, para tapar, no ya las vías de agua, sino las vías de aire abiertas en el casco y sujetar el forro interior, que iba desuniéndose. Gordon hubiera empleado incluso las velas de repuesto para cubrir el casco, de no ser por lo que sentía sacrificar tan gruesas lonas, que podrían servir para construir una tienda, en caso de que se vieran forzados a acampar al aire libre, por lo cual se vieron reducidos a tender por la cubierta lonas embreadas.

Por otra parte, el cargamento se había dividido en bultos inscritos en el cuaderno de Gordon con un número de orden y que, en caso urgente, serían transportados con más rapidez al abrigo de los árboles.

Cuando había algunas horas de calma, Doniphan, Webb y wilcox iban a las rocas a cazar palomas, que luego Mokó, con más o menos éxito, procuraba condimentar de diversos modos. Además, Garnett, Service y Cross, a los cuales se unían también los pequeños y, a veces, Santiago, cuando lo exigía absolutamente su hermano, se dedicaban a la pesca. Entre aquellos parajes en que ésta abundaba, el que más producía era la bahía, donde, en medio de las algas adheridas a los primeros arrecifes, había gran cantidad de ejemplares del género «nonotenia», y también merluzas de gran tamaño. Entre los filamentos de aquellas algas gigantescas, que medían hasta cuatrocientos pies de largo, hormigueaba una cantidad prodigiosa de pececillos, que se podían coger con la mano.

Había que oír los mil exclamaciones de los jóvenes pescadores, cuando sacaban las redes o las cañas al borde del banco de arrecifes.

—¡Ya he pescado...! ¡Los he pescado magníficos! —exclamaba Jenkins—. ¡Qué hermosos son!

—¿Pues y los míos...? ¡Son mayores que los tuyos! —decía Iverson, que llamaba en su ayuda a Dole.

—Se nos van a escapar —exclamaba Costar

Y entonces le ayudaban a él.

—¡Aguantad...! ¡Aguantad! —repetían Garnett o Service, yendo de uno a otro—. Y sobre todo, sacad pronto las redes.

—Yo no puedo... no puedo —repetía Costar, a quien la carga le arrastraba.

Y todos, aunando sus esfuerzos, lograban llevar las redes a la arena, y lo hacían a tiempo; porque en medio de las aguas claras, había gran número de *ahixins*, feroces lampreas que devoraban rápidamente el pez cogido en las mallas. Y aunque perdieron muchos peces de ese modo, el resto bastó para las necesidades de la mesa, sobre todo las merluzas, que suministraron una carne excelente, ora comidas frescas, ora conservadas en sal.

En cuanto a la pesca en la embocadura del río, no daba sino medianos ejemplares de gobios, que luego freía Mokó.

El 27 de marzo, una captura más importante dio lugar a un incidente bastante cómico.

Por la tarde, como había cesado la lluvia, los pequeños se encaminaron al río con sus útiles de pesca.

De pronto resonaron sus gritos (gritos de alegría, es verdad), aunque pedían socorro.

Gordon, Briant, Service y Mokó, ocupados a bordo del *schooner*, dejaron su trabajo y corrieron en la dirección de donde venían las voces, pronto salvaron los quinientos o seiscientos pasos que los separaban del río.

—¡Venid, venid! —gritaba Jenkins.

—¡Venid a ver a Costar y su corcel! —decía Iverson.

—¡Más de prisa, Briant, más de prisa, o se nos escapará! —repetía Jenkins.

—¡Basta! ¡Basta! ¡Bajadme! ¡Tengo miedo! —gritaba Costar, haciendo ademanes de desesperación.

—¡Arre! ¡Arre! —gritaba Dole, que a la grupa de Costar se había instalado en una mole en movimiento.

Esa mole no era otra cosa que una tortuga de gran tamaño, uno de esos enormes quelonios, que las más de las veces se encuentran dormidos en la superficie del mar y que, sorprendido en la playa, quería volver a su elemento natural.

En vano los niños, después de haberle puesto una cuerda alrededor del cuello, que lo alargaba fuera del caparazón, intentaban retener al vigoroso animal, pues éste seguía moviéndose y, si no avanzaba de prisa, al menos tiraba con fuerza irresistible, arrastrando tras sí a toda la cuadrilla. El travieso Jenkins había subido a Costar al caparazón de la tortuga, y a Dole, a horcajadas detrás de él, sujetando al niño, que no dejaba de proferir gritos de terror, tanto más cuanto más se acercaba al mar la tortuga.

—¡Agárrate... agárrate, Costar! —dijo Gordon.

—¡Y cuida de que tu caballo no se desboque! —exclamó Service.

Briant no pudo menos que reírse, porque no había ningún peligro. En cuanto Dole soltase a Costar, el niño no tenía más que dejarse resbalar y todo se reduciría al susto.

Pero lo urgente era capturar al animal. Evidentemente, aun cuando Briant y los otros unieran sus esfuerzos a los de los pequeños, no conseguirían detenerlo; por lo cual había que procurar parar la marcha antes que desapareciese bajo las aguas, en donde se hallaría en lugar seguro.

De nada podían servir a Gordon y a Briant los revólveres que habían sacado del *schooner*, ya que el caparazón de una tortuga es a prueba de balas, y si la hubiesen atacado a hachazos, hubiera metido dentro de la concha la cabeza y las palas para que no pudieran herirla.

—Sólo hay un medio —dijo Gordon—: volverla patas arriba.

—¿Y cómo? —dijo Service—. Ese animal pesa lo menos trescientas libras y nunca podremos...

—¡Berlingas! ¡Berlingas! —exclamó Briant.

Y seguido de Mokó, corrió al «Sloughi».

En aquel momento, la tortuga no se hallaba más que a unos treinta pasos del mar, y Gordon se apresuró a sacar a Costar y a Dole, que estaban agarrados al caparazón, y entonces cogieron la cuerda, tiraron todos de ella cuanto pudieron, sin conseguir refrenar la marcha del quelonio, que tenía fuerza para remolcar a todo el colegio Chairman. Por fortuna, Briant y Mokó volvieron antes de que la tortuga entrase en el mar.

Introdujeron por debajo de la concha dos berlingas y, con esas palancas y a costa de grandes esfuerzos, lograron dar vuelta a la tortuga. Hecho esto, el animal quedó definitivamente prisionero, porque le era imposible volver a ponerse en pie. Además, en el momento en que metía la cabeza, Briant le dio un hachazo tan bien dirigido que murió la tortuga casi en el acto.

—¿Te gusta aún este enorme animal, Costar? —preguntó al niño, con interés.

—No, no, Briant, puesto que está muerto.

—Bien —exclamó Service—; sin embargo, apostaría a que no te atreves a comerlo.

—¿Se come eso?

—¡Ya lo creo!

—¡Entonces, comeré si es cosa buena! —replicó Costar, relamiéndose ya.

—Es un bocado excelente —respondió Mokó, que no exageraba nada al decir que la carne de tortuga es muy delicada.

Como no podían pensar en transportar aquella mole hasta el yate, tuvieron que despedazarla en el sitio en que la habían matado. Este trabajo era bastante repugnante; pero los jóvenes náufragos empezaban a acostumbrarse a las necesidades, a veces muy desagradables, de aquella vida de Robinsones. Lo más difícil fue romper la concha, cuya dureza metálica hubiera embotado el filo de un hacha. Consiguiéronlo, introduciendo un cortafrío en los intersticios de las placas. Luego, cortada en pedazos la carne, la llevaron al «Sloughi»; y aquel día todos pudieron convencerse de que la sopa de tortuga es exquisita, sin contar con el asado, que devoraron, aunque Service lo dejó quemar un poco por tener demasiado fuego. El mismo *Phann* demostró, a su modo, que los restos del animal no eran de desdeñar para la raza canina.

Aquella tortuga había suministrado más de cincuenta libras de carne, lo que les permitía ahorrar las conservas del viaje.

En tales condiciones pasó el mes de marzo, y durante esas tres semanas, desde el naufragio del «Sloughi» todos trabajaron lo mejor que pudieron, con miras a que se prolongase su estancia en aquella parte de la costa. Sólo quedaba por resolver, antes de que llegase el invierno, el importante problema de averiguar si estaban en una isla o en un continente.

El primero de abril vieron que el tiempo no tardaría en variar. El barómetro subía lentamente y el viento venía de tierra con tendencia a disminuir en velocidad. No podían engañarse en cuanto a esos síntomas de una calma próxima y tal vez de larga duración. Por lo tanto, las circunstancias se prestaban a una exploración por el interior del país. De ello hablaron aquel día los mayores y, previa discusión, hicieron los preparativos para una expedición cuya importancia ninguno dejaba de comprender.

—Creo —dijo Doniphan— que nada nos impedirá partir mañana por la mañana.

—Creo que no —respondió Briant—, y habrá que estar preparados a primera hora.

—He observado —dijo Gordon— que esa línea de agua que viste al Este se halla a seis millas del promontorio.

—Sí —repuso Briant—; pero como la había se ahonda a bastante profundidad, es posible que esa distancia sea menor a partir de nuestro campamento.

—Y en ese caso, vuestra ausencia podrá durar sólo veinticuatro horas —dijo Gordon.

—Sí, Gordon, si estuviéramos seguros de caminar directamente hacia el Este; pero no sé si, después de doblar el acantilado, hallaremos paso a través de la selva.

—Bien —repuso Briant—; que pueden presentarse otros obstáculos: un río, un pantano, qué sé yo. Será, pues, prudente proveerse de víveres en previsión de un viaje de algunos días.

—Y de municiones —dijo Wilcox.

—Claro está —respondió Briant—, y convengamos, Gordon, en que si no estamos de vuelta dentro de cuarenta y ocho horas, no has de preocuparte.

—No estaría tranquilo, aun cuando vuestra ausencia durase sólo medio día —contestó Gordon—. Además, no es ésa la cuestión. Ya que se ha decidido la expedición, llevadla a cabo. Es más, no debe tener como único objeto llegar a ese mar entrevisto al Este, sino que también es necesario reconocer el país al otro lado del acantilado. Por este lado, no hemos encontrado ninguna caverna y cuando dejemos el «Sloughi», será para trasladar el campamento al abrigo de los vientos del mar. No es aceptable pasar la mala estación en esta playa.

—Tienes razón, Gordon —respondió Briant—, y buscaremos algún lugar conveniente para instalarnos.

—A menos que se pruebe que es imposible salir definitivamente de esta supuesta isla —objetó Doniphan, que volvía siempre a su idea.

—Convenido, aunque la estación, muy avanzada ya, no se preste mucho a ello —respondió Gordon—. En fin, haremos cuantos podamos Así, pues, partiréis mañana.

No tardaron en terminar los preparativos, pusieron en varios sacos víveres para cuatro días, tomaron cuatro escopetas, cuatro revólveres, dos hachas pequeñas, una brújula de bolsillo, un catalejo bastante potente para permitir observar el territorio en un radio de tres o cuatro millas y mantas de viaje, luego varios útiles de bolsillo, como mechas de yesca, eslabones, cerillas y lo que parecía suficiente para las necesidades de una expedición que no había de durar mucho, pero que no carecía de peligro. Así Briant y Doniphan, como también Service y Wilcox que les acompañarían, tendrían buen cuidado de estar en guardia, de caminar con mucha circunspección y de no separarse nunca.

Gordon pensaba que no hubiera estado de más su presencia entre Doniphan y Briant; pero le pareció más prudente quedarse en el «Sloughi» para velar por sus pequeños compañeros. No obstante, llamó aparte a Briant y éste le prometió evitar todo motivo de desacuerdo o de disputa.

Los pronósticos del barómetro se cumplieron. Antes de anochecer habían desaparecido por Occidente las últimas nubes. La línea de mar se iba redondeando al Oeste en un horizonte purísimo. Las magníficas constelaciones del hemisferio austral, centelleaban en el firmamento y, entre ellas, la espléndida Cruz del Sur que brilla en el Polo Ártico del Universo.

Gordon y sus compañeros sentíanse con el corazón oprimido la víspera de la separación. ¿Qué iba a suceder en una expedición sujeta a tan graves eventualidades?

Clavando los ojos en el cielo, volvían con la imaginación a sus padres, a sus familias, al país que tal vez nunca volverían a ver.

Y entonces, los pequeños arrodilláronse ante la Cruz del Sur, como si lo hicieran ante la cruz de una capilla. Y la cruz parecía decirles que rezaran al Omnipotente creador de aquellas maravillas celestes y pusieran en Él su esperanza.

CAPITULO VII

Briant, Doniphan, Wilcox y Service salieron del campamento del «Sloughi» a las siete de la mañana. El Sol, al subir por el cielo sin nubes, anunciaba uno de esos hermosos días que el mes de octubre reserva a veces a los habitantes de las zonas templadas del hemisferio boreal. No era de temer ni el calor ni el frío, y si algún obstáculo había de retrasar o detener la marcha, sería únicamente debido a la naturaleza del suelo.

Ante todo, los jóvenes exploradores tomaron oblicuamente a través de la playa, para llegar al pie del acantilado. Gordon les había recomendado que se llevaran a *Phann*, cuyo instinto podría serles muy útil, y por eso formaba parte de la expedición el inteligente animal.

Al cuarto de hora de la partida, los cuatro muchachos desaparecieron por la espesura del bosque, el cual cruzaron rápidamente. Por entre los árboles veíase alguna caza menor; pero como no se trataba de perder el tiempo en perseguirla, Doniphan, resistiendo a sus instontos, tuvo la cordura de abstenerse. El mismo *Phann* acabó por comprender que se cansaba en inútiles idas y venidas y se quedó al lado de sus amos, sin apartarse más de su papel de explorador.

El plan consistía en ir a lo largo de la base del acantilado, hasta el cabo situado al norte de la bahía, si antes de llegar a su extremo fuera imposible pasar por él. Entonces caminarían hacia la sabana de agua que había visto Briant. Semejante itinerario, aunque no fuese el más corto, tenía la ventaja de ser el más seguro. En cuanto a alargarlo una o dos millas, no era de gran importancia para jóvenes vigorosos y buenos andarines.

Así que hubo llegado al acantilado, reconoció Briant el lugar en que Gordon y él se detuvieron en su primera exploración. Como en aquella parte de la muralla calcárea no había ningún paso que bajase hacia el Sur, tenían que buscar al Norte una garganta transitable, aunque hubiera que subir al cabo, lo cual exigiría sin duda un día entero; pero no se podía proceder de otro modo, en caso de que fuese infranqueable el acantilado por su parte occidental

Así lo explicó Briant a sus compañeros, y Doniphan, después de intentar inútilmente subir uno de los declives del talud, no opuso ninguna objeción. Entonces siguieron los cuatro el basamento orillado por la última fila de árboles.

Anduvieron durante una hora poco más o menos, y como sin duda tendrían que ir hasta el promontorio, Briant se preocupaba por saber si estaría libre el paso; pues, dado lo avanzado de la hora, la marea podría haber cubierto ya la playa, lo cual sería medio día perdido en espera de que el reflujo dejase en seco el banco de arrecifes.

—Démonos prisa —dijo, después de explicar que les interesaba mucho anticiparse a la llegada del flujo.

—¡Bah! —exclamó Wilcox—. Todo se reduce a que nos mojemos los tobillos.

—Los tobillos y también el pecho y hasta las orejas —replicó Briant—. El mar sube cinco o seis pies por lo menos. Realmente, creo que hubiera sido mejor ir derechos al promontorio.

—Habérnoslo propuesto —replicó Doniphan—. Tú eres quien nos sirves de guía, Briant, y si vamos con retraso, tú sólo tienes la culpa.

—De acuerdo, Doniphan; pero no perdamos ahora un momento... ¿Dónde está Service?

Y llamó:

—¡Service...! ¡Service!

El joven ya no estaba allí. Después de haberse alejado con su amigo *Phann*, acababa de desaparecer detrás de un saliente del acantilado, a unos cien pasos a la derecha.

Pero, casi inmediatamente, oyéronse gritos al mismo tiempo que ladridos del perro. ¿Estaría Service frente a algún peligro?

En un instante, Briant, Doniphan y Wilcox se reunieron con su compañero, que se había detenido frente a un desprendimiento parcial del acantilado, desprendimiento de fecha antigua. A causa de infiltraciones o simplemente por la acción de la intemperie que había disgregado la mole calcárea, habíase formado desde la cresta de la muralla hasta el nivel del suelo, una especie de medio embudo, con la punta hacia abajo. En la pared abríase a pico una garganta en forma de cono truncado, cuyas paredes interiores no tenían declives de más de cuarenta a cincuenta grados.

Además sus irregularidades presentaban una serie de puntos de apoyo por los cuales sería fácil subir. Muchachos ágiles y ligeros debían de poder llegar sin gran esfuerzo a la arista superior, si no provocaban algún nuevo desprendimiento.

Aunque aquello era un peligro no titubearon.

Doniphan fue el primero en correr al montón de piedras apiladas en la base.

—¡Espera...! ¡Espera...! —le gritó Briant—. No hay que cometer imprudencias.

Pero Doniphan no le escuchó y como ponía su amor propio en adelantarse a sus compañeros, sobre todo a Briant, pronto llegó a la mitad del embudo. Los otros le imitaron, evitando el colocarse directamente debajo de él, para que no les alcanzasen los cantos que se desprendían del macizo y caían rebotando hasta el suelo.

Todo salió bien y Doniphan tuvo la satisfacción de poner el pie en la cresta del acantilado antes que los demás, que llegaron un poco después que él.

Inmediatamente, Doniphan sacó el anteojo del estuche y lo paseó por la superficie de las selvas, que se extendían hasta perderse de vista en la dirección del Este.

Allí aparecía el mismo panorama de verdor y de cielo que Briant había observado desde lo alto del cabo, aunque menos profundo, porque ese cabo dominaba el acantilado desde un centenar de pies.

—¿No ves nada? —preguntó Wilcox.

—Absolutamente nada —respondió Doniphan.

—Ahora me toca a mí mirar —dijo Wilcox.

Doniphan entregó el anteojo a su compañero, no sin que se reflejase en su rostro una visible satisfacción.

—No distingo la menor línea de agua — dijo Wilcox, después de quitarse el anteojo.

—Eso se deberá probablemente —repuso Doniphan—, a que no la hay por ese lado. Puedes mirar tú, y creo que reconocerás tu error.

—No hace falta —respondió Briant—. Estoy seguro de no haberme engañado.

—Es extraño... Nosotros no vemos nada.

—Es muy natural, puesto que el acantilado no tiene tanta elevación como el promontorio, lo cual disminuye el alcance de la mirada. Si estuviéramos a la altura del lugar en que yo me hallaba, aparecería la línea azul a siete u ocho millas de distancia, y entonces veríais que está efectivamente donde yo lo he indicado, y que es imposible confundirla con una faja de nubes.

—Eso se dice fácilmente —exclamó Wilcox.

—Y más fácilmente se prueba —respondió Briant—. Pasemos la llanura del acantilado, crucemos las selvas y sigamos adelante hasta que hayamos llegado.

—Bien —respondió Doniphan—, eso podría llevarnos muy lejos y no sé realmente si merece la pena...

—Quédate, Doniphan —dijo Briant, que, fiel a los consejos de Gordon, se contenía a pesar de la mala voluntad de su compañero—; quédate... Service y yo iremos solos...

—¡Y nosotros también iremos! —replicó Wilcox—. ¡En marcha, Doniphan, en marcha!

—Cuando hayamos almorzado —respondió Service.

En efecto, convenía tomar algo antes de partir y así lo hicieron en media hora, tras lo cual se pusieron en camino.

Pronto recorrieron la primera milla. El suelo, cubierto de hierbas, no ofrecía el menor obstáculo. Aquí y allá musgos y líquenes cubrían pequeñas intumescencias guijosas. Algunos arbustos agrupábanse de trecho en trecho, según sus especies: aquí helechos arborescentes o licopodios; allí, brezos, agrecejos, grupos de acebos de hojas aceradas o matas de esos berberís de hojas coriáceas que se multiplicaban hasta en las más altas latitudes.

Cuando Briant y sus compañeros hubieron pasado la meseta superior, les costó gran trabajo volver a bajar a la parte opuesta del acantilado, casi igualmente elevada y tan recta como por la parte de la bahía. A no ser por el lecho medio seco de un torrente, cuyas sinuosidades compensaban lo empinado de las cuestas, hubiéranse visto obligados a volver hasta el promontorio.

Así que llegaron a la selva, la marcha se hizo más penosa, por un terreno embarazado de plantas vigorosas, erizado de hierbas altas. Con frecuencia obstruían el paso árboles derribados y era tan densa la espesura, que había que abrirse camino por ella. Entonces los jóvenes manejaban el hacha como esos exploradores que se aventuran al través de las selvas del Nuevo Mundo. A cada paso tenían que hacer nuevas paradas, en las que se cansaban más los brazos que las piernas. De ahí origináronse retrasos y el camino recorrido desde la mañana hasta la noche no pasaría de tres o cuatro millas.

En verdad parecía que nunca hubieran penetrado en aquellos bosques seres humanos. Por lo menos, no se veía en ellos huella alguna; la menor vereda hubiera bastado para demostrar su paso, pero no existía ninguna. Sólo la edad o algunas borrascas habían derribado aquellos árboles, no la mano del hombre. Las hierbas holladas en algunos sitios, no revelaba más que el reciente paso de animales de tamaño mediano, a algunos de los cuales se les vio huir, aunque sin poder reconocer a qué especie partenecían. Mas no debían de ser muy temibles puesto que con tanta rapidez se ponían fuera del alcance de los jóvenes.

Al impaciente Doniphan, le venían muchas ganas de descargar la escopeta contra aquellos tímidos cuadrúpedos; pero como ese joven tenía bastante buen juicio, no tuvo que intervenir Briant para impedir que su compañero cometiera una imprudencia revelando su presencia con un disparo. Por cierto que si Doniphan no hubiera comprendido que debía imponer silencio a su arma favorita, no le hubieran faltado muy frecuentes ocasiones de hacerla hablar, pues a cada paso volaban por allí perdices de delicado sabor, de esa especie conocida con el nombre de martinetas; había también tordos, patos silvestres, urogallos, sin contar otros muchos volátiles que hubiera sido fácil matar a centenares.

En resumen, en caso de que tuvieran que permanecer mucho tiempo en aquella región, la caza podría suministrarles abundante alimento, y así lo hizo constar. Doniphan en cuanto empezaron la exploración, dispuso desquitarse más adelante de la prudencia que entonces le imponían las circunstancias.

Las plantas de aquella selva pertenecían más particularmente a las diversas variedades de abedules y hayas, que desenvolvían su ramaje de un verde pálido hasta unos cien pies por encima del suelo. Entre los demás árboles figuraban cipreses de bello aspecto, mirtáceas de madera rojiza y grupos magníficos de esos vegetales llamados *winters*, cuya corteza desprende un aroma parecido al de la canela.

Eran las dos cuando volvieron a hacer alto en medio de un claro por el que cruzaba un río poco profundo (lo que llaman en América del Norte un *creek*). Las aguas de ese río, de perfecta limpidez, corrían lentamente en un lecho de rocas negruzcas. Al ver aquellas aguas tranquilas y poco profundas, podía suponerse que no debía estar muy lejos su nacimiento; además, era muy fácil cruzarlo, pues bastaba para ello pasar sobre las piedras de que estaba sembrado, e incluso, en cierto lugar, había piedras planas yuxtapuestas con bastante simetría.

—¡Qué cosa tan singular! —dijo Doniphan.

En efecto, había allí como una especie de calzada que iba de una a otra orilla.

—Parece una presa —exclamó Service, que se disponía a cruzarla.

—¡Espera, espera! —respondió Briant—. Hemos de ver primero cómo están dispuestas estas piedras.

—No es posible —añadió wilcox— que se hayan colocado así por sí mismas.

—No —respondió Briant—. Y parece que hayan querido arreglar un paso en esta parte del río... Vamos a verlo de cerca.

Y examinaron cuidadosamente cada uno de los elementos de aquella calzada, que sólo sobresalía unas pulgadas y que durante la estación de las lluvias debía de quedar cubierta por las aguas.

¿Podría decirse, después de todo, si aquellas losas habían sido colocadas al través del río por la mano del hombre para facilitar el paso por el agua? No. Casi era preferible creer que, arrastradas por la violencia de la corriente en la época de las crecidas, se habían ido amontonando poco a poco hasta formar una presa natural, y ésa fue la manera más sencilla de explicar la existencia de aquella calzada y la que adoptaron Briant y sus compañeros después de un examen minucioso.

Hay que añadir que ni en la orilla izquierda ni en la derecha había ninguna otra señal y nada demostraba que hubiesen pasado por allí pies humanos.

En cuanto al río, dirigía su curso hacia el Nordeste, a la parte opuesta de la bahía. ¿Iría a parar a aquel mar que Briant aseguraba haber visto desde lo alto del cabo?

—A no ser —dijo Doniphan— que este río sea tributario de otro más importante que vuelva hacia Poniente.

—Ya lo veremos —respondió Briant, que no quería entablar discusión sobre ese tema—. Sin embargo, mientras siga corriendo hacia el Este creo que nos conviene seguirlo, si no da demasiados rodeos.

Los cuatro jóvenes se pusieron en marcha después de pasar el río por la calzada, para no tener que cruzarlo más adelante y acaso en condiciones menos favorables.

Les fue bastante fácil seguir la orilla, salvo en algunos sitios en que ciertos grupos de árboles bañaban sus raíces en el agua corriente, al tiempo que sus ramas se unían de una orilla a otra. Aunque a veces el río formaba un rápido recodo, su dirección general, tomada con la brújula, iba siempre hacia el Este. En cuanto a su embocadura, debía de estar aún muy lejos, ya que la corriente no aumentaba en velocidad ni se ensanchaba el lecho.

A eso de las cinco y media, Briant y Doniphan observaron con pesar, que el curso del río iba francamente hacia el Norte, lo cual podía llevarlos lejos, si continuaban siguiéndolo como un alambre conductor y en una dirección que los apartaba manifiestamente de su objeto, por lo cual, acordaron dejar la orilla y tomar de nuevo el camino hacia el Este, entre la espesura de los abedules y las hayas, camino muy fatigoso, porque en medio de las altas hierbas, que a veces se elevaban por encima de sus cabezas, se veían obligados a llamarse para no perderse de vista.

Como después de un día de marcha aún no habían descubierto nada que les indicase la proximidad del mar, no dejaba de estar intranquilo Briant. ¿Habría sido juguete de una ilusión, al observar el horizonte desde lo alto del cabo?

«No... no... —repetía para sus adentros—. No me he equivocado... No puede ser.»

Sea de ello lo que fuere, hacia las siete de la tarde no habían llegado aún al límite de la selva y la oscuridad era ya demasiada para poder orientarse.

Briant y Doniphan resolvieron detenerse y pasar la noche al abrigo de los árboles. Con un buen trozo de carne de vaca no padecerían frío. Además, nada les impedía encender un buen fuego de ramas muertas, a no ser que esa precaución, excelente contra los animales, hubiera podido comprometerlos en caso de que se acercase durante la noche algún indígena.

—Vale más no exponernos a ser descubiertos —dijo Doniphan.

Todos opinaron lo mismo y sólo se cuidaron ya de la cena, para lo que no les faltaba apetito. Después de dar un buen metido a las provisiones de viaje, disponíanse a tenderse al pie de un enorme abedul, cuando Service les indicó a pocos pasos de allí una densa espesura, de la cual, por lo que se podía observar en la oscuridad, salía un árbol de mediana altura cuyas ramas bajas caían hasta el suelo y allí, sobre un montón de hojas secas, acostáronse los cuatro, bien envueltos en sus mantas. A esa edad nunca falta sueño, y así durmieron de un tirón, mientras que *Phann*, aunque estaba encargado de velar por ellos, imitaba a sus jóvenes amos.

Sin embargo, el perro dejó oír una o dos veces un prolongado gruñido. Indudablemente, rondaban por la selva algunos animales, fueran o no feroces, pero no llegaron a acercarse al campamento.

Serían cerca de las siete, cuando se despertaron Briant y sus compañeros.

Los rayos oblicuos del sol iluminaban aún vagamente el lugar en que habían pernoctado. .

El primero que salió de la espesura fue Service, que al punto empezó a proferir exclamaciones de sorpresa.

—¡Briant...! ¡Doniphan...! ¡Wilcox...! ¡Venid, venid pronto!

—¿Qué sucede? —preguntó Briant.

—¿Qué pasa? —dijo Wilcox—. Este Service, con su manía de gritar siempre, nos da cada susto...

—Bien... bien... —respondió Service—. Pero, mirad dónde hemos dormido.

No era una espesura, sino una cabaña de follaje, una de esas chozas que los indios llaman *ayupas* y que están construidas de ramas entrelazadas. Esa choza debía de ser de antigua construcción, porque sus paredes y su techo sólo se sostenían gracias al árbol contra el que se apoyaba y cuyo ramaje la forraba de nuevo, dándole el aspecto de las chozas en que habitan los indígenas de la América del Sur.

—¿Luego hay habitantes? —preguntó Doniphan, dirigiendo en torno suyo rápidas miradas.

—Cuando menos los ha habido —respondió Briant—; porque esta cabaña no se ha construido sola.

—Eso explica la existencia de la calzada que había en el río —añadió Wilcox.

—Mejor que mejor —exclamó Service—. Si hay habitantes, deben de ser buenas personas; porque han construido esta cabaña expresamente para que pasáramos la noche en ella.

En realidad, los indígenas de aquel país distaban mucho de ser ouenas personas, como suponía Service. Lo que era evidente es que frecuentaban o habían frecuentado aquella parte de la selva en época más o menos remota. Ahora bien, esos indígenas no podían ser sino indios, si aquella comarca se unía al Nuevo Continente, o polinesios y hasta caníbales si era una isla perteneciente a alguno de los archipiélagos de Oceanía... Esta última eventualidad hubiera estado llena de peligros y convenía más que nunca resolver definitivamente la cuestión.

Con ese objeto disponíase Briant a emprender de nuevo la marcha, cuando Doniphan propuso visitar minuciosamente la choza, que parecía haber sido abandonada mucho tiempo atrás.

Acaso encontrasen en ella algún objeto, cualquier utensilio o una herramienta cuyo origen llegaran a conocer.

Revolvieron con cuidado la cama de hojas secas tendida por el suelo de la cabaña, y Service recogió en un rincón un fragmento que debía ser de una escudilla o de una cantimplora de barro. Nuevo indicio del trabajo del hombre, pero que no les aclaraba nada. Así, pues, no les quedaba más que proseguir su camino.

A las siete y media con la brújula en la mano, encamináronse los jóvenes hacia el Este, por un suelo cuyo declive se acentuaba ligeramente. Anduvieron durante dos horas, despacio, muy despacio, en medio de una inextricable maraña de hierbas y arbustos, y dos o tres veces tuvieron que abrirse paso con el hacha.

Por fin, antes de las diez, apareció un horizonte que ya no era la interminable cortina de árboles. Al otro lado de la selva, extendíase una larga llanura sembrada de lentiscos, tomillos y brezos. A media milla hacia el Este hallábase circunscrita por una faja de arena, suavemente azotada por la resaca de aquel mar entrevisto por Briant, que se extendía hasta los límites del horizonte.

Doniphan callaba. Al vanidoso muchacho costábale mucho reconocer que su compañero no se había engañado.

Entretanto, Briant, que no pretendía triunfar, examinaba con el anteojo aquellos parajes.

Al Norte, la costa, vivamente iluminada por los rayos del sol, formaba una ligera curva hacia la izquierda.

Por el Sur presentaba el mismo aspecto, salvo que el litoral iba formando una curva más pronunciada.

Ya no cabía duda posible. Aquello no era continente, sino una isla a la que la tempestad había arrojado el *schooner*, y había que renunciar a toda esperanza de salir de ella, si no venía algún socorro de fuera.

No había ninguna otra tierra a la vista; parecía que aquella isla estuviese aislada y como perdida en medio de la inmensidad del Pacífico.

A todo esto, Briant, Doniphan, Wilcox y Service, después de recorrer la llanura que se extendía hasta la playa, habían hecho alto al pie de un montículo de arena, con la intención de almorzar y de proseguir luego su camino al través de la selva. Dándose prisa, tal vez no les fuera imposible estar de vuelta en el «Sloughi» antes de anochecido.

Durante la comida, que fue bastante triste, apenas cruzaron algunas palabras.

Por fin, Doniphan, recogiendo el morral y la escopeta, se levantó y limitóse a decir:

—¡Partamos!

Y los cuatro, después de dirigir una última mirada a aquel mar, disponíanse a cruzar de nuevo la llanura, cuando *Phann* salió brincando hacia la playa.

—¡*Phann*...! ¡Aquí, *Phann*! —gritó Service. Tiró una piedra inútilmente.

Pero el perro siguió corriendo, olfateando la arena húmeda y lanzándose luego de un salto en medio de las pequeñas olas de la resaca, empezó a beber ávidamente.

—¡Está bebiendo...! ¡Está bebiendo...! —exclamó Doniphan.

En un instante cruzó Doniphan la faja de arena y se llevó a los labios un poco de aquella agua con que apagaba la sed el perro. Era agua dulce.

Aquello era un lago que se extendía hasta el horizonte por el Este... ¡No era el mar!

CAPITULO VIII

Así, aún no estaba definitivamente resuelta la importante cuestión de que dependía la salvación de los pequeños náufragos. Ya no había duda de que aquel supuesto mar no fuese un lago. Pero ¿no podría ser que ese lago perteneciera a una isla? Prolongando la exploración más allá, ¿no se descubriría un verdadero mar, un mar que no hubiera medio de cruzar?

El caso es que aquel lago era de dimensiones muy considerables; puesto que, como hizo observar Doniphan, en las tres cuartas partes de su perímetro tenía el cielo por horizonte. Así, pues, era muy admisible que se encontraran en un continente y no en una isla. Era lo más probable.

—En ese caso habremos naufragado en el continente americano —dijo Briant.

—Siempre lo he creído así —respondió Doniphan—, y parece que no me he engañado.

—El caso es que lo que yo vi por el Este era efectivamente una línea de agua —repuso Briant.

—Conforme, pero no era el mar.

Y Doniphan pronunció esas palabras con una satisfacción que demostraba más vanidad que corazón. Pero Briant no insistió. Por lo demás, en interés de todos valía más que se hubiera equivocado. En un continente, no estarían prisioneros, como lo hubieran estado en una isla. Pero habría que esperar una época más favorable para emprender un viaje hacia el Este. Los obstáculos que habían tenido que vencer para ir del campamento al lago, sólo en un recorrido de unas millas, serían bastante mayores cuando se tratase de caminar mucho tiempo con toda la cuadrilla completa. Hallábanse ya a principios de abril y el invierno austral no es más precoz que el de la zona boreal, y no podían pensar en partir antes de que volviera la buena estación.

Y, sin embargo, en aquella bahía del Oeste, constantemente batida por los vientos del mar, no podrían sostenerse mucho tiempo. Antes de terminar el mes, necesitarían dejar el *schooner*. Y ya que Gordon y Briant no pudieron descubrir una caverna en la base occidental del acantilado, había que reconocer si podrían establecerse en mejores condiciones por la parte del lago. Así, pues, convenía explorar cuidadosamente sus alrededores, exploración que se imponía aunque hubiera que retrasar uno o dos días el regreso. Sin duda, temía causar vivas inquietudes a Gordon; pero Briant y Doniphan no vacilaron. Sus provisones podían durar aún cuarenta y ocho horas y nada hacía prever un cambio de tiempo, por lo que decidieron bajar hacia el Sur.

Además, otro motivo debía impulsarles a llevar más lejos sus investigaciones.

Indudablemente, aquella parte del territorio había sido habitada o, cuando menos, frecuentada por los indígenas. La calzada tendida a través del río, la choza cuya construcción revelaba la presencia del hombre en época más o menos reciente, eran otras tantas pruebas que requerían completarse, antes de proceder a una nueva instalación con miras al invierno. Tal vez vinieran añadirse otros indicios a los ya descubiertos. A falta de indígenas, ¿no podría ser que hubiera vivido algún náufrago hasta el momento en que llegó a alguna ciudad de aquel continente? Eso valía, seguramente, el trabajo de prolongar la exploración ribereña del lago.

La única duda era la siguiente: ¿Adónde se encaminarían Briant y Doniphan, al Sur o al Norte? Pero, como si descendían hacia el Sur se acercaban al «Sloughi», resolvieron tomar esta dirección. Más adelante verían si convenía volver a subir hacia el extremo del lago. Resuelto esto, a las ocho y media pusiéronse en marcha a través de las dunas herbosas que sobresalían en la llanura limitada al Oeste por masas de verdor.

Phann husmeaba por delante y levantaba bandadas de martinetas, que iban a ponerse al abrigo de los grupos de lentiscos o de helechos. Allí crecían matas de arándanos rojos y blancos y plantas de apio silvestres, del que se podía hacer un uso muy higiénico; pero las escopetas debían permanecer en silencio para no dar alarma, ya que era fácil que los alrededores del lago fuesen visitados por tribus indígenas.

Siguiendo la orilla, unas veces al pie de las dunas y otras por la faja de arena, pudieron andar sin gran dificultad los jóvenes unas diez millas al día y no hallaron huellas de indígenas; ningún humo salía del macizo de los árboles; ninguna huella de pasos se veía en la arena, mojada por las ondulaciones de aquella sabana de agua, cuyo límite no se veía. Pero parecía que su ribera occidental se arqueaba hacia el Sur como para acercarse en aquella dirección. Por lo demás, estaba absolutamente desierta. No aparecía ninguna vela en su horizonte ni piragua alguna en su superficie. Si aquel territorio había sido habitado, no parecía estarlo actualmente. En cuanto a fieras o rumiantes no se vio ninguno. Dos o tres veces por la tarde aparecieron algunos volátiles en el lindero de la selva, sin que fuese posible acercarse a ellos, lo que no impidió a Service exclamar:

—¡Son avestruces!

—En ese caso, serán avestruces muy pequeños —respondió Doniphan—, porque son muy bajitos.

—Si son avestruces —dijo Briant— y si estamos en un continente...

—¿Lo dudaras todavía? —replicó irónicamente Doniphan.

—Debe de ser el continente americano, en donde abundan esos animales —respondió Briant—. Eso es lo que quería decir.

A cosa de las siete de la tarde hicieron alto. Al día siguiente, de no sobrevenir obstáculos imprevistos, volverían a la Bahía de Sloughi, nombre que dieron entonces a la parte del litoral en que se había perdido el *schooner*.

Por lo demás, aquella tarde no hubiera sido posible seguir alejándose en la dirección del Sur; pues en aquel lugar corría uno de esos ríos por donde se derramaban las aguas del lago y que hubieran tenido que cruzar a nado. Además, la oscuridad no permitía ver sino de un modo imperfecto la disposición del lugar, y parecía que en la orilla derecha de aquel río se alzaba un acantilado.

Briant, Doniphan, Service y Wilcox, después de cenar, no pensaron más que en dormir, al raso esta vez, por falta de cabaña, ¡pero eran tan resplandecientes las estrellas que brillaban en el firmamento, mientras la luna creciente iba a desaparecer al sur del Pacífico...!

Todo estaba tranquilo en el lago y en la playa. Los cuatro muchachos, alojados entre las enormes raíces de una haya, durmiéronse con un sueño tan profundo, que no lo hubiera interrumpido un cañonazo. Ni ellos ni *Phann* oyeron unos aullidos bastante próximos que debían de ser aullidos de un chacal, ni los rugidos más lejos, que debían de ser rugidos de fiera. En esas comarcas en que los avestruces vivían en estado salvaje, podía temerse la proximidad de los jaguares y los pumas, que son el tigre y el león de la América meridional. Pero la noche transcurrió sin incidentes. No obstante, a eso de las cuatro de la mañana, cuando aún no había comenzado el alba a blanquear el horizonte por encima del lago, el perro dio muestras de agitación gruñendo sordamente, olfateando el suelo como si quisiera buscar algo.

Serían cerca de las siete cuando Briant despertó a sus compañeros, estrechamente acurrucados bajo sus mantas.

Todos se pusieron inmediatamente en pie, y en tanto que Service tomaba un pedazo de galleta, los otros tres fueron a echar un vistazo por la comarca, al otro lado del río.

—En verdad —dijo Wilcox—, hicimos muy bien anoche en no intentar cruzar este río, pues hubiéramos caído en pleno pantano.

—En efecto —respondió Briant—. Es un pantano lo que se extiende hasta el Sur y cuyo fin no se distingue.

—Mirad —exclamó Doniphan— cuántas bandadas de patos, cercetas y agachaditas vuelan por su superficie. Si pudiéramos instalarnos aquí para el invierno, nunca nos faltaría caza.

—¿Y por qué no hemos de hacerlo? —dijo Briant, encaminándose a la orilla derecha del río.

Por detrás se alzaba un alto acantilado terminado en un contrafuerte cortado a pico. De sus lados, que se reunían casi en ángulo recto, uno iba lateralmente a la orilla del riachuelo mientras que el otro estaba frente al lago. ¿Sería ese acantilado el mismo que orlaba la Bahía de Sloughi, prolongándose hacia el Noroeste? Eso no lo sabrían hasta después de haber llevado a cabo un reconocimiento más completo de la región.

En cuanto al río, si su orilla derecha, que tenía unos veinte pies de ancho, iba a lo largo de la base de las alturas circundantes, la izquierda, muy baja, apenas se distinguía de las quebradas, las charcas y los terrenos pantanosos de aquella llanura que se extendía hacia el Sur hasta perderse de vista. Para saber la dirección de la corriente, habría que subir al acantilado, y Briant decidió no emprender el camino de la Bahía de Sloughi hasta haber efectuado la ascensión.

En primer lugar, habíase de examinar el río en el punto en que las aguas del lago se vertían en su lecho. Allí no medía arriba de cuarenta pies de ancho; pero debía de ganar en anchura y profundidad, a medida que se acercaba a su embocadura, por poco que recibiera algún afluente, ya del pantano, ya de las mesetas superiores.

—¡Eh! ¡Mirad! —exclamó Wilcox, en el momento en que acababa de llegar al pie del contrafuerte.

Lo que le llamaba la atención era un montón de piedras que formaban una especie de dique, disposición análoga a la que se había observado en la selva.

—Esta vez no cabe duda —dijo Briant.

—No... No hay duda —respondió Doniphan mostrando restos de madera al extremo del dique.

Seguramente aquellos restos eran los del casco de alguna embarcación, entre otros una pieza de madera medio podrida y verde de musgo cuya curva indicaba un pedazo de estrave, del cual colgaba aún una anilla de hierro roída por la herrumbre.

—¡Una anilla...! ¡Una anilla...! —exclamó Service.

Y ambos, inmóviles, miraron en torno suyo, como si el hombre que se hubiera servido de aquella canoa y había levantado aquel dique hubiera estado a punto de aparecer.

No... Nadie. Muchos años habían transcurrido desde que aquella embarcación fuera abandonada en la orilla del río; o el hombre que había pasado allí la vida había vuelto a ver a sus semejantes, o su mísera existencia habíase extinguido en aquella tierra sin que pudiera salir de ella.

Se comprenderá la emoción de aquellos jóvenes ante esos testimonios de una intervención humana que ya no se podía discutir.

Entonces fue cuando advirtieron la singular actitud del perro. Indudablemente, *Phann* seguía una pista. Alzaba las orejas, agitaba violentamente la cola y olfateaba el suelo metiéndose entre las hierbas.

—¿Veis a *Phann*? —preguntó Service.

—Algo ha olido —respondió Doniphan, acercándose al perro.

Phann acababa de detenerse con una pata levantada y el hocico tendido. Luego, bruscamente se lanzó hacia un grupo de árboles que había al pie del acantilado, por la parte del lago.

Siguiéronle Briant y sus compañeros, que, momentos después, deteníanse ante una vieja haya en cuya corteza estaban grabadas dos letras y una fecha dispuestas de este modo:

F B
1807

Briant, Doniphan, Wilcox y Service hubieran permanecido mucho tiempo inmóviles y mudos ante esta inscripción, si *Phann*, volviendo sobre sus pasos, no hubiese desaparecido por el ángulo del contrafuerte.

—¡Aquí, *Phann*, aquí! —exclamó Briant.

El perro no volvió; pero oyéronse sus ladridos precipitados.

—¡Cuidado! —dijo Briant—. No nos separemos y estemos prevenidos.

En efecto, toda precaución era poca. Tal vez se hallase en las inmediaciones una banda de indígenas, y su presencia sería más de temer que de desear, si eran de esos indios feroces que infestan las pampas de la América del Sur. Cargaron las escopetas y empuñaron los revólveres para defenderse.

Los muchachos siguieron adelante; luego, después de doblar el contrafuerte, continuaron a lo largo de la estrecha orilla del río, y no bien hubieron dado veinte pasos, cuando Doniphan se agachó para recoger del suelo un objeto.

Era un pico, cuyo hierro apenas se sujetaba a un mango medio podrido, una piqueta de origen americano o europeo, no una de esas herramientas toscas fabricadas por salvajes polinesios. Como la anilla de la embarcación, estaba sumamente oxidada y no ofrecía duda que llevaba abandonada muchos años en aquel sitio. También allí al pie del acantilado, véianse señales de cultivo, algunos surcos trazados de un modo irregular, un pequeño cuadro de ajos, que la falta de cuidado había vuelto al estado silvestre.

De pronto, un lúgubre aullido cruzó el aire y, casi inmediatamente, reapareció *Phann*, presa de una agitación más inexplicable todavía. Daba vueltas sobre sí mismo, corría al encuentro de sus jóvenes amos, les miraba, les llamaba y parecía invitarles a seguirlo.

—Indudablemente, hay algo extraordinario —dijo Briant, que en vano intentaba calmar al perro.

—Vamos adonde quiere llevarnos —respondió Doniphan haciendo señas a Wilcox y a Service de que le siguieran.

Diez pasos más allá, detúvose *Phann* ante un montón de malezas y de arbustos, cuyas ramas se entrelazaban en la misma base del acantilado.

Adelantóse Briant para ver si aquel montón ocultaba el cadáver de un animal o de un hombre cuya pista hubiera seguido *Phann*... Y al separar la maleza vio una estrecha abertura.

—¿Será esto una caverna? —exclamó, retrocediendo unos pasos.

—Es probable —respondió Doniphan—. ¿Y qué hay en esa caverna?

—Ahora lo sabremos —dijo Briant.

Y empezó a cortar con el hacha las ramas que obstruían el orificio. Entretanto, aplicando el oído, no se oía ningún ruido sospechoso.

Service se disponía a entrar por el boquete, que rápidamente había quedado al descubierto cuando le dijo Briant:

—Antes veamos lo que hace *Phann*.

El perro seguía ladrando sordamente de un modo que no era para tranquilizar a nadie.

Y, sin embargo, si en aquella caverna se hubiera ocultado algún hombre vivo, ya habría salido... Había que saber a qué atenerse.

No obstante, como podía ser que dentro de la caverna estuviera viciada la atmósfera, Briant echó por la abertura un puñado de hierbas secas que acababa de encender y las cuales, al esparcirse por el suelo, ardieron vivamente, prueba de que el aire era respirable.

—¿Entramos? —preguntó Wilcox.

—Sí —respondió Doniphan.

Y después de cortar una rama resinosa de uno de los pinos que crecían a la orilla del río, la encendió y, seguido de sus compañeros, se deslizó entre la maleza.

A la entrada, el orificio medía cinco pies de alto por dos de ancho; pero se ensanchaba súbitamente para formar una excavación de diez pies, con doble ancho, y cuyo suelo lo formaba una arena muy seca y muy fina.

Al penetrar allí, Wilcox tropezó con un escabel de madera colocado junto a una mesa en la que se veían algunos utensilios de cocina, un cántaro de barro, dos grandes conchas que habían debido servir de platos, un cuchillo de hoja mellada y roñosa, dos o tres anzuelos, una taza de hojalata vacía, como el cántaro, y junto a la pared opuesta, una especie de arca construida de tablas toscamente ajustadas y que contenía restos de vestidos.

Así, no podía dudarse de que aquella excavación había sido habitada. Pero ¿en qué época y por quién? ¿Yacía en algún rincón el ser humano que vivió allí?

En el fondo había un mísero camastro tapado con una manta de lana hecha jirones. A la cabecera, encima de un banco, veíanse otra taza y un candelero de madera, en el que aún quedaba un pedazo de mecha carbonizada. Los niños retrocedieron al principio, ante la idea de que aquella manta ocultaba algún cadáver.

Briant, dominando su repugnancia, la levantó.

El camastro estaba vacío. Un instante después, los cuatro, muy impresionados, reuniéronse con *Phann,* que se había quedado fuera y seguía dejando oír lastimeros ladridos.

Subieron de nuevo por la orilla del río unos veinte pasos y detuviéronse súbitamente. Un sentimiento de horror los clavó en aquel lugar.

Allí, entre las raíces de un haya, yacían en el suelo los restos de un esqueleto.

En aquel lugar había ido a morir el desgraciado que habitara en la caverna, sin duda durante muchos años, y aquel abrigo salvaje que había convertido en su casa no le sirvió siquiera de tumba.

CAPITULO IX

Briant, Doniphan, Wilcox y Service guardaban profundo silencio.

¿Quién era el hombre que había ido a morir en aquel lugar? ¿Sería un náufrago, a quien hubieran faltado socorros hasta su última hora? ¿A qué nación pertenecía? ¿Había llegado de joven a aquel rincón de la tierra? ¿Habría muerto viejo? ¿Cómo pudo sobrevivir a sus necesidades? Y si le había arrojado allí un naufragio, ¿habrían sobrevivido a la catástrofe algunos otros además de él y se habría quedado luego solo, después de la muerte de sus compañeros de infortunio? ¿Procederían de su barco los diversos objetos encontrados en la caverna o los habría fabricado él?

¡Cuántas preguntas, a las que quizá no se podría responder nunca!

Y, entre otras, una de las más graves. Puesto que aquel hombre halló refugio en un continente, ¿por qué no llegó a alguna población del interior o algún puerto del litoral? Ofrecería la repatriación tantas dificultades y obstáculos tantos que no pudo él vencerlos? ¿Era tan grande la distancia por recorrer que debiera considerarse como infranqueable? Lo cierto es que aquel desdichado había sucumbido, debilitado por la enfermedad o por los años, que no tuvo fuerzas para volver a su caverna y que murió al pie de aquel árbol... Y si le faltaron medios para ir en busca de la salvación hacia el Norte o hacia el Este de aquel territorio, ¿no les faltarían igualmente a los jóvenes náufragos del «Sloughi»?

Fuera lo que fuere, había que registrar la caverna con el mayor cuidado. ¡Quién sabe si encontrarían en ella algún documento que contuviese datos acerca de aquel hombre, de su nacionalidad y de la duración de su estancia allí...! Por otra parte, también convenía reconocer si podrían instalarse allí durante el invierno, cuando abandonasen el yate.

—Venid —dijo Briant.

Y, seguidos por *Phann*, entraron por el boquete a la luz de una segunda rama resinosa.

El primer objeto que vieron, en una tablita fija en la pared de la derecha, fue un paquete de toscas candelas, fabricadas con grasa e hilachas de estopa. Service se apresuró a encender una de esas candelas, la puso en el candelero de madera y empezaron sus investigaciones.

Ante todo había que examinar la disposición de la caverna, ya que no había duda respecto de su habitabilidad. Era una ancha cueva que debía de remontarse a la época de las formaciones geológicas; no presentaba señales de humedad, aunque la ventilación sólo se efectuaba por el boquete que daba a la orilla del río. Sus paredes eran tan secas como pudieran serlo unas paredes de granito, y no se veía la menor huella de esas infiltraciones cristalizadas, de esos rosarios de gotitas que, en ciertas grutas de pórfido o de basalto, forman estalactitas. Por lo demás, su orientación la ponía al abrigo de los vientos del mar.

A decir verdad, apenas entraba la luz en ella; pero haciendo una o dos aberturas en la pared, sería fácil remediar ese inconveniente y ventilar el interior para las necesidades de quince personas.

En cuanto a sus dimensiones —veinte pies de ancho por treinta de largo— la caverna era ciertamente insuficiente para servir a la vez de dormitorio, de comedor, de almacén general y de cocina. Después de todo, no se trataba más que de pasar en ella cinco o seis meses de invierno, tras lo cual tomarían el camino del Nordeste para llegar a alguna ciudad de Bolivia o de la República Argentina. Claro está que si les hubiera sido indispensable intalarse allí de un modo definitivo, hubieran procurado hacerla más grande, cavando el macizo, que era de una piedra caliza bastante blanda; pero habían de contentarse con usarla tal como estaba la excavación, hasta que volviera el verano.

Reconocido esto, Briant hizo un minucioso inventario de los objetos que contenía. Poca cosa, en verdad. Aquel desdichado debió de llegar allí desprovisto de todo. ¿Qué pudo recoger de su naufragio? Nada más que restos informes, berlingas rotas, fragmentos de tablas del forro que le sirvieron para fabricar el camastro, la mesa, el cofre, el banco, los taburetes —único mueblaje de su mísera mansión—. Menos favorecido que los supervivientes del «Sloughi», no tuvo a su disposición toda clase de material. Algunas herramientas, un pico, un hacha, dos o tres utensilios de cocina, un barrilito que debía de contener aguardiente, un martillo, dos cortafríos, una sierra —eso fue todo cuanto se encontró en primer lugar—. Dichos utensilios fueron sin duda salvados en aquella embarcación de la que sólo quedaban restos junto al dique del río. En eso pensaba Briant y lo explicaba a sus compañeros. Y entonces, después del horror que habían sentido al ver el esqueleto, pensando que tal vez estuvieran también ellos destinados a morir en el mismo abandono, se les ocurrió la idea de que no les faltaba nada de lo que había faltado a aquel infeliz, y sentíanse inclinados a recobrar la confianza.

Y ahora, ¿quién era aquel hombre? ¿Cuál era su origen? ¿A qué época se remontaba su naufragio? No podía ponerse en duda que habían transcurrido muchos años desde que sucumbiera. El estado de los huesos encontrados al pie del árbol lo indicaba claramente. Además, el hierro del pico y la anilla de la embarcación roída por la herrumbre y lo intrincado de la espesura que obstruía la entrada de la caverna demostraba que la muerte del náufrago databa de mucho tiempo.

¿No descubrirían aún algún nuevo indicio que pudiera trocar en certidumbre esa suposición?

Prosiguieron las indagaciones y descubrieron otros objetos: una navaja con algunas de las hojas rotas, un compás, un escalfador, una cabilla de hierro y un pasador, utensilios que usan los marineros. Pero no había ningún instrumento de marina, ni catalejos, ni brújula, ni siquiera un arma de fuego para cazar o para defenderse contra los animales o los indígenas.

Sin embargo, como habría necesitado comer para vivir, debió verse reducido seguramente a tender lazos. Por cierto que esto se aclaró al exclamar Wilcox:

—¿Qué es esto?

—¿Esto? —dijo Service.

—Es un juego de bolas —respondió Wilcox.

—¿Un juego de bolas? —dijo sorprendido Briant.

65

Pero al punto reconoció el uso a que debieron de destinarse las dos piedras redondas que acababa de recoger Wilcox. Era uno de esos instrumentos de caza llamados *bolas* que se componen de dos esferas atadas una a otra por una cuerda y que emplean los indios de la América del Sur. Cuando una mano hábil lanza esas bolas, enróllanse alrededor de las patas del animal, cuyos movimientos quedaban paralizados, y así puede cogerse fácilmente.

Sin duda alguna, el habitante de la caverna fue quien fabricó aquel instrumento, y también un lazo, larga correa de cuero que se maneja como las bolas, pero a menos distancia.

Tal fue el inventario de los objetos recogidos en la caverna; y en cuanto a utensilios, Briant y sus compañeros eran incomparablemente más ricos. Verdad es que eran niños y el otro era hombre.

Pero este hombre, ¿era un simple marinero o un oficial que pudo aprovechar su inteligencia, precisamente desarrollada por el estudio? Eso hubiera sido muy difícil de averiguar, a no ser por un descubrimiento que permitió avanzar con más seguridad en el camino de la certidumbre.

A la cabecera del camastro, bajo un pliegue de la manta que Briant había movido, descubrió Wilcox un reloj colgado de un clavo fijo en la pared.

Ese reloj, no tan común como los que usan los marineros, era de fabricación bastante fina y componíase de una doble caja de plata, de la cual colgaba una llave sujeta por una cadena del mismo metal.

—Veamos la hora —exclamó Service.

—La hora no nos indicará nada —respondió Briant—. Probablemente este reloj se pararía muchos días antes de morir ese desdichado.

Briant abrió la tapa con algún trabajo, porque se habían oxidado las junturas, y pudo ver que las agujas marcaban las tres y veintisiete minutos.

—Pero ese reloj tendrá una marca —dijo Doniphan—; eso podría orientarnos.

—Tienes razón —respondió Briant.

Y después de mirar dentro de la caja, consiguió leer estas palabras, grabadas en ella:

—*Delpeuch, Saint Malo* —el nombre y las señas de un fabricante.

—Era francés, compatriota mío —exclamó con emoción Briant.

Indudablemente, un francés había vivido en aquella caverna hasta la hora en que la muerte puso término a sus desdichas.

A esta prueba unióse pronto otra, no menos decisiva, cuando Doniphan, que había movido el camastro, recogió del suelo un cuaderno cuyas amarillentas páginas estaban llenas de líneas trazadas con lápiz.

Por desgracia, la mayoría de esas líneas eran casi ilegibles. Sin embargo, pudieron descifrarse algunas palabras, entre otras estas dos: *Francisco Baudoin.*

A ese nombre correspondían, en efecto, las iniciales que el náufrago había grabado en el árbol. Aquel cuaderno era el diario de su vida desde el día en que zozobró en aquella costa. Y, en fragmentos, de frases que el tiempo no había borrado por completo, llegó a leer Briant estas otras palabras: *Duguay-Trouin*, probablemente el nombre del buque que se había perdido en aquellos lejanos parajes del Pacífico.

Luego, al principio, una fecha: la misma que estaba inscrita debajo de las iniciales y que sería, sin duda, la del naufragio.

Por consiguiente, hacía cincuenta y tres años que Francisco Baudoin tomó tierra en aquel litoral, y durante todo el tiempo de su permanencia allí no recibió ningún socorro de fuera por no haber pasado ningún buque a la vista.

Y si Francisco Baudoin no pudo ir a ningún otro punto de aquel continente, ¿sería porque se alzasen ante él obstáculos infranqueables?

Los muchachos se percataron más que nunca de la gravedad de su situación. ¿Cómo conseguirían ellos lo que un hombre, un marino acostumbrado a rudos trabajos y avezado a toda clase de fatigas no había podido conseguir?

Es más, un último hallazgo iba a enseñarles que sería inútil toda tentativa para salir de aquella tierra.

Al hojear el cuaderno, vio Doniphan un papel doblado entre las páginas. Era un mapa trazado con una especie de tinta fabricada probablemente con agua y hollín.

—¡Un mapa! —exclamó.

—Que probablemente dibujaría el mismo Francisco Baudoin —dijo interesado Briant.

—Si es así, ese hombre no debía de ser un simple marinero —añadió Wilcox—, sino uno de los oficiales del *Duguay-Trouin*, puesto que era capaz de trazar un mapa...

—¿Será acaso...? —preguntó Doniphan.

Sí. Era el mapa de aquella comarca. Al primer vistazo reconocieron la Bahía de Sloughi, el banco de arrecifes, la playa en que habían instalado el campamento, el lago cuya orilla occidental acababan de dejar Briant y sus compañeros, los tres islotes situados en alta mar, el acantilado que se redondeaba hasta la orilla del río, las selvas de que estaba cubierta toda la región central.

Más allá de la orilla opuesta del lago, había aún otras selvas que se extendían hasta el límite de otro litoral, y este litoral... lo bañaba en todo su perímetro el mar.

Así derrumbáronse todos sus proyectos de volver a subir hacia el Este para buscar la salvación por ese camino. Así, tenía razón Briant y no Doniphan. Así el mar rodeaba por todas partes aquel supuesto continente... ¡Era una isla, y por eso no pudo salir de ella Francisco Baudoin!

Fácil era ver en aquel mapa que los contornos habían sido trazados con bastante exactitud. Seguramente, las longitudes se habían calculado sólo por la estima, por el tiempo empleado en recorrerlas y no por medidas de triangulación; pero, a juzgar por lo que Briant y Doniphan conocían ya por su parte comprendida entre la Bahía de Sloughi y el lago, no podían ser de gran importancia los errores.

Además, quedaba demostrado que el náufrago había recorrido toda la isla; puesto que había anotado sus principales detalles geográficos y, sin duda, la ayuda y la calzada del río debían de ser también obra suya.

He aquí la disposición de la isla, tal como la dibujó Francisco Baudoin.

Era de forma oblonga y parecía una enorme mariposa con las alas desplegadas. Estrechada en su parte central, entre la Bahía de Sloughi y otra que había al Este, presentaba una tercera mucho más abierta en su parte meridional. En medio de un marco de vastas selvas extendíase el lago, de dieciocho millas de largo y unas cinco de ancho —dimensiones suficientemente grandes para que Briant, Doniphan, Service y Wilcox, al llegar al borde occidental, no hubieran visto nada de las riberas del Norte, del Sur y del Este—. Eso explicaba que lo hubieran tomado por un mar a primera vista. De ese lago salían varios ríos y especialmente el que pasando por delante de la caverna iba a desembocar en la Bahía de Sloughi, cerca del campamento de los náufragos.

La única altura algo importante de la isla parecía ser el acantilado, oblicuamente dispuesto desde el promontorio al Norte de la bahía hasta la orilla derecha del río. En cuanto a su región septentrional, el mapa la indicaba como árida y arenosa, mientras que al otro lado del río extendíase un inmenso pantano, que se alargaba formando un agudo cabo hacia el Sur. En el Nordeste y en el Sudeste, sucedíanse largas líneas de dunas que daban a aquella parte de la costa un aspecto muy distinto del de la Bahía de Sloughi.

Por último, ateniéndose a la escala trazada al pie del mapa, la isla debía de medir unas cincuenta millas en su mayor longitud de Norte a Sur, por veinticinco en su mayor ancho de Oeste a Este. Teniendo en cuenta las irregularidades de su configuración, era una extensión de ciento cincuenta millas de circunferencia.

En cuanto a saber a qué grupo de la Polinesia pertenecía la isla, si estaba o no aislada en medio del Pacífico, era imposible hacer la menor conjetura.

Sea lo que fuere, se imponía a los náufragos del «Sloughi» una instalación definitiva y no provisional. Y puesto que la caverna les ofrecía un excelente refugio, convenía trasladar a ella el material antes que las primeras borrascas del invierno acabasen de destrozar el *schooner*.

Tratábase ya de volver al campamento sin demora. Gordon debía de estar muy intranquilo —pues habían transcurrido tres días desde la marcha de Briant y sus compañeros— y podía temer que les hubiera sucedido alguna desgracia.

Por consejo de Briant, decidieron que la partida se efectuase el mismo día, a las once de la mañana. No hacía ya falta subir al acantilado; puesto que el mapa indicaba que lo más corto era seguir la orilla derecha del río que iba de Este a Oeste, es decir, que tenían que andar siete millas a lo sumo para llegar a la bahía, y podían recorrerlas en algunas horas.

Pero antes de partir quisieron los jóvenes cumplir sus últimos deberes con el náufrago francés. El pico sirvió para cavar una tumba al pie del árbol en que había grabado Francisco Baudoin las iniciales de su nombre, y pusieron una cruz para señalar aquel sitio.

Terminada tan piadosa ceremonia, volvieron los cuatro a la caverna y taparon su entrada para que no pudieran penetrar en ella los animales, y después de acabar las provisiones que les quedaban, tornaron a bajar a la orilla derecha del río, a lo largo de la base del acantilado. Una hora después, llegaban al lugar en que el macizo se apartaba para tomar una dirección oblicua, hacia el Noroeste.

En tanto que siguieron la corriente del río, anduvieron bastante de prisa, porque en la orilla había pocos árboles, arbustos y hierbas que obstruyesen el paso.

Mientras caminaban, en previsión de que el río sirviese de comunicación entre el lago y la Bahía de Sloughi, Briant no dejaba de examinar atentamente, y le pareció que en la parte superior de ese río podría pasar una embarcación o una balsa, bien arrastrada por una cuerda desde la orilla, bien empujada por un bichero, lo que facilitaría el transporte del material, siempre que aprovechasen la marea, cuya acción se notaba hasta en el lago. Lo importante era que la corriente no se volviera muy rápida y que la falta de profundidad o de anchura no la hiciese infranqueable. Mas no hubo nada de eso, y en un espacio de tres millas desde la salida del lago, el río parecía reunir excelentes condiciones para la navegación.

Sin embargo, hacia las cuatro de la tarde, tuvieron que abandonar el camino de la playa, porque la orilla derecha estaba cortada por un ancho terreno pantanoso, en el cual no hubieran podido meterse sin peligro. Por eso, lo más prudente fue caminar a través de la selva.

Brújula en mano, Briant fue entonces hacia el Noroeste, para llegar a la Bahía de Sloughi por el camino más corto; pero entonces se retrasaron de un modo considerable; porque las hierbas altas formaban en la superficie del suelo una maraña inextricable. Además, bajo la espesa bóveda de abedules, pinos y hayas reinó profunda oscuridad al tiempo de ponerse el sol.

En tan fatigosas condiciones, recorrieron dos millas, y después de contornear el terreno pantanoso, que se extendía bastante hacia el Norte, lo mejor hubiera sido seguir la corriente del río, ya que, según el mapa, éste desembocaba en la Bahía de Sloughi. Pero sería tan largo el rodeo, que Briant y Doniphan no quisieron perder tiempo en aquella dirección y siguieron internándose por el bosque hasta que, a eso de las siete de la tarde, tuvieron la certeza de que se habían extraviado entre aquella inmensa arboleda.

¿Se verían obligados a pasar la noche entre los árboles? No había peligro en ello, si no faltasen las provisiones en el momento en que más apetito sentían.

—Sigamos —dijo Briant—. Caminando hacia el Oeste tendremos que llegar al campamento.

—A no ser que el mapa nos haya dado indicaciones falsas —respondio Doniphan—, y que este río no sea el que va a parar a la bahía.

—¿Y por qué había de ser inexacto el mapa, Doniphan?

—¿Y por qué no ha de serlo, Briant?

Como se ve, Doniphan, que no había digerido su chasco, obstinábase en no conceder gran confianza al mapa del náufrago. Pero hacía mal, porque, en la parte de la isla ya reconocida, no podía negarse que el trabajo del francés Baudoin era sumamente exacto.

Briant consideró inútil discutir más sobre este punto, y todos pusiéronse resueltamente en marcha.

A las ocho ya no pudieron reconocerse unos a otros, por lo profunda que era la oscuridad, y a todo esto nunca llegaban al límite de la interminable selva.

De pronto, por un claro entre los árboles, apareció una viva luz que se propagaba al través del espacio.

—¿Qué es eso? —preguntó Service.

—Supongo que será una estrella fugaz —dijo Wilcox.

—No, es un cohete —replicó Briant—, un cohete lanzado por el «Sloughi».

—Y, por consiguiente, una señal de Gordon —exclamó Doniphan, que respondió con un disparo de escopeta.

Tomando como señal una estrella, en el momento en que un segundo cohete subía en la oscuridad, encamináronse guiados por ella Briant y sus compañeros, y tres cuartos de hora después llegaron al campamento del «Sloughi».

Y en efecto, Gordon, por temor de que se hubieran perdido, había ideado lanzar algunos cohetes para señalarles la posición del *schooner*.

CAPITULO X

Fácil es figurarse el recibimiento hecho a Briant y a sus tres compañeros. Gordon, Cross, Baxter y Webb los acogieron con los brazos abiertos, mientras los pequeños les saltaban al cuello, y hubo gran cambio de gritos de alegría y efusivos apretones de manos. *Phann* participó también de la cordial recepción, mezclando sus ladridos a los vivas de los niños. Y es que aquella ausencia había parecido muy larga.

¿Se habrán perdido...? ¿Habrán caído en manos de los indígenas...? ¿Habrán sido atacados por las fieras...? Todo eso se preguntaban los que habían quedado en el campamento del «Sloughi».

Pero ya estaban de vuelta Briant, Doniphan, Wilcox y Service y sólo faltaba conocer los incidentes de su expedición; no obstante, como estaban muy fatigados por aquel largo día de marcha, aplazaron el relato para el siguiente.

—¡Estamos en una isla!

Eso fue todo lo que dijo Briant, y era lo suficiente para que vieran lo por venir con sus numerosas e inquietantes eventualidades; pero, a pesar de eso, Gordon recibió la noticia sin mostrar gran desaliento.

«Me lo figuro —pareció decir—, y no me conmueve en absoluto la noticia.»

Al amanecer del día siguiente —5 de abril—, los mayores Gordon, Briant, Doniphan, Baxter, Cross, Wilcox, Service, Webb, Garnett y también Mokó, que era buen consejero, se reunieron en la proa del yate mientras los otros dormían aún. Briant y Doniphan tomaron por turno la palabra y enteraron a sus compañeros de lo ocurrido. Dijeron que una calzada que había al través de un río y los restos de una cabaña hundida en la espesura les había hecho creer que el país estaba o había estado habitado; explicaron que aquella vasta extensión de agua, que al principio habían tomado por el mar, no era sino un lago; dijeron también que algunos nuevos indicios les había conducido hasta la caverna, cerca del lugar en que el río salía del lago, y cómo habían sido descubiertos los huesos de Francisco Baudoin, de origen francés, y, por último, añadieron que el mapa trazado por el náufrago indicaba que el «Sloughi» había ido a encallar en una isla.

Briant y Doniphan expusieron minuciosamente el relato sin omitir el menor detalle, y luego, contemplando todo el mapa, comprendieron que la salvación sólo podía venirles de fuera.

Sin embargo, aunque el futuro se presentaba con los más sombríos colores y aunque los jóvenes náufragos no podían tener esperanza más que en Dios, el que menos se asustó de todos fue Gordon, y conviene insistir en este punto. El joven americano no tenía familia alguna que le esperase en Nueva Zelanda; por lo cual, dado su espíritu práctico, metódico y organizador, no podía espantarle en modo alguno la misión de fundar una pequeña colonia, por decirlo así. Veía en ello una ocasión de ejercitar sus aficiones naturales, y no tardó en animar a sus

71

compañeros, prometiéndoles una vida soportable si le secundaban en sus trabajos.

En primer lugar, ya que la isla era de dimensiones bastante considerables, parecía imposible que no estuviera indicada en el mapa del Pacífico, en las cercanías del continente sudamericano. Después de detenido examen, reconocieron que el atlas de Stieler no mencionaba ninguna isla de alguna importancia fuera de los archipiélagos, cuyo conjunto comprendía la Tierra del Fuego, las de la Desolación, de la Reina Adelaida, de Clarence, etc. Y si la isla hubiera formado parte de esos archipiélagos, que sólo están separados del continente por estrechos canales, seguramente la hubiera indicado en su mapa Francisco Baudoin, cosa que no hizo. Así, pues, era una isla aislada y podía deducirse de ello que se hallaba más al norte o más al sur de aquellos parajes. Pero, sin los datos suficientes, sin los instrumentos necesarios, era imposible saber su situación en el Pacífico. No había más remedio que instalarse allí definitivamente, antes que la mala estación imposibilitara todo cambio de lugar.

—Lo mejor será irnos a vivir a esa caverna que hemos descubierto a orillas del lago —dijo Briant—, pues será un abrigo excelente.

—¿Es lo bastante grande para todos? —preguntó Baxter.

—No —respondió Doniphan—; pero creo que podremos agrandarla practicando una segunda cavidad en el macizo. Tenemos herramientas...

—Empecemos por aceptarla tal como es —replicó Gordon—, aun cuando estemos en ella algo estrechos...

—Y, sobre todo —añadió Briant—, procuremos trasladarnos allí lo antes posible.

En efecto, era urgente. Como había dicho Gordon, el *schooner* se volvía cada vez menos habitable: las últimas lluvias, seguidas de calores bastante intensos, contribuyeron mucho a abrir las ensambladuras del casco y del puente, y las telas, desgarradas, dejaban penetrar el aire y el agua en el barco. Además, por las grietas del fondo corrían filtraciones al través de la arena de la playa, y el yate se hundía visiblemente en el suelo movedizo. Bastaría que se desencadenase una borrasca, como suele ocurrir en el período de equinoccio, que aún duraba, para que el «Sloughi» quedase destrozado en pocas horas. Por consiguiente, tratábase, no sólo de abandonarlo sin demora, sino también de destruirlo metódicamente, para sacar de él todo cuanto pudiera ser provechoso, como vigas, tablas, hierro, cobre, para el arreglo de la Cueva del Francés, nombre que dieron a la caverna, en memoria del náufrago francés.

—Y en espera de que podamos refugiarnos en ella, ¿dónde vamos a vivir?

—En una tienda —respondió Gordon—, una tienda que alzaremos a la orilla del río, entre los árboles.

—Es lo mejor que podemos hacer —dijo Briant—, y no hay que perder ni una hora.

En efecto, la demolición del yate, la descarga del material y las provisiones, la construcción de una balsa para transportar ese cargamento, requería por lo menos un mes de trabajo, y para cuando salieran de la Bahía de Sloughi estarían ya a principio de mayo, fecha que corresponde a los primeros días de noviembre en el hemisferio boreal, o sea a principios de invierno.

No sin razón había escogido Gordon la orilla del río para instalar el nuevo campamento, a que el transporte había de efectuarse por vía fluvial, pues ninguna otra hubiera sido más directa ni más cómoda. Acarrear por la selva o por la orilla del río todo cuanto quedase del yate, después de destruido éste, sería tarea casi irrealizable; en cambio, aprovechando durante varias mareas el flujo que se dejaba sentir hasta el lago, fácilmente llegaría a su destino una balsa.

Sabemos, pues, lo que había observado Briant, que el río no presentaba ningún obstáculo en su curso superior, en el que no había ni rápidas corrientes ni presa alguna. Con la canoa emprendieron una nueva exploración que tuvo por objeto reconocer el curso inferior del río, desde el pantano hasta su embocadura, y Briant y Mokó se aseguraron de que también por allí era navegable. Es decir, que tenían una vía de comunicación muy indicada entre la Bahía de Sloughi y la Cueva del Francés.

Dedicaron los días siguientes a instalar el campamento a la orilla del río. Las ramas bajas de dos hayas, unidas por largas berlingas a las ramas de otra haya, sirvieron de sostén a la vela de repuesto del yate, cuyos lados dejaron caer hasta el suelo; y al abrigo de esa tienda, sólidamente fijada por amarras, transportaron las ropas de cama, los utensilios de primera necesidad, las armas, las municiones y los fardos de provisiones. Como la balsa había de construirse con los restos del yate, hubo que esperar a que acabasen de destruirlo.

No podían quejarse del tiempo, que se mantuvo seco, y aunque a veces hacía viento, procedía de tierra, y pudieron efectuar el trabajo en buenas condiciones.

Hacia el 15 de abril ya no quedaba nada a bordo del *schooner*, a no ser los objetos demasiado pesados, que no podrían retirarlos hasta haber despedazado el barco, entre otros, los lingotes de plomo que servían de lastre, el guindaste, la cocina, harto pesados para ser levantados sin un aparato. En cuanto al aparejo, el palo de mesana, las vergas, los obenques y brandales de hierro, cadenas, anclas, amarras y demás, de las que había considerable provisión, todo fue trasladado poco a poco a las inmediaciones de la tienda.

No necesitamos decir que, por urgente que fuese ese trabajo, no descuidaron en modo alguno el subvenir a las necesidades de cada día. Doniphan, Webb y Wilcox dedicaban algunas horas a la caza de palomas y demás aves que venían del pantano, y los pequeños cogían moluscos en cuanto la marea dejaba al descubierto el banco de arrecifes. Daba gusto ver a Jenkins, Iverson, Dole y Costar moverse como una nidada de polluelos a través de las charcas. Verdad es que se mojaban algo más que las piernas, por lo cual les reprendía el severo Gordon, mientras que Briant los disculpaba como podía. Santiago trabajaba también con sus jóvenes compañeros, pero sin mezclarse nunca en sus carcajadas.

Así continuaba a gusto el trabajo, con un método en el que se veía la intervención de Gordon, cuyo sentido práctico no fallaba nunca. Evidentemente, lo que de él admitía Doniphan no lo hubiera admitido de Briant ni de ningún otro. En resumen, entre toda aquella gente reinaba el más perfecto acuerdo.

A todo, esto convenía darse prisa. La segunda quincena de abril no fue tan buena y la temperatura media bajó sensiblemente. Muchas veces, de madrugada, descendía a cero la columna termométrica. Anunciábase el invierno y con él iba a aparecer su secuela de granizo, nieve, huracanes, tan temibles en los elevados parajes del Pacífico.

Pequeños y grandes tuvieron que ponerse por precaución vestidos de más abrigo, tupidas camisetas, pantalones de tela gruesa y marineras de lana, preparados en previsión de un invierno riguroso, y bastó consultar el cuadernillo de Gordon para saber dónde encontrar esas ropas, clasificadas por calidades y tamaños. Briant se cuidaba especialmente de los más pequeños, procurando que no se enfriaran los pies y que no se expusieran al aire libre cuando sudaban mucho. Al menor resfriado les obligaba a acostarse junto a una hoguera que mantenían encendida día y noche. Muchas veces tuvieron que quedarse Dole y Costar en la tienda, donde Mokó no les escatimaba tisanas, cuyos ingredientes sacaba del botiquín de a bordo.

Así que hubieron sacado del yate todo cuanto contenía, la emprendieron con el casco, que, por lo demás, amenazaba ruina.

Quitaron con cuidado las hojas del forro de cobre para poderlas emplear en la Cueva del Francés. Las tenazas y el martillo cumplieron luego su misión soltando la tabla del forro exterior del buque, que los clavos y cabillas sujetaban a las cuadernas. Fue un gran trabajo que causó grandes fatigas a aquellas manos inexpertas y a aquellos brazos aún poco vigorosos. La demolición del yate iba haciéndose lentamente, cuando el 25 de abril una borrasca vino en auxilio de los trabajadores.

Por la noche, aunque estaban ya en la estación fría, levantóse una furiosa tormenta, con relámpagos que iluminaban el espacio y cuyos truenos no dejaron de retumbar desde las doce de la noche hasta el amanecer, con gran espanto de los pequeños. Por fortuna, no llovió; pero dos o tres veces tuvieron que sujetar la tienda contra la furia del viento.

Si la tienda resistió, gracias a los árboles entre los que estaba amarrada, no ocurrió lo mismo con el yate, directamente expuesto a los ataques del mar y azotado por enormes olas.

La demolición fue completa: arrancadas las tablas del forro, dislocadas las cuadernas, rota la quilla, pronto quedó destrozado el yate, y no podían quejarse los niños, porque las olas, al retirarse sólo se llevaron parte de los restos, que, en su mayoría, fueron retenidos por los arrecifes. En cuanto a los herrajes, no sería difícil encontrarlos entre la arena, y a buscarlos se dedicaron los muchachos durante los días siguientes. Las vigas, las tablas, los lingotes de plomo de la bodega, todos los objetos que no habían podido llevarse los chicos, yacían por allí diseminados, y bastaba transportarlos a la orilla derecha del río, a pocos pasos de la tienda.

Gran tarea, en verdad, pero que, a fuerza de tiempo y no sin gran fatiga, fue llevada a feliz término. Era interesante verlos a todos enganchados a alguna pesada pieza de madera, tirar de ella, estimulándose con grandes voces. Ayudábanse con berlingas que hacían las veces de palancas o con leños redondos que facilitaban el rodar de las piezas más pesadas. Lo más duro fue llevar a su destino el guindaste, el horno de la cocina y los depósitos de palastro para el agua, cuyo peso era muy considerable. ¿Por qué faltaba a esos niños, algún hombre práctico que los guiase? Si Briant hubiese tenido consigo a su padre y Garnett al suyo, el ingeniero y el capitán hubieran sabido ahorrarles muchas faltas que cometieron y que habrían de seguir cometiendo. Sin embargo, Baxter, de inteligencia muy despierta para las cosas de la mecánica, desplegó mucho celo y gran destreza y gracias a él y a los consejos de Mokó se fijaron unas palancas o estacas clavadas en la arena, lo cual decuplicó las fuerzas de aquella brigada de muchachos, y les puso en condiciones de terminar su tarea.

En resumen, el 23 por la tarde fue conducido al lugar del embarque todo lo que quedaba del «Sloughi», y con eso ya estaba hecho lo más difícil; puesto que el mismo río se cuidaría de transportar aquel material a la Cueva del Francés.

—Mañana —dijo Gordon— empezaremos la construcción de la balsa.

—Sí —dijo Baxter—, y para no tomarnos el trabajo de botarla, propongo que la construyamos en la superficie del río.

—No será muy cómodo —dijo Doniphan.

—No importa, lo probaremos —replicó Gordon—; aunque nos cueste más trabajo construirla, cuando menos no tendremos que preocuparnos por echarla al agua.

En efecto, era preferible ese modo de proceder, y he aquí cómo se empezó al día siguiente la construcción de la balsa, que había de ser de dimensiones bastante grandes para contener un cargamento de mucho bulto y pesado.

Habían transportado a un punto de la orilla, que la marea no cubría más que a la hora de pleamar, las vigas arrancadas del *schooner*, la quilla partida en dos pedazos, el palo de mesana, el trozo de palo mayor, roto a tres pies de la cubierta, los barrotes, el bauprés, la verga de mesana, el palo de cangreja, y esperaron el momento de la pleamar, y cuando todas aquellas piezas fueron levantadas por el flujo, las enviaron a la superficie del río. Allí, las más largas, unidas unas a otras por las más pequeñas puestas de través, fueron sólidamente amarradas, y así obtuvieron una base sólida que medía unos treinta pies de largo por quince de ancho. Trabajaron sin tregua durante todo el día, y antes de llegar la noche estaba terminada la balsa. Entonces tomó Briant la precaución de atarla a los árboles de la orilla, para que la marea ascendente no pudiera llevársela río arriba, hacia la Cueva del Francés, ni la descendente, río abajo, hacia el mar.

Rendidos de cansancio, después de tan laborioso día, cenaron todos con un apetito formidable y durmieron de un tirón toda la noche.

Al día siguiente, el 30, apenas amaneció, volvieron todos al trabajo.

Tratázase de alzar una empalizada sobre las cuadernas de la balsa, y para eso sirvieron las tablas de la cubierta y las del forro del casco del «Sloughi», y luego a fuerza de clavos y de cuerdas para sujetar las distintas piezas, consolidaron todo el conjunto.

Ese trabajo exigió tres días, a pesar de que todos se daban prisa, pues no podían perder ni una hora. Ya aparecían algunas cristalizaciones en la superficie de las charcas, entre los arrecifes y también en los bordes del río. El abrigo de la tienda empezaba a ser insuficiente, a pesar del calor de la hoguera, y apretándose unos contra otros y tapándose con las mantas, apenas Gordon y sus compañeros lograron combatir el descenso de la temperatura, por lo cual hubo de activar el trabajo para comenzar la instalación definitiva de la Cueva del Francés, en la que esperaba poder desafiar los rigores del invierno, tan rudos en aquellas elevadas latitudes.

Excusado es decir que la plataforma se había construido todo lo más sólidamente posible para que no se dislocara en el camino, lo cual hubiera echado al fondo del río todo el material que pensaban transportar. Por eso, para evitar semejante catástrofe, era preferible retrasar veinticuatro horas la partida.

—Sin embargo —dijo Briant—, nos interesa no esperar más allá del 6 de mayo.

—¿Por qué? —preguntó Gordon.

—Porque pasado mañana hay luna nueva y las mareas crecerán durante unos días y, cuando más vivas sean, más nos ayudarán a subir contra la corriente del río. Figúrate, Gordon, si tuviéramos que empujarla con el bichero; nunca llegaríamos a vencer la corriente.

—Tienes razón —respondió Gordon—, es menester partir dentro de tres días a más tardar.

Por lo tanto, todos convinieron en no descansar hasta haber terminado la tarea.

El 3 de mayo cuidáronse de cargar la balsa, pues importaba distribuir bien el cargamento para que ésta se hallara convenientemente equilibrada. Todos se dedicaron a ese trabajo en la medida de sus fuerzas. Jenkins, Iverson, Dole y Costar se cuidaron de transportar los objetos pequeños, como utensilios y herramientas, a la plataforma, donde Briant y Baxter los disponían metódicamente en la forma que indicaba Gordon. En cuanto a los objetos más pesados, como el fogón, el guindaste, los herrajes, las planchas del forro, etc., y lo que quedaba de los restos del «Sloughi», es decir, las cuadernas, las barras del puente y los tapacetes, encargáronse los mayores de embarcarlo, como también los fardos de provisiones, los barriles de vino, de cerveza y de alcohol, sin olvidarse de varios sacos de sal que habían recogido entre las rocas de la bahía Para facilitar el embarque, Baxter mandó levantar dos berlingas mantenidas por medio de cuatro cables. Al extremo de esa especie de cabria se amojeló una palanca, cuyo extremo fue guarnido a una de las cornamusas, pequeño torno horizontal del yate, lo cual permitió coger de tierra los objetos, elevarlos y depositarlos sin choque en la plataforma.

En una palabra, procedieron todos con tanta prudencia y tanto celo, que en la tarde del 5 de mayo estaba cada cosa en su puesto y sólo faltaba soltar las amarras de la balsa, lo cual harían a las ocho de la mañana siguiente, en cuanto se manifestase en la embocadura del río la marea alta.

Tal vez se hubieran imaginado aquellos muchachos que una vez concluido su trabajo podrían disfrutar hasta la noche de un descanso bien merecido; mas no fue así, pues una proposición de Gordon les dio aún más trabajo.

—Compañeros —les dijo—, ya que nos vamos a alejar de la bahía, no podremos vigilar el mar, y si pasase algún buque a la vista de la isla no podríamos hacerle señas. Por eso creo que sería oportuno poner un mástil en el acantilado e izar en él una bandera permanente. Creo que eso bastaría para llamar la atención de los barcos que puedan pasar por aquí.

Aceptada la proposición, el palo de cofa del *schooner*, que no lo habían empleado en la construcción de la balsa, fue arrastrado hasta el pie del acantilado, cuyo talud, cerca de la orilla del río, tenía un declive bastante fácil de subir. Así y todo, hubieron de hacer grandes esfuerzos para subir por aquel caminillo sinuoso que llegaba a la cima.

Al fin lo consiguieron y plantaron sólidamente el mástil en el suelo, tras lo cual Baxter izó con una driza el pabellón inglés, al mismo tiempo que Doniphan lo saludaba con un disparo.

—¡Hombre! —dijo Gordon a Briant—. Ahí tienes a Doniphan, que acaba de tomar posesión de la isla en nombre de Inglaterra.

—Mucho me extrañaría que no le perteneciese ya —le respondió Briant.

Y Gordon no pudo menos de hacer un mohín porque, por la forma en que hablaba a veces de «su isla», parecía que la tuviese por americana.

Al día siguiente, al salir el sol, ya estaban todos en pie y apresuráronse a desmontar las tienda y a trasladar las camas a la balsa, tapándolas con velas para protegerlas durante el camino. Por lo demás, no parecía que hubieran de temer nada del tiempo; sin embargo, cualquier mudanza en la dirección del viento hubiera podido llevar a la isla los vapores de alta mar.

A las siete estaban terminados todos los preparativos. Habían arreglado la plataforma de manera que pudieran instalarse en ella para dos o tres días, en caso necesario. En cuanto a las provisiones de boca, Mokó había separado lo necesario para la travesía, sin que tuviera que encender el fuego. A las ocho y media instaláronse todos en la balsa. Los mayores, armados de bicheros o berlingas, único medio de dirigirla, puesto que un timón no hubiera podido actuar con la corriente.

Poco antes de las nueve, al notarse ya la marea, se oyó un sordo crujido por la armazón de la balsa, cuyas piezas tenían algún juego en donde estaban armadas.

Pero, tras ese primer esfuerzo, ya no hubo que temer ninguna dislocación.

—¡Atención! —gritó Briant.

—¡Atención! —replicó Baxter.

Ambos estaban apostados en las amarras que retenían a la embarcación por proa y por popa.

—¡Estamos pronto! —gritó Doniphan, que, con Wilcox, permanecía en la parte anterior de la plataforma.

Después de observar que la balsa navegaba por la acción de la marea, exclamó Briant:

—¡Soltad las amarras!

Ejecutóse inmediatamente la orden, y la balsa, libre ya, subió lentamente entre las dos márgenes, llevando a bordo la canoa.

Grande fue la alegría general cuando todos vieron en movimiento la pesada máquina. No estarían tan satisfechos de sí mismos si hubieran construido un barco para navegación de altura.

Perdóneseles ese ligero sentimiento de vanidad.

Ya sabemos que la margen derecha, orillada de árboles, era sensiblemente más elevada que la izquierda, estrecha orilla que se extendía a lo largo del pantano próximo, y todos los esfuerzos de Briant, Baxter, Doniphan y Mokó propendieron a apartar la balsa de esa orilla, que era un poco escarpada y en la que se corría el peligro de encallar. Así, pues, la balsa navegaba en lo posible cerca de la orilla derecha, que podía ofrecer mejor punto de apoyo a los bicheros.

A las dos horas de la partida podría calcularse en una milla el camino recorrido. No se había producido ningún choque, en semejantes condiciones la embarcación llegaría sin daño alguno a la Cueva del Francés. No obstante, como, por una parte, aquel río, según el cálculo hecho anteriormente por Briant, debía de medir seis millas desde la salida del lago hasta su embocadura en la Bahía Sloughi, y, por otra, no se podían recorrer más que dos millas mientras durase la marea alta, necesitaría varias mareas para llegar a su destino.

En efecto, a eso de las once el reflujo empezó a llevarse las aguas río abajo y apresuráronse a amarrar sólidamente el aparato para que no fuese a la deriva hacia el mar.

Claro está que hubieran podido partir de nuevo al declinar el día, cuando se dejase sentir la marea nocturna; pero eso hubiera sido aventurarse en medio de la oscuridad.

—Creo que sería una imprudencia —dijo Gordon—; porque la balsa se expondría a choques que podrían destruirla. Me parece mejor esperar hasta mañana para aprovechar debidamente la marea diurna.

Era demasiado sensata esta proposición para que dejase de merecer la aprobación general. Aunque tuvieran que tardar veinticuatro horas más, era preferible ese retraso al peligro de comprometer la seguridad del precioso cargamento abandonado a la corriente del río.

Por consiguiente, habían de pasar medio día en aquel lugar, y además toda la noche; por lo cual, Doniphan y sus habituales compañeros de caza, acompañados por *Phann*, apresuráronse a desembarcar en la orilla derecha a la busca de provisiones.

Gordon les recomendó que no se alejasen mucho y tuvieron que atender a las recomendaciones. No obstante, como trajeron dos parejas de hermosas avutardas y una pareja de martinetas, podía estar satisfecho su amor propio.

Por recomendación de Mokó, guardaron aquella caza para la primera comida, desayuno, almuerzo o cena, que hicieran en el comedor de la Cueva del Francés.

Durante esa excursión, Doniphan no descubrió ningún indicio que pudiera revelar la presencia antigua o reciente de seres humanos en aquella parte de la selva. En cuanto a los animales, había visto aves de gran tamaño huir por la espesura, pero sin reconocerlas. Terminado el día, Baxter, Webb y Cross velaron juntos toda la noche, dispuestos, si llegaba el caso, a doblar las amarras de la balsa, y a aflojarlas en el momento de la inversión de la marea.

No hubo ninguna alarma. Al día siguiente, a las diez menos cuarto, así que hubo subido la marea, reemprendieron la navegación, en iguales condiciones que la víspera.

La noche había sido fría. También lo fue el día, y todos ansiaban llegar. ¿Qué sería de ellos si algunos témpanos salidos del lago fuesen al garete hacia la Bahía de Sloughi? Motivo de gran inquietud, de que no se verían libres hasta llegar a la Cueva del Francés.

Y, sin embargo, era imposible ir más de prisa que el flujo y también imposible ir contra la corriente cuando la marea bajaba, y, por lo tanto, imposible salvar más de uan milla en hora y media. Ese fue también el promedio de aquel día. Hacia la una de la tarde hicieron alto al llegar a aquel terreno pantanoso, que Briant tuvo que contornear al volver de la Bahía de Sloughi, y aprovecharon la tarde explorando la parte ribereña. Durante milla y media la canoa, tripulada por Mokó, Doniphan y Wilcox, tomó la dirección norte y no se detuvo hasta que llegó a faltarle agua. Aquel terreno era como una prolongación del pantano que se extendía al otro lado de la orilla izquierda y parecía muy rico en caza acuática. Así, Doniphan pudo cazar algunas agachadizas, que fueron a reunirse con las avutardas y martinetas en la despensa de a bordo.

La noche fue tranquila, pero glacial, con una brisa áspera que soplaba en el valle del río. Hasta se formó una ligera capa de hielo que se quebraba o derretía al menor choque. A pesar de todas las precauciones tomadas, no estaban muy tranquilos en aquel suelo, aunque cada cual procuró acurrucarse bajo las velas. Algunos de los niños, particularmente Jenkins e Iverson, estaban de muy mal humor y quejábanse de haber dejado el «Sloughi», y Briant tuvo que confortarlos varias veces con animosas palabras.

Por fin, en la tarde del día siguiente, con la ayuda de la marea, que duró hasta las tres y media, la balsa llegó a la vista del lago y atracó al pie de la orilla, ante la entrada de la Cueva del Francés.

CAPITULO XI

El desembarco se hizo entre los gritos de alegría de los pequeños, para quienes toda variación de la vida ordinaria equivalía a un juego nuevo. Dole brincaba por la playa como un cabrito pequeño; Iverson y Jenkins corrían hacia el lago, en tanto que Costar, llevándose aparte a Mokó, le decía:

—Nos has prometido una buena comida, grumete.

—Pues se quedará usted con las ganas, señorito Costar —respondió Mokó.

—¿Por qué?

—Porque hoy no tengo tiempo de hacerles la comida.

—¿Cómo? ¿No vamos a comer?

—No; pero cenaremos, y no dejarán de estar muy buenas las avutardas para una cena.

Y Mokó reía enseñando sus lindos dientes blancos; el niño, después de darle un cachete amistoso, fue a reunirse con sus compañeros.

Briant les había dado orden de no apartarse mucho, para poder vigilarlos constantemente.

—¿No te vas con ellos? —preguntó a su hermano.

—No, prefiero quedarme aquí —respondió Santiago.

—Más te valdría hacer un poco de ejercicio —dijo Briant—. No estoy contento de ti, Santiago... Tú me ocultas algo... ¿O es, acaso, que estás enfermo?

—No, hermano, no tengo nada.

Siempre la misma respuesta, que no satisfacía a Briant, decidido a poner las cosas en claro, aunque fuera para ello necesario pelearse con el pequeño testarudo.

A todo esto, si querían pernoctar en la Cueva del Francés no podían perder una hora.

En primer lugar había que enseñar la caverna a los que no la conocían; y así en cuanto la balsa quedó sólidamente amarrada a la orilla fuera de la corriente del río, Briant suplicó a sus compañeros que le acompañasen. El grumete llevaba un farol de a bordo, cuya llama, aumentada por el poder de los lentes, producía una luz muy viva.

Procedieron a despejar la boca de la cueva; Briant y Doniphan encontraron las ramas que la tapaban en la misma forma que las habían colocado; por consiguiente, ningún ser humano ni animal alguno había intentado penetrar en la Cueva del Francés.

Después de apartar las ramas, penetraron todos por la estrecha abertura, y a la luz del farol iluminóse la caverna infinitamente mejor de lo que lo fue con las ramas resinosas y las toscas candelas del náufrago.

—Aquí vamos a estar muy estrechos —dijo Baxter, que acababa de medir la profundidad de la caverna.

—¡Bah! —exclamó Garnett—. Poniendo las camas unas sobre otras, como en un camarote.

—¿Para qué? —repuso Wilcox—. Bastará ponerlas ordenadamente en el suelo...

—Y entonces no nos quedará espacio para ir y venir —replicó Webb.

—Pues bien, todo se reduce a no ir ni venir —respondió Briant—. ¿Puedes ofrecernos alguna cosa mejor, Webb?

—No, pero...

—Pero... —dijo Service— lo más importante es tener abrigo suficiente. No creo que Webb se imaginase encontrar aquí un piso completo, con salón, comedor, dormitorio, vestíbulo, fumador, cuarto de baño...

—No —repuso Cross—. Y aún hace falta un sitio donde poder cocinar.

—Cocinaré fuera —respondió Mokó.

—Eso sería muy incómodo con mal tiempo —dijo Briant—. Y creo que mañana mismo debemos instalar aquí el hornillo del «Sloughi».

—¿El hornillo...? ¿En la·cueva en que hemos de comer y dormir? —replicó Doniphan con acento de exagerada repugnancia.

—Tendrás que aspirar sales, lord Doniphan —exclamó Service, prorrumpiendo en una franca carcajada.

—¡Si se me antoja, marmitón! —replicó el altivo muchacho, frunciendo el ceño.

—¡Bueno! ¡Bueno! —se apresuró a exclamar Gordon—. Sea o no sea agradable la cosa, habremos de resignarnos por ahora. Además, al mismo tiempo que servirá para cocinar, el hornillo calentará el interior de la caverna. En cuanto a ensancharla, cavando otros cuartos, tendremos todo el invierno para hacerlo, si es factible, pero, ante todo, aceptemos la Cueva del Francés,como está e instalémonos lo mejor posible.

Antes de comer, trasladaron las camas y las distribuyeron regularmente por la arena. Aunque estaban muy apretadas unas contra otras, aquellos niños, acostumbrados a los estrechos camarotes·del *schooner*, no debían de ser muy exigentes.

Esos arreglos les ocuparon hasta terminar el día. Entonces colocaron en medio de la caverna la gran mesa del yate y Garnett, ayudado por los pequeños, que le traían los diversos utensilios de a bordo, se cuidó de ponerla.

Por su parte, Mokó, con la ayuda de Service, había hecho muy buen trabajo. Un hogar, dispuesto entre dos piedras grandes, al pie del contrafuerte del acantilado, fue alimentado con la leña que Webb y Wilcox recogieron entre los árboles de la orilla. A las seis, los pastelillos de carne, que bastaba someter a una ebullición de pocos minutos, humeaban esparciendo muy buen olor. Lo que no fue obstáculo para que una docena de martinetas, ensartadas en una varilla de hierro, después de desplumarlas convenientemente, se asasen ante una llama chisporroteante por encima de una grasera en la que Costar tenía ganas de mojar un trozo de galleta. Y en tanto que Dole e Iverson desempeñaban concienzudamente el oficio de dar vueltas al asador, *Phann* seguía con muy significativo interés sus movimientos.

Antes de las siete estaban todos reunidos en la única habitación de la Cueva del Francés, que servía de comedor y dormitorio a la vez. Los taburetes, las sillas de tijera y las de mimbre del «Sloughi» fueron llevadas allí al mismo tiempo que los baños de la tripulación. Los jóvenes comensales, servidos por el grumete y también por sí mismos, hicieron una comida sustanciosa. La sopa, bien caliente, un trozo de carne de vaca, el asado de martinetas, la galleta a modo de pan, agua fresca con un diez por ciento de brandy, un pedazo de queso de Chester y algunas copas de jerez de postre, los indemnizaron de la mediana comida de los días anteriores. Cualquiera que fuese la gravedad de la situación, los pequeños se dejaron llevar de la alegría de su edad, y Briant se hubiese guardado mucho de contener su júbilo o de reprimir sus risas.

El día había sido fatigoso y, una vez satisfecho el apetito, no deseaban más que ir a descansar pero antes, Gordon, guiado por un sentimiento de religiosa conveniencia, propuso a sus compañeros que hicieran una visita a la tumba de Francisco Baudoin, cuya morada ocupaban a la sazón.

La noche oscurecía el horizonte del lago y las aguas no reflejaban siquiera los últimos rayos del día. Después de doblar el contrafuerte, detuviéronse los muchachos junto a una ligera protuberancia del suelo, en la que se alzaba una crucecita de madera y entonces, arrodillados los pequeños e inclinados los mayores ante aquella tumba, dirigieron a Dios una oración por el alma del náufrago.

A las nueve estaban ocupadas las camas y, apenas envueltos en las mantas, todos durmieron con buen sueño salvo Wilcox y Doniphan, a quienes tocaba estar de guardia y que mantuvieron una gran hoguera a la entrada de la caverna para ahuyentar a los visitantes peligrosos, al tiempo que servía para calentar la cueva.

Al día siguiente, 9 de mayo y durante los tres sucesivos, la descarga de la balsa exigió todos los brazos. Ya persistían las nieblas en amontonarse con los vientos del oeste, anunciando un período de lluvia y —hasta de nieve. En efecto, la temperatura apenas pasaba del cero del termómetro y las zonas elevadas de la atmósfera debían de haberse enfriado. Importaba, pues, que todo lo que pudiera estropearse, municiones, provisiones sólidas o líquidas, se pusiera al abrigo en la Cueva del Francés.

Durante aquellos pocos días, dada la urgencia del trabajo, no se alejaron los cazadores; pero como abundaba la caza acuática, ya en la superficie del lago, ya por encima del pantano, a la orilla izquierda del río, nunca careció de provisiones Mokó. Agachadizas, patos y cercetas dieron a Doniphan ocasión de hacer buenos disparos. Sin embargo, Gordon no veía con buenos ojos lo de la caza, aunque fuera feliz, costaba en pólvora y perdigones; pues quería sobre todo, ahorrar las municiones, cuyas cantidades exactas había apuntado en su cuaderno; por lo cual encomendó mucho a Doniphan que economizase los tiros.

—Va en ello nuestro interés para lo futuro.

—Estoy de acuerdo —respondió Doniphan—; pero también hemos de ser avaros de nuestras conservas; si algún día encontrásemos medio de salir a la isla nos pesaría haberlas gastado.

—¡De salir de la isla! —dijo Gordon—. ¿Acaso somos capaces de construir un barco que pueda cruzar los mares?

—¿Por qué no, Gordon, si hay algún continente en las cercanías...? Sea como fuere, no tengo ganas de morir aquí como el compatriota de Briant.

—Conforme —respondió Gordon—; pero antes de pensar en marcharnos, hagámonos la idea de que tal vez estemos obligados a vivir aquí años y años.

—¡Eso te crees tú, Gordon! —exclamó Doniphan—. Estoy seguro de que te encantaría fundar aquí una colonia.

—Indudablemente, si no se puede hacer otra cosa.

—Pues no creo, Gordon, que esa locura tuya tenga muchos partidarios, ni siquiera tu amigo Briant.

—Tiempo tenemos para discutirlo —respondió Gordon—; y, a propósito de Briant, permíteme decirte, Doniphan, que no te portas muy bien con él. Es un buen compañero, que nos ha dado pruebas de lealtad...

—¡Naturalmente, Gordon! —exclamó Doniphan, con ese tono desdeñoso que nunca dejaba—. Briant tiene todas las buenas cualidades, es un especie de héroe...

—No, Doniphan; Briant tiene sus defectos, lo mismo que nosotros; pero tus sentimientos respecto de él pueden producir una desunión; que haría nuestra situación mucho más penosa. Briant es querido de todos.

—¡Oh! De todos.

—O cuando menos de la mayoría de sus compañeros. Yo no sé por qué Wilcox, Cross, Webb y tú no queréis escucharle nunca. Esto te lo digo sin ánimos de molestarte. Doniphan, y estoy seguro de que reflexionarás.

—Ya lo tengo reflexionado, Gordon.

Gordon vio que el orgulloso muchacho no estaba muy dispuesto a atender a sus consejos, y esto le apenaba, pues preveía serios disgustos para el futuro.

Como se ha dicho, la descarga completa de la balsa duró tres días. No faltaba más que demoler la armazón y la plataforma, cuyos maderos y tablas podrían emplearse dentro de la Cueva del Francés.

Por desgracia no cupo todo el material en la caverna, y si no conseguían agrandarla veríanse obligados a construir un tinglado para resguardar del mal tiempo los fardos.

Entretanto, siguiendo el consejo de Gordon, aquellos objetos fueron amontonados en la esquina del contrafuerte, cubriéndolos luego con telas embreadas que servían para proteger las claraboyas y tapacetes del yate.

El día 13, Baxter, Briant y Mokó procedieron a montar el hornillo de la cocina, que tuvieron que arrastrar sobre rodillos hasta el interior de la Cueva del Francés. Allí lo adosaron contra la pared de la derecha, cerca de la entrada, de manera que pudiera efectuarse el tiro en las mejores condiciones. En cuanto al tubo que había de conducir al exterior el humo, costó bastante trabajo instalarlo. Sin embargo, como la piedra caliza del macizo era muy blanda, Baxter consiguió hacer un boquete, a través del cual pasaron el tubo, lo cual permitió al humo salir al exterior. Por la tarde, cuando encendió el grumete el hornillo, tuvo la satisfacción de comprobar que funcionaba perfectamente; por lo tanto, tenían asegurada la cocción de los alimentos aun cuando hiciera mal tiempo. Durante la semana siguiente, Doniphan, Webb, Wilcox y Cross, a los que se unieron Garnett y Service, pudieron satisfacer su afición de cazadores. Un día, internáronse en la selva de abedules y hayas, a media milla de la Cueva del Francés, camino del lago. En algunos sitios vieron señales muy claras del trabajo del hombre. Eran hoyos cavados en el suelo, tapados por una red de ramas y bastante profundos para que los animales que cayeran en ellos no pudieran salir de allí; pero el estado en que se hallaban indicaba que databan de muchos años atrás, y uno de ellos contenía todavía huesos, restos de un animal de especie desconocida.

—Son huesos de un animal de gran tamaño —dijo Wilcox, que pronto bajó al fondo del hoyo y sacó de él restos blanqueados por el tiempo.

—Y era un cuadrúpedo, puesto que están los huesos de las cuatro patas —añadió Webb.

—A no ser que hubiera aquí animales de cinco patas —respondió Service—, y en ese caso éste no podría ser más que un cordero o un ternero fenomenal.

—¡Siempre estás de broma, Service! —dijo Cross.

—Lo cierto es —dijo Doniphan— que este animal debía de ser muy vigoroso. Ved el tamaño de la cabeza y de esa mandíbula que aún conserva los colmillos. Ríase, Service, si eso le divierte, con los terneros y corderos de feria; pero si llegase a resucitar este cuadrúpedo, creo que se le quitarían las ganas de reír.

—¡Chúpate ésa! —exclamó Cross, dispuesto siempre a celebrar las réplicas de su amigo.

—¿Crees, pues —preguntó Webb a Doniphan—, que se trata de un animal carnicero?

—Sí, no cabe la menor duda.

—¿Algún león...? ¿Un tigre? —preguntó Cross, que no parecía muy tranquilo.

—Si no un tigre o un león —respondió Doniphan—, cuando menos un jaguar o un puma.

—Tendremos que estar en guardia —dijo Webb.

—Y no aventurarnos muy lejos —añadió Cross.

—¿Les oyes, *Phann*? —dijo Service volviéndose al perro—. Hay animales muy grandes por aquí.

Phann respondió con un alegre ladrido que no revelaba la menor inquietud.

Entonces los jóvenes cazadores se prepararon a volver a la Cueva del Francés.

—¡Una idea! —dijo Wilcox—. ¿Y si tapásemos este hoyo con otras ramas...? Tal vez cayesen en él algunos animales.

—Como quieras, Wilcox —respondió Doniphan—, aunque prefiero matar la caza al aire libre antes que asesinarla en el fondo de un foso.

Era el deportista quien así hablaba; pero, en realidad, Wilcox, con su inclinación natural a poner trampas, se mostraba más práctico que Doniphan.

Y se apresuró a poner en ejecución su idea. Ayudáronle los compañeros a cortar ramas de los árboles cercanos; hecho esto, colocaron las más largas a través, y su follaje disimuló completamente la abertura del hoyo. Trampa bien rudimentaria, sin duda, pero empleada frecuentemente y con buen resultado por los tramperos de las Pampas.

Para reconocer el lugar en que había cavado aquella tierra, Wilcox cortó algunas ramitas de los árboles, hasta la orilla de la selva, y todos regresaron a la Cueva del Francés.

Sin embargo, aquellas cacerías no dejaban de ser fructíferas. Abundaba la caza de pluma. Sin contar las avutardas y martinetas, veíanse muchas de esas tataupas cuyo plumaje, con pintas blancas, se parece al de la gallina de Guinea, palomas torcaces que volaban por bandadas, patos antárticos, que son muy buenos para comer, cuando la cochura los despoja de su sabor aceitoso. En cuanto a la caza de pelo, estaba representada por tucutucos, especie de roedores que pueden reemplazar ventajosamente al conejo, maras, liebres de un gris rojizo con una media luna negra en la cola y que tienen todas las propiedades comestibles del acure, pichiciegos, mamíferos de caparazón escamoso, cuya carne es deliciosa, saínos, que son jabalíes de pequeño tamaño, y güemules, parecidos a los ciervos y que tienen la misma agilidad que éstos.

Doniphan cazó algunos de estos animales; pero como era difícil acercarse a ellos, el consumo de pólvora y perdigones no estuvo en relación con los resultados obtenidos, con gran disgusto del joven cazador. Además, eso le valió que Gordon le reconviniese, reconvenciones que ni él ni sus partidarios recibieron con agrado.

En una de esas excursiones hicieron también buena provisión de esas preciosas plantas descubiertas por Briant en su primera expedición al lago tales como apios silvestres, que crecían abundantemente en terrenos húmedos, y esos berros cuyos tiernos retoños constituyen un excelente antiescorbútico, cuando empieza a brotar. Esos vegetales figuraron en todas las comidas como medida higiénica.

Además, como el frío no había helado aún la superficie del río y del lago, pudieron pescar con anzuelo buen número de truchas, y también una especie de lucios muy agradables de comer, siempre que no se ahogue uno con sus numerosas espinas. Por último, un día volvió triunfalmente Iverson con un salmón de buen tamaño, con el que había luchado un buen rato, con riesgo de rompérsele la caña. Por consiguiente, si en la época en que esos peces subían desde la embocadura del río conseguían hacer abundante provisión de ellos, tendrían asegurada una buena reserva para el invierno.

Entretanto hicieron algunas visitas al foso preparado por Wilcox; pero no había caído en él ningún animal, a pesar de que pusieron un gran pedazo de carne para atraerlos.

El 15 de mayo prodújose un incidente.

Ese día, Briant y algunos otros fueron a la parte de la selva próxima al acantilado para ver si cerca de la Cueva del Francés habría alguna otra cueva natural que sirviese de almacén para dejar el resto del material.

Y he aquí que al acercarse al foso oyeron salir de él roncos gritos.

A Briant, que se había encaminado por aquel lado, se le reunió inmediatamente Doniphan, que no quiso dejarse adelantar. Los demás les seguían a algunos pasos, con las escopetas preparadas, en tanto que *Phann* iba con las orejas muy tiesas.

No estaban aún a veinte pasos del hoyo, cuando redoblaron los gritos, y en medio del lecho de ramas apareció entonces un largo boquete, que debió ser producido por la caída de algún animal.

No hubieran podido decir qué clase de animal fuese; pero convenía mantenerse a la defensiva.

—¡Corre, *Phann*, corre! —gritó Doniphan.

Y al punto el perro se lanzó ladrando, pero sin inquietud.

Briant y Doniphan corrieron al hoyo y, así que se asomaron a él, exclamaron:

—¡Venid, venid!

—¿Es algún jaguar? —preguntó Webb.

—¿Algún puma? —añadió Cross.

—No —respondió Doniphan—. Es un animal de dos patas: un avestruz.

Era, en efecto, un avestruz y podían felicitarse de que semejantes volátiles corrieran por las selvas del interior, porque tienen una carne excelente, sobre todo la pechuga.

No obstante, aunque no podía dudarse de que fuera un avestruz, su tamaño mediano, su cabeza parecida a la de un pato y las pequeñas plumas que le cubrían todo el cuerpo de un vellón gris blanquecino, clasificábanlo en la especie de los ñandús, tan numerosos en las Pampas de la América del Sur. Aunque el ñandú no pueda compararse con el avestruz africano, no deja de hacer honor a la fauna del país.

—¡Hay que cogerle vivo! —dijo Wilcox.

—¡Eso es! —exclamó Service.

—No será fácil —respondió Cross.

—Intentémoslo —dijo Briant.

El vigoroso animal no pudo escaparse, porque sus alas no le permitían elevarse hasta el nivel del suelo y porque sus pies no podían hacer presa en las paredes verticales. Por lo tanto, Wilcox tuvo que bajar al fondo del hoyo, con riesgo de recibir algunos picotazos que hubieran podido herirle gravemente. Pero, como consiguió encapuchar a la marinera al avestruz, éste quedó reducido a la más completa inmovilidad y entonces fue más fácil atarle las patas con dos o tres pañuelos unidos unos a otros por las puntas, y todos, aunando sus fuerzas, unos abajo y arriba otros, consiguieron sacarlo del foso.

—¡Por fin lo hemos cogido! —exclamó Webb.

—¿Y qué vamos a hacer con él? —preguntó Cross.

—Pues, sencillamente —replicó Service, que nunca se cortaba—, lo llevaremos a la Cueva del Francés, lo domesticaremos y nos servirá como cabalgadura. Yo me cuidaré de eso, como mi amigo Jack, el *Robinson Suizo*.

Algo discutible era que pudiese utilizarse el avestruz de aquel modo, a pesar del precedente invocado por Service. Sin embargo, como no había ningún inconveniente en llevarlo a la Cueva del Francés, así lo hicieron.

Cuando Gordon vio llegar al ñandú, tal vez se asustase un poco por tener que alimentar una boca más; pero al pensar que las hierbas y las hojas bastarían para su nutrición, le hizo buen recibimiento. En cuanto a los pequeños, fue para ellos una alegría admirar aquel animal y acercarse a él, aunque no mucho, una vez que estuvo atado con una larga cuerda. Y cuando supieron que Service pensaba amaestrarlo para la carrera, le hicieron prometer que los llevaría a la grupa.

—Os llevaré, si sois buenos niños —respondió Service, a quien los pequeños miraban ya como a un héroe.

—Lo seremos —exclamó Costar.

—¿Cómo? ¿Tú también, Costar? —dijo Service—. ¿Te atreverías a montar este animal?

—Detrás de ti... y agarrándome bien... sí.

—Acuérdate del mucho miedo que tenías cuando cabalgabas en la tortuga.

—No es lo mismo —respondió Costar—. Cuando menos, este animal no va por debajo del agua.

—No; pero puede ir por el aire —dijo Dole.

Y los dos niños se quedaron pensativos.

Como se supondrá, desde que se instalaron en la Cueva del Francés, Gordon y sus compañeros organizaron la vida cotidiana de una manera regular. Cuando la instalación estuviera completa, Gordon se proponía reglamentar todo lo posible las ocupaciones de cada cual y, sobre todo, no dejar a los más pequeños entregados a sí mismos. Sin duda, éstos no desearían sino aplicarse en algún trabajo común, en la medida de sus fuerzas; pero ¿por qué no habían de continuar las lecciones comenzadas en el colegio Chairman?

—Tenemos libros que nos permitirán proseguir nuestros estudios —dijo Gordon—, y lo que hemos aprendido y lo que continuaremos aprendiendo, es justo que lo hagamos aprovechar a nuestros compañeros más pequeños.

—Sí —respondió Briant—. Y por si logramos salir de esta isla, por si algún día volvemos a ver a nuestras familias, procuremos no haber perdido el tiempo.

Se convino en redactar un programa y así que se sometiera a la aprobación general, velarían porque fuese aplicado escrupulosamente.

En efecto, llegado el invierno, habría muchos días malos, en los cuales ni grandes ni chicos podrían poner los pies fuera, y convenía que no transcurriesen sin provecho alguno. Entretanto, lo que más molestaba a los huéspedes de la Cueva del Francés era la estrechez de aquella sala, única en que habían de estar todos amontonados. Por lo tanto, había que pensar sin demora en los medios de dar a la caverna dimensiones suficientes.

CAPITULO XII

En sus últimas excursiones, los jóvenes cazadores examinaron varias veces el acantilado, con la esperanza de hallar en él otra excavación y, si la hubieran descubierto, habría podido servir de almacén general y contener el resto del material que hubo de dejarse afuera; pero como sus investigaciones no dieron resultado, tuvieron que volver al proyecto de agrandar su morada actual, construyendo uno o varios cuartos.

Seguramente esa obra hubiera sido imposible de realizar en granito; pero en aquella piedra caliza, que el pico o la piqueta atacaban fácilmente, no ofrecería dificultad alguna. Poco importaba su duración, pues dispondrían para ello de los largos días de invierno y todo estaría terminado antes de que volviese la primavera, si no se producían desprendimientos ni filtraciones, lo cual era muy de temer. Además, no tendrían que recurrir a los barrenos. Bastarían las herramientas, ya que habían bastado también al horadar la pared, para ajustar la chimenea del hornillo de la cocina. Además, Baxter pudo, no sin gran trabajo, ensanchar el orificio de la Cueva del Francés para adaptar en él, con sus herrajes, una de las puertas del «Sloughi». Además de esto, habían abierto, asimismo, a derecha e izquierda de la entrada, dos estrechas ventanas, mejor dicho, una especie de troneras, lo que permitía que circulasen ampliamente por dentro el aire y la luz.

Entretanto, hacía ya una semana que se había presentado el mal tiempo: violentas borrascas abatíanse sobre la isla; pero, gracias a su orientación al Sur y al Este, no atacaban directamente la Cueva del Francés. Las ráfagas de lluvia y nieve pasaban con gran ruido al nivel de la cresta del acantilado, y los cazadores no perseguían ya la caza más que en las inmediaciones del lago, donde había patos, agachidizas, avefrías, rascones, fúlicas y esas palomas blancas que abundan en los parajes bañados por el Pacífico. Aunque no se habían helado el río y el lago, bastaría una noche clara para helarlos, con los primeros fríos secos que suceden a las borrascas.

Encerrados las más de las veces, los muchachos podían emprender las obras de ampliación y empezaron a trabajar el 27 de mayo, comenzando por atacar la pared de la derecha con la piqueta.

—Cavando en dirección oblicua —dijo Briant—, tal vez podamos desembocar por la parte del lago y dar una segunda entrada a la Cueva del Francés, lo cual nos permitiría vigilar mejor sus inmediaciones y, si el mal tiempo nos impidiera salir por una parte, a lo menos podríamos hacerlo por la otra.

Como se ve, sería aquello una disposición muy ventajosa para las necesidades de la vida común y, sin duda, no sería imposible de conseguir.

En efecto, por dentro, la caverna estaba separada de la parte oriental sólo por unos cuarenta o cincuenta pies. Bastaría, por lo tanto, construir una galería en aquella dirección, después de orientarse con la brújula. Durante esas obras, lo esencial era procurar evitar los desprendimientos. Por lo demás, antes de dar a la nueva excavación el ancho y la altura que habían de tener más adelante, propuso Baxter cavar un estrecho túnel, con la intención de ensancharlo cuando pareciera adecuada su profundidad. De este modo, las dos habitaciones de la Cueva del Francés estarían unidas por un pasillo que podría cerrarse por sus dos extremos y en el cual cavarían lateralmente una o dos cuevas oscuras.

Indudablemente, ese plan era el mejor, y entre otras ventajas, tendría la de facilitar un prudente sondeo del macizo, cuya perforación podría dejarse a tiempo, si se producía alguna súbita infiltración.

Durante tres días, del 27 al 30 de mayo, los trabajos se hicieron en condiciones bastante favorables. Aquel asperón calcáreo podía cortarse con cuchillo, por decirlo así; por lo cual hubo que consolidarlo con un maderamen interior, lo que no dejó de ser bastante difícil. Inmediatamente sacaban fuera los escombros, para que nunca obstruyeran el paso. Si no todos los brazos pudieron ocuparse simultáneamente en esa tarea, por falta de espacio, no holgaron tampoco. Cuando cesaba la lluvia y la nieve, Gordon y los demás ocupábanse de desmontar la balsa, para que las piezas de la plataforma y de la armazón pudieran emplearse en las nuevas obras; asimismo, vigilaron los objetos apilados en el ángulo del contrafuerte, porque las telas embreadas no los preservaban del todo contra las ráfagas. Las obras avanzaban poco a poco, no sin penoso tanteo, y ya estaba construido el túnel en una longitud de cuatro o cinco pies, cuando, en la tarde del día 30, ocurrió un incidente inesperado.

Briant, agazapado en el fondo, como un minero que cava una galería de mina, creyó oír un ruido dentro del macizo.

Suspendió su trabajo para escuchar con más atención, y de nuevo llegó el ruido a sus oídos.

En breves instantes salió del pasillo, volvió adonde estaban Gordon y Baxter, o sea, a la boca de la caverna, y les comunicó el incidente.

—¡Ilusión! —exclamó Gordon—. Habrás creído oír.

—Vete a mi puesto, Gordon —respondió Briant—, aplica el oído contra la pared y escucha.

Introdújose Gordon en el estrecho túnel, del que volvió a salir poco después, diciendo:

—No te has engañado. Yo también he oído como unos aullidos lejanos.

Baxter hizo la prueba a su vez, y volvió diciendo:

—¿Qué puede ser eso?

—No me lo imagino —respondió Gordon—. Habría que avisar a Doniphan y a los otros.

—A los pequeños, no —añadió Briant—, pues se asustarían

Casualmente acababan de entrar todos a comer y los pequeños se enteraron entonces de lo que pasaba, lo cual no dejó de espantarles un poco.

Doniphan, Wilcox, Webb y Garnett penetraron sucesivamente en el túnel; mas había cesado el ruido, no oyeron nada y creyeron que sus compañeros se habían equivocado.

Decidieron no interrumpir las obras y, una vez terminada la comida, se pusieron de nuevo a trabajar.

Durante la tarde no se había oído ningún ruido, cuando, a eso de las nueve, percibiéronse nuevos rugidos a través de la pared.

En aquel momento, *Phann*, que acababa de entrar en el túnel, volvió a salir con los pelos erizados, arrugando el hocico por encima de los colmillos, dando indudables muestras de irritación, y ladrando con fuerza, cual si quisiera responder a los aullidos que se producían dentro del macizo.

Y entonces, lo que en los pequeños no había sido más que un ligero susto, mezclado de sorpresa, trocóse en verdadero pavor. La imaginación del niño inglés, se alimenta constantemente de las leyendas familiares de los países del Norte, y en las cuales rondan alrededor de su cuna los gnomos, duendes, las walkirias, sílfides, ondinas y toda clase de genios. Por eso, Dole, Costar y hasta Jenkins e Iverson, no ocultaron que se morían de miedo. Briant, después de intentar en vano tranquilizarles, les obligó a volverse a sus camitas y, aunque se durmieron, tardaron bastante en hacerlo. Aun así soñaron con fantasmas, espectros y seres sobrenaturales, que andaban por las profundidades del acantilado, en una palabra, sufrieron todas las angustias de la pesadilla.

Gordon y los demás siguieron hablando en voz baja de tan extraño fenómeno.

Muchas veces comprobaron que no cesaba de reproducirse y que *Phann* persistía en manifestar una irritación extraña. Al fin, vencidos por la fatiga todos se fueron a dormir, excepto Briant y Mokó. Luego, hasta el amanecer, reinó profundo silencio dentro de la Cueva del Francés.

Al día siguiente, todos se levantaron muy temprano. Baxter y Doniphan se arrastraron hasta el fondo del túnel... No se oía ningún ruido. El perro iba y venía sin mostrar inquietud y ya no pretendía lanzarse contra la pared, como había hecho la víspera.

—Volvamos al trabajo —dijo Briant.

—Sí —respondió Baxter—. Siempre estaremos a tiempo de detenernos, si sobreviene algún ruido sospechoso.

—¿No podría ser —dijo Doniphan— que ese ruido fuera simplemente el de un manantial que pase hirviendo a través del macizo?

—En ese caso —repuso Wilcox—, seguiríamos oyéndolo, y ya no se oye.

—Es verdad —repuso Gordon—, yo más bien creo que procederá del viento, que debe meterse por alguna hendidura en la cresta del acantilado.

—Subamos a la meseta —dijo Service—, tal vez allí descubramos algo.

La proposición fue aceptada.

A unos cincuenta pasos, bajando hacia la playa, una sinuosa vereda permitía llegar al límite superior del macizo. En pocos instantes, Baxter y otros dos o tres subieron y se adelantaron por la meseta hasta más arriba de la Cueva del Francés. Trabajo inútil. En la superficie de aquel caballete, cubierto de una hierba corta y tupida, no vieron ninguna grieta por donde pudiera penetrar una corriente de aire o una cantidad de agua. Y cuando volvieron a bajar, no estaban más enterados acerca de tan extraño fenómeno, que los pequeños sólo explicaban como algo sobrenatural.

Entretanto, habían reanudado las obras de perforación y las continuaron hasta terminar el día. No volvieron a oír los ruidos de la víspera, a pesar de que, según una observación hecha por Baxter, la pared cuya sonoridad había sido seca hasta entonces empezaba a sonar a hueco. ¿Habría en aquella dirección una cavidad natural a la cual fuese a parar el túnel? ¿Y no sería en esa cavidad donde se habría producido el fenómeno? La hipótesis de una segunda excavación contigua a la caverna no era inadmisible; es más, hasta era de desear que así fuese, pues les ahorraría mucho trabajo en las obras de ampliación.

Todos trabajaron con ardor extraordinario, y aquel día fue uno de los más fatigosos que habían soportado hasta entonces. No obstante, transcurrió sin incidentes notables, exceptuando que por la noche, observó Gordon que su perro había desaparecido.

Generalmente, a la hora de las comidas, *Phann* no dejaba de colocarse junto al taburete de su amo; pero aquella noche su sitio estaba vacío.

Llamaron a *Phann*... pero éste no acudió a la llamada.

Gordon fue al umbral de la puerta y llamó de nuevo... Silencio absoluto.

Doniphan y Wilcox fueron corriendo, uno a la orilla del río y el otro por la parte del lago... Pero no había rastro del perro.

En vano se extendió la búsqueda a algunos cientos de pasos por las inmediaciones de la Cueva del Francés... No encontraron a *Phann*.

Era evidente que el perro no estaba al alcance de la voz de los muchachos; porque seguramente habría respondido a la de Gordon. ¿Se habría extraviado...? También era inadmisible. ¿Habría sucumbido entre los dientes de alguna fiera...? Podía ser, y quizás era esto lo que explicaba su desaparición.

Eran las nueve de la noche. Una profunda oscuridad envolvía el acantilado del lago y hubo que resolverse a abandonar las pesquisas, para regresar a la Cueva del Francés.

Todos volvieron muy inquietos, y no sólo inquietos, sino desconsolados, pensando que el inteligente animal tal vez hubiera desaparecido para siempre.

Unos fueron a tenderse en sus camas, otros sentáronse alrededor de la mesa, sin apenas pensar en dormir. Parecíales que estaban más solos, más abandonados, más lejos aún de su país y de sus familias. De pronto, en medio del silencio, oyéronse nuevos rugidos. Esta vez eran como aullidos, seguidos de gritos de dolor, y que se prolongaron más de un minuto.

—¡De ahí...! ¡De ahí viene! —exclamó Briant, metiéndose en el túnel.

Todos se levantaron, como si esperasen alguna aparición, y de nuevo invadió el espanto a los pequeños, que se metieron entre las mantas...

En cuanto salió Briant, dijo:

—Tiene que haber ahí una cavidad, cuya entrada esté al pie del acantilado.

—Y en la cual es probable que se refugien de noche algunos animales —añadió Gordon.

—Eso debe ser —respondió Doniphan—. Mañana iremos a averiguarlo...

En aquel momento resonó un ladrido que venía del interior del macizo.

—¿Estará ahí *Phann* —dijo Wilcox—, peleándose con algún animal?

Briant, que otra vez había entrado en el túnel, escuchó con el oído aplicado contra la pared del fondo. Ya no se oía nada. Pero, estuviera o no *Phann*, no podía dudarse de que había una segunda excavación que debía de comunicar con el exterior, probablemente por algún agujero perdido entre la inextricable maleza de la base del acantilado.

Pasó la noche sin que volvieran a oírse ruidos ni ladridos.

Al apuntar la aurora, los registros practicados, tanto por la parte del río como por la del lago, no dieron mejor resultado. *Phann*, a pesar de que lo buscaron y llamaron por los alrededores de la Cueva del Francés, no apareció.

Briant y Baxter pusiéronse por turno al trabajo; azadón y piqueta no descansaron un momento. Durante la mañana, el túnel ganó cerca de dos pies de profundidad. De vez en cuando, interrumpían el trabajo y aplicaban el oído, pero no oían nada.

Dejaron sus faenas a la hora de comer, para reanudarlas una hora después. Habían tomado todas las precauciones, por si se derrumbaba la pared por un último golpe de piqueta, dando paso a algún animal. Se había llevado a los pequeños hacia la orilla. Doniphan, Wilcox y Webb, escopeta y revólver en mano, se hallaban preparados a todo evento.

A eso de las dos, profirió Briant una exclamación. Acababa de atravesar con el pico la piedra caliza, que se desprendió y dejó ver una abertura bastante ancha.

Briant se reunió con sus compañeros, que no sabían qué pensar.

Pero antes de que pudiera abrir la boca, un rápido deslizamiento rozó las paredes del túnel y un animal entró de un salto en la caverna...

Era *Phann*. Sí, *Phann*, que, al principio, corrió hasta un cubo lleno de agua y empezó a beber con avidez. Luego, meneando mucho la cola, sin mostrar el menor enfado, empezó a dar saltos alrededor de Gordon. Así, pues, no había nada que temer, ningún peligro les amenazaba.

Briant cogió entonces un farol y entró en el túnel. Gordon, Doniphan, Wilcox, Baxter y Mokó le siguieron. Momentos después, pasando a través del boquete producido por el desprendimiento, halláronse en medio de una sombría excavación, en la que no penetraba ninguna luz de fuera.

Era una segunda caverna, que tenía la misma altura y anchura que la Cueva del Francés, pero mucho más profunda, y cuyo suelo estaba cubierto por una arena fina en una superficie de cincuenta yardas cuadradas.

Como esta cavidad no parecía tener comunicación alguna con el exterior, posiblemente el aire fuera irrespirable: pero al advertir que la luz del farol brillaba a toda llama, quedaron convencidos de que el aire penetraba por una abertura cualquiera. Además, de no ser así, ¿cómo hubiera podido entrar *Phann*?

En aquel momento, Wilcox pisó un cuerpo inerte y frío, lo cual reconoció poniéndole la mano encima.

Briant acercó el farol.

—Es un chacal muerto —exclamó Baxter.

—Sí. Un chacal que habrá sido estrangulado por nuestro valiente *Phann* —dijo Briant.

—Ahí está la explicación de lo que parecía incomprensible —añadió Gordon.

Pero, si uno o varios chacales habían hecho de esa cueva su cubil habitual, ¿por dónde penetraban en ella? Eso es lo que había que descubrir a todo trance.

Y para ello, Briant, saliendo de nuevo de la Cueva del Francés, empezó a recorrer el acantilado por la parte del lago; al mismo tiempo profería gritos a los cuales respondieron, por fin, otros gritos desde el interior del macizo. Y de ese modo descubrió una estrecha abertura, por la cual entraban los chacales. Pero desde que *Phann* había seguido al que matara, habíase producido un desprendimiento parcial, que cerró la abertura, como no tardaron en reconocer.

Así, pues, todo se explicaba: los aullidos del chacal, los ladridos del perro que, durante veinticuatro horas, se había visto en la imposibilidad de salir. ¡Qué satisfacción fue aquélla! No sólo había sido devuelto *Phann* a sus jóvenes amos, sino también, ¡cuánto trabajo ahorrado! Allí estaba, «hecha del todo», como dijo Dole, una vasta cavidad, cuya existencia nunca había supuesto el náufrago Baudoin. Agrandando el orificio, había una segunda puerta abierta por la parte del lago, que les facilitaría medios para atender a las exigencias del servicio interior; y por eso, los muchachos reunidos en la caverna, prorrumpieron en vivas, a los cuales mezcló *Phann* sus alegres ladridos.

¡Con qué ardor volvieron a trabajar para transformar el túnel en un pasillo transitable! La segunda excavación, a la que dieron el nombre de «zaguán», lo justificaba por sus dimensiones. En espera de poder cavar cuevas laterales en el pasillo, trasladaron todo el material al zaguán, que serviría también de dormitorio y de sala de trabajo, quedando el primer cuarto reservado para cocina y comedor. Pero como pensaban convertirlo en almacén general, Gordon propuso darle el nombre de almacén, y fue aceptado por todos.

En primer lugar, se ocuparon de mudar las camas, que fueron alineadas simétricamente en la arena del zaguán, en donde no faltaba espacio. Luego colocaron el mueblaje del «Sloughi», los divanes, las butacas, las mesas, los armarios, etc., y —esto era lo más importante— las estufas de la cámara y del salón del yate, cuya instalación se hizo de modo que calentasen aquella vasta pieza. Al mismo tiempo, vaciaron la entrada por la parte del lago, para poder poner en ella una de las puertas del *schooner*, trabajo que costó muchas fatigas a Baxter. Además, como habían abierto otras dos troneras a cada lado de dicha puerta, había bastante luz en el zaguán, que, llegada la noche, iluminábase por un farol.

Esos arreglos exigieron cinco días, y los terminaron oportunamente, porque, después de haber hecho unos días serenos, varió el tiempo y, aunque aún no hacía frío exagerado, eran tan violentas las ráfagas que impidieron toda excursión fuera de la caverna.

En efecto, era tal la fuerza del viento, que, a pesar del abrigo del acantilado, agitaba como un mar las aguas del lago. Las olas rompían con estruendo y seguramente hubiera hallado allí su perdición una embarcación cualquiera, chalupa de pesca o piragua de salvajes. Hubo que retirar la canoa a tierra, por miedo a que las aguas se la llevasen. Por momentos, las del río, rechazadas contra la corriente, inundaban la orilla y amenazaban extenderse hasta el contrafuerte. Por fortuna, ni el almacén ni el zaguán estaban expuestos directamente a los ataques de la borrasca, puesto que el viento soplaba del Oeste. Además, las estufas y el hornillo de la cocina, alimentados con leña seca, de que habían hecho abundante provisión, funcionaron admirablemente.

¡Con cuánta oportunidad halló seguro abrigo todo lo que habían salvado del «Sloughi»! Ya no había que temer que las inclemencias del tiempo averiasen las provisiones. Gordon y sus compañeros, aprisionados por la mala estación, tuvieron tiempo de instalarse cómodamente. Habían ensanchado el pasillo y cavado dos profundos escondrijos, uno de los cuales, cerrado por una puerta, quedó reservado a las municiones, para evitar todo peligro de explosión.

Finalmente, aunque los cazadores no pudieron aventurarse por las cercanías de la Cueva del Francés, tenían asegurada la comida, sólo con las aves acuáticas cuyo sabor pantanoso no siempre conseguía Mokó quitarles, lo cual provocaba protestas y visajes. Excusado es decir, por lo demás, que se había reservado al ñandú un sitio en un rincón del almacén, en espera de que pudieran construirle un cercado fuera de allí.

Entonces fue cuando Gordon tuvo la idea de redactar un programa, al cual tendrían que someterse cada uno, una vez aprobado por todos. Después de la vida material, había que pensar en la vida moral. ¿Sabían lo que iba a durar su permanencia en aquella isla? Si lograban salir de ella, ¡qué satisfacción sería haber aprovechado el tiempo! Con los pocos libros de la biblioteca del *schooner*, ¿no podrían aumentar los mayores la suma de sus conocimientos y dedicarse al mismo tiempo a la instrucción de los más pequeños? ¡Excelente tarea, que ocuparía útil y agradablemente las largas horas del invierno!

Pero antes de redactar ese programa tomaron otra medida, en las circunstancias que vamos a explicar:

En la noche del 10 de junio, después de cenar, estaban reunidos todos en el zaguán, alrededor de las estufas que roncaban, cuando recayó la conversación sobre la oportunidad de dar nombres a las principales disposiciones geográficas de la isla.

—Sería muy útil y práctico —dijo Briant.

—Sí; hay que poner nombres —exclamó Iverson—, y sobre todo escojamos nombres muy bonitos.

—Como lo hicieron siempre los Robinsones, reales o imaginarios —dijo Webb.

—Y, en realidad, no somos otra cosa —añadió Gordon.

—¡Un colegio de Robinsones! —exclamó Service.

—Es más —siguió diciendo Gordon—, dando nombre a la bahía, a los ríos, selvas, al lago, al acantilado, a los pantanos y promontorios, nos será más fácil entendernos.

Como es de suponer, aprobóse aquella moción, y no hubo más que ponerse de acuerdo para hallar denominaciones adecuadas.

—Tenemos ya la Bahía de Sloughi, en donde fue a encallar nuestro barco —dijo Doniphan—, y creo que conviene conservarle ese nombre, al que ya estamos acostumbrados.

—Desde luego —respondió Cross.

—Como también conservaremos el nombre de Cueva del Francés a nuestra morada —añadió Briant—, en memoria del náufrago cuyo lugar hemos ocupado.

No hubo ninguna discusión sobre eso, ni aun por parte de Doniphan, aunque procediera de Briant la observación.

—Y ahora —dijo Wilcox—, ¿cómo llamaremos al río que desemboca en la Bahía de Sloughi?

—El río Zelanda —propuso Baxter—. Ese nombre nos recordará el de nuestro país.

—¡Adoptado! ¡Adoptado! —respondieron todos a una.

—¿Y el lago? —preguntó Garnett.

—Puesto que el río ha recibido el nombre de nuestra Zelanda —dijo Doniphan—, demos al lago un nombre que nos recuerde a nuestras familias, llamémosle Lago de la Familia.

Fue aprobado por aclamación.

Como se ve, reinaba perfecto acuerdo, y por el imperio de esos mismos sentimientos diose al acantilado el nombre de Montaña de Auckland. En cuanto al cabo que lo terminaba —aquel cabo desde cuya altura había creído descubrir Briant el mar por el Este— se le denominó, a propuesta de Briant, Cabo del Falso Mar.

Y he aquí las demás denominaciones que fueron adoptadas sucesivamente:

Bosque de las Trampas a la parte de la selva en que habían sido descubiertas las trampas, la otra parte, situada entre la Bahía de Sloughi y el acantilado, Pantano del Sur, al que cubría la parte meridional de la isla, Arroyo del Dique, al riachuelo en que había la pequeña calzada de piedra, Costa del Naufragio, a la costa de la isla en que había encallado el yate y, por último, Terraza del Deporte, al emplazamiento limitado por las orillas del lago que formaba delante del zaguán una especie de césped que sería destinado a los ejercicios indicados en el programa.

En lo que se refiere a los demás puntos de la isla, los irían denominando a medida que fuesen reconocidos y con arreglo a los incidentes de que hubieran sido teatro.

Sin embargo, pareció conveniente dar nombre a los principales promontorios marcados en el mapa por Francisco Baudoin. Y de este modo tuvieron al Norte, el Cabo Norte, a la punta del Sur, el Cabo Sur. Y por último y por unanimidad, dieron a los tres cabos que se proyectaban al Oeste en el Pacífico, las denominaciones de Cabo Francés, Cabo Inglés y Cabo Americano, en honor de las tres naciones, francesa, inglesa y americana, representadas en la pequeña colonia.

¡Colonia! ¡Sí! Entonces se propuso esa palabra para recordar que la instalación no tenía ya carácter provisional. Y, naturalmente, fue debida a la iniciativa de Gordon, siempre más preocupado de organizar la vida en aquel nuevo país que de intentar salir de él. Aquellos muchachos no eran ya los náufragos del «Sloughi», sino los colonos de la isla.

Pero, ¿de qué isla...? Faltaba bautizarla a su vez.

—¡Hombre...! ¡Ya sé cómo se la debería llamar! —exclamó Costar.

—¿Lo sabes...? ¿Tú? —dijo Doniphan.

—¡No se anda en chiquitas este Costar! —exclamó Garnett.

—Indudablemente la querrá llamar isla del Niño —repuso Service.

—Vamos, no os burléis de Costar —dijo Briant— y veamos cuál es su idea.

El niño, aturdido, callaba.

—Habla, Costar —siguió diciendo Briant, animándole por señas—. Estoy seguro de que tu idea es buena.

—Pues bien —dijo Costar—, ya que somos alumnos del colegio Chairman, llamémosla la isla Chairman.

Y, en efecto, no se podía encontrar cosa mejor y fue aceptado ese nombre, con los aplausos de todos, de lo cual se mostró muy orgulloso Costar.

¡La isla Chairman! Realmente ese nombre tenía cierto matiz geográfico; y podría figurar muy convenientemente en los atlas futuros.

Terminada, al fin, la ceremonia, con satisfacción general, había llegado el momento de descansar, cuando Briant pidió la palabra.

—Compañeros —dijo—, ahora que hemos dado nombre a nuestra isla, ¿no convendría elegir un jefe para gobernarla?

—¿Un jefe? —replicó vivamente Doniphan.

—Sí, me parece que todo iría mejor —siguió diciendo Briant—, si uno de nostros tuviera autoridad sobre los demás. Lo que se hace en todos los países, ¿no convendría hacerlo en la isla Chairman?

—Sí... un jefe... Nombremos un jefe —exclamaron a una, grandes y chicos.

—Nombraremos un jefe —dijo entonces Doniphan—. Pero a condición de que no sea más que por un tiempo determinado... Por ejemplo, un año.

—Y que pueda ser reelegido —añadió Briant.

—Conforme... ¿A quién nombraremos? —preguntó con bastante ansiedad Doniphan.

Parecía que el envidioso muchacho no tuviese más que un temor: que, a falta de él, la elección de sus compañeros recayera en Briant... Pero pronto se desengañó en cuanto a eso.

—¿A quién nombraremos? —repitió Briant—. Pues, al más sabio de todos... a nuestro querido Gordon.

—Sí... eso es. ¡Hurra por Gordon!

Gordon quiso declinar el honor que le concedían, pues le gustaba más organizar que mandar. Sin embargo, pensando en la turbación que las pasiones, casi tan ardientes en aquellos muchachos como si hubieran sido hombres, pudieran originar en lo por venir, pensó que no sería inútil la autoridad.

Y ved ahí cómo Gordon fue proclamado jefe de la pequeña colonia de la isla Chairman.

CAPITULO XIII

A partir de aquel mes de mayo, llegó definitivamente la estación invernal a los parajes de la isla Chairman. ¿Cuánto duraría? Por lo menos cinco meses, si la isla se hallaba en latitud más elevada que Nueva Zelanda; pero Gordon iba a tomar precauciones para preservarse contra las temibles eventualidades de un largo invierno.

He aquí lo que el joven norteamericano había apuntado ya entre sus observaciones meteorológicas: el invierno no empezó hasta el mes de mayo, es decir, dos meses antes del de julio de la zona austral, que corresponde al enero de la zona boreal, de lo cual podía deducirse que terminaría a mediados de septiembre. Pero, aparte de ese período, habría que contar también con las tempestades tan frecuentes durante el equinoccio. Así, era probable que los jóvenes colonos se verían confinados en la Cueva del Francés hasta los primeros días de octubre, sin poder emprender ninguna larga excursión a través de la isla Chairman o a su alrededor.

Para organizar la vida interna en las mejores condiciones, trazó Gordon un programa de ocupaciones cotidianas.

Excusado es decir que no hubieran sido aceptadas en la isla de Chairman las prácticas de *faggisme*, de que ya hablamos al tratar del colegio del mismo nombre. Gordon encaminaría sus esfuerzos a que los muchachos se acostumbrasen a la idea de que ya eran casi hombres y procediesen como tales. Por lo tanto, en la Cueva del Francés, no había *fags*, lo que equivale a decir que los más pequeños no estarían obligados a servir a los mayores. Pero, fuera de eso, representarían las tradiciones, estas tradiciones que, como lo ha hecho notar el autor de la *Vida del Colegio en Inglaterra*, son la razón mayor de las escuelas inglesas.

Hubo en aquel programa la parte de los pequeños y la de los mayores, forzosamente muy desiguales. En efecto, como la biblioteca de la Cueva del Francés no contenía sino un número reducido de libros de ciencias aparte de los libros de viaje, los mayorcitos no podrían proseguir sus estudios más que en cierta medida. Verdad es que las dificultades de la existencia, la lucha que habían de sostener para subvenir a sus subsistencias, la necesidad de ejercitar el juicio o la imaginación frente a toda clase de eventualidades, les enseñaría seriamente la vida. Designados, además, para ser los instructores de sus pequeños compañeros, veíanse obligados también a instruirse ellos a su vez.

Sin embargo, lejos de recargar a los pequeños con un trabajo superior a su edad, se aplicarían en aprovechar todas las ocasiones de ejercitar su cuerpo, no menos que su inteligencia. Cuando el tiempo lo permitiese y siempre que estuvieran bien abrigados, los obligaría a salir a correr al aire libre y hasta a efectuar trabajos manuales en los límites de sus respectivas fuerzas. En una palabra, que son la base de la educación anglosajona:

«Siempre que una cosa os asuste, hacedla.»

«No perdáis nunca ocasión de realizar un esfuerzo posible.»

97

«No desdeñéis fatiga alguna, porque no hay ninguna que sea inútil.»

Poniendo en práctica estos proyectos, el cuerpo se vigoriza y también el alma.

Ved aquí lo que convinieron, previa la aprobación de la pequeña colonia:

Trabajarían en común en el zaguán, dos horas por la mañana y otras dos por la tarde. Briant, Doniphan, Cross y Baxter, de la quinta división, y Wilcox y Webb, de la cuarta, darían por turno clase a sus compañeros de las divisiones tercera, segunda y primera. Les enseñarían matemáticas, geografía e historia, con la ayuda de algunas obras de la biblioteca, y también con sus conocimientos anteriores, lo cual sería para ellos una ocasión de no olvidar lo que ya sabían. Además, dos veces por semana, domingo y jueves, habría una controversia, es decir que se pondría en el orden del día un tema de ciencia, de historia o también de actualidad. Los mayores se inscribirían en pro o en contra y discutirían, tanto para instruirse como por entretenimiento general.

Gordon, como jefe de la colonia, procuraría enérgicamente que se cumpliera el programa y que no sufriese modificaciones más que en caso de nuevas eventualidades.

Y, ante todo, tomaron una medida referente a la duración del tiempo. Tenían el calendario del «Sloughi», pero había que borrar regularmente cada día transcurrido. Tenían también los relojes de a bordo; pero era menester darles cuerda con regularidad, para que indicasen la hora exacta. De esos cuidados se encargó a dos de los mayores, a Wilcox, de los relojes, y a Baxter, del calendario, esperando todos que desempeñarían esmeradamente su misión. En cuanto al barómetro y al termómetro, Webb era el encargado de apuntar diariamente sus indicaciones.

También se tomó decisión de llevar un diario de todo cuanto había sucedido y de lo que pudiera suceder durante su permanencia en la isla Chairman. Baxter se ofreció para ese trabajo y, gracias a él, se escribiría con minuciosa exactitud el «Diario de la Cueva del Francés».

Tarea no menos importante y que no podría sufrir ningún retraso era el lavado de la ropa blanca, para el cual, por fortuna, no faltaba jabón, y bien sabe Dios que, a pesar de las recomendaciones de Gordon, se ensuciaban los pequeños al jugar en la Terraza del Deporte, o al pescar a orillas del río. ¡Cuántas veces les había reñido por ese motivo y les había amenazado con castigos! Eso era, pues, una tarea que convenía particularmente a Mokó; pero él solo no hubiera podido bastar y, a pesar de lo poco que le agradaba dicha tarea, los mayorcitos tuvieron que ayudarle, para conservar en buen estado la ropa blanca de la Cueva del Francés.

El día siguiente era domingo, y sabido es el rigor con que se observan en Inglaterra los domingos. La vida queda como suspendida en las ciudades, los pueblos y aldeas. Alguien ha dicho: «Ese día queda prohibido por el uso todo recreo y toda distracción. No sólo hay que aburrirse, sino que es menester aparentar el aburrimiento, y esta regla se impone tan estrictamente a los niños como a las personas mayores.» ¡Siempre las famosas tradiciones!

No obstante, en la isla Chairman se convino desprender un poco de esa severidad, y aquel día los jóvenes colonos emprendieron una excursión a las orillas del Lago de la Familia; pero, como hacía un frío extraordinario, después de un paseo de dos horas, seguido de una carrera de velocidad en la que tomaron parte los pequeños, en el césped de la Terraza del Deporte, todos se alegraron al encontrar en el zaguán una buena temperatura y, en el almacén, una comida muy caliente cuyos platos habían sido esmeradamente escogidos por el hábil cocinero de la Cueva del Francés.

Terminó la velada con un concierto en el que el acordeón de Garnett hizo veces de orquesta, mientras los demás cantaban más o menos en falsete, con una convicción muy sajona. El único que tenía buena voz de todos aquellos niños, era Santiago; pero con su inexplicable disposición de ánimo, ya no tomaba parte en las distracciones de sus compañeros, y en aquella ocasión, aunque se lo rogaron mucho, negóse a entonar una de esas canciones de niños de que tan pródigo era el colegio Chairman.

Aquel domingo, que había empezado con una pequeña alocución del «Reverendo Gordon», como decía Service, terminóse con una oración rezada en común. A eso de las diez, todos dormían con profundo sueño, custodiados por *Phann*, de quien podían fiarse en caso de que se acercase algo sospechoso.

Durante el mes de junio fue en aumento el frío. Webb observó que el barómetro se mantenía, por término medio, por encima de veintisiete pulgadas, mientras el termómetro centígrado marcaba hasta diez o doce grados bajo cero. En cuanto al viento, soplaba del Sur, con tendencia a cambiar al Oeste, y aunque subió un poco la temperatura, los alrededores de la Cueva del Francés se cubrieron de espesa nieve. Así, los jóvenes colonos libraron algunas de esas batallas de bolas de nieve, más o menos comprimidas, que tan de moda están en Inglaterra. Como es natural, hubo algunas cabezas ligeramente lesionadas, y cierto día fue precisamente Santiago uno de los más maltratados, y eso que sólo asistía a los juegos como espectador. Una bola lanzada demasiado vigorosamente por Cross, le dio un fuerte golpe, aunque no iba dirigida a él, y Santiaguito dejó escapar un grito de dolor.

—No lo he hecho a propósito —dijo Cross, dando la respuesta habitual de los torpes.

—Desde luego —replicó Briant, a quien el grito de su hermano acababa de atraer al campo de batalla—; pero haces mal en arrojar con tanta fuerza las bolas.

—¿Y por qué estaba ahí Santiago, ya que no quiere jugar? —replicó Cross.

—¡Qué modo de gastar saliva! —exclamó Doniphan—. ¡Por un poquito de pupa!

—Bueno... No es cosa grave —respondió Briant, comprendiendo que Doniphan quería intervenir en la discusión—; pero suplico a Cross que no lo repita.

—¿Y por qué has de suplicarle, si no lo ha hecho adrede? —repuso con tono burlón Doniphan.

—No sé por qué te metes en estas cosas, Doniphan —dijo Briant—, que sólo nos interesan a Cross y a mí...

—¡También a mí me interesan, Briant, ya que lo tomas en ese tono! —respondió Doniphan.

—¡Como quieras... y cuando quieras...! —replicó Briant, que se había cruzado de brazos.

—¡Ahora mismo! —exclamó Doniphan.

En aquel momento llegó Gordon, y muy oportunamente, para impedir que aquella disputa acabase a trompazos. Por lo demás, quitó la razón a Doniphan, que tuvo que someterse y que refunfuñando volvió a la Cueva del Francés. Pero era de temer que, por cualquier otro incidente, llegasen a las manos los dos rivales.

No dejó de nevar en cuarenta y ocho horas. Para divertir a los pequeños, Service y Garnett construyeron un gran muñeco de nieve, con una enorme cabeza, una nariz muy larga y una boca desmesurada —algo así como la representación del Coco—. Y hay que confesar que si, de día, Dole y Costar se enardecían hasta el extremo de arrojarle bolas de nieve, no dejaban de mirarlo con terror en cuanto la oscuridad le daba unas dimensiones gigantescas.

—¡Qué miedosos! —exclamaban entonces Iverson y Jenkins, que se las echaban de valientes, aunque no estaban mucho más tranquilos que sus compañeros.

A fines de junio hubo que renunciar a las diversiones. La nieve, amontonada hasta tres o cuatro pies de espesor, hacía casi imposible la marcha, y el aventurarse, aunque sólo fuese unos cientos de metros, fuera de la Cueva del Francés, los hubiera expuesto a no poder volver.

Así, pues, los jóvenes colonos estuvieron encerrados quince días, hasta el 9 de julio. No se resintieron de ello los estudios, al contrario. Observábase estrictamente el programa cotidiano y tuvieron lugar las controversias en los días fijados para ello. A todos les gustaban mucho, y Doniphan, con su facilidad de palabra y su instrucción, muy adelantada ya, se puso en primera fila, cosa que no sorprendería a nadie. Pero ¿por qué se mostraba tan orgulloso de ello? Ese orgullo echaba a perder todas sus brillantes cualidades.

Aunque las horas de recreo tuvieron que pasarlas entonces en el zaguán, no por ello se resintió la salud general, gracias a la ventilación que se hacía de un cuarto a otro por el corredor. Esa cuestión de higiene no dejaba de ser de las más importantes. Si caía enfermo algún niño, ¿cómo podrían darle los cuidados necesarios? Por fortuna, todos los males se redujeron a algunos resfriados y a dolores de garganta, que pronto desaparecieron con el reposo y con bebidas calientes.

Entonces pudieron preocuparse de resolver otra cuestión. Ordinariamente el agua indispensable para las necesidades de la Cueva del Francés era extraída del río a la hora de la bajamar, para que no fuera salobre, pero cuando la superficie del río estuviera totalmente helada, no podrían proceder de ese modo. Por lo tanto, Gordon habló con Baxter, su ingeniero habitual, de las medidas que convendría adoptar. Baxter, después de reflexionar, propuso instalar una cañería a unos pies debajo de la playa, para que no se helase, la cañería que llevaría el agua del río al almacén. Era una obra difícil, que nunca hubiera podido realizar Baxter, si no tuviese a su disposición uno de los tubos de plomo que servían para alimentar los tocadores a bordo del «Sloughi». Por fin, después de numerosos ensayos, quedó asegurado el servicio de agua dentro del almacén. En cuanto al alumbrado, había aún bastante aceite para las lámparas de los faroles; pero, después del invierno, sería menester reponer las provisiones o, cuando menos, fabricar candelas, con las grasas que Mokó iba reservando. Lo que también preocupó bastante en aquel período fue el proveer a la alimentación de la pequeña colonia; porque la caza y la pesca no daban ya su tributo acostumbrado. Claro está que algunos animales, impulsados por el hambre, fueron más de una vez a rondar por la Terraza del Deporte; pero no eran sino chacales, que Doniphan y Cross se contentaban con ahuyentar a tiros. Y hasta un día llegaron en manadas unos veinte, y hubo que poner sólidas barricadas en las puertas del zaguán en el almacén, pues hubiera sido terrible una invasión de esos carniceros, a quienes las privaciones volvían feroces.

En condiciones tan enojosas, Mokó se vio obligado a consumir algunas de las provisiones del yate, que se esforzaban en ahorrar lo más posible. No daba muy a gusto Gordon el permiso para disponer de ellas y veía con pena alargarse en su cuadernillo la columna de gastos, cuando la de ingresos permanecía estacionaria. No obstante, como había gran acopio de patos y avutardas, que habían sido guardados en barriles después de medio cocidos, Mokó pudo utilizarlos, como también cierta cantidad de salmones conservados en salmuera. No hay que olvidar que la Cueva del Francés tenía que alimentar quince bocas y apetitos de ocho a catorce años que satisfacer. Sin embargo, durante aquel invierno no se vieron del todo privados de carne fresca. Wilcox, muy entendido en todo cuanto concernía a la instalación de útiles de caza, había tendido lazos en la playa. No eran sino simples trampas, retenidas por trozos de madera en forma de 4; pero en las que se dejaba coger a veces la caza mayor.

Ayudado por sus compañeros, Wilcox tendió también en las orillas del río las redes de pesca del «Sloughi», montadas en altas pértigas, y en las mallas de esas largas telarañas caían muchos pájaros del Pantano del Sur, al pasar de una orilla a la otra. Si la mayoría podían soltarse de esas mallas, demasiado pequeñas para una pesca aérea, hubo días en que cogieron lo bastante para subvenir a dos comidas reglamentarias. La alimentación del ñandú les daba mucho trabajo.

Hay que reconocer que la domesticación de ese salvaje no progresaba en modo alguno, por más que dijera Service, encargado especialmente de su educación.

—¡Qué buen corcel será! —repetía con frecuencia, aunque nadie veía claramente cómo lograría montarlo.

Entretanto, como el ñandú no era carnicero, Service tenía que ir por su provisión cotidiana de hierbas y raíces, que buscaba a dos o tres pies bajo la nieve. Pero, ¿qué no haría él para procurar buen alimento a su animal favorito? Si el ñandú adelgazó un poco en aquel invierno interminable, no fue por culpa de su fiel guardián, y era de esperar que con la primavera llegaría a su gordura normal.

El 9 de julio, muy de mañana, al salir Briant de la Cueva del Francés, observó que el viento había cambiado súbitamente al Sur, y que el frío era tan intenso que tuvo que volver a toda prisa al zaguán, donde comunicó a Gordon aquella variación de la temperatura.

—Era de esperar —respondió Gordon—, y no me extrañaría que tuviésemos que soportar aún algunos meses de invierno muy rigurosos.

—Lo cual nos prueba —añadió Briant—, que el «Sloughi» fue llevado más al Sur de lo que suponíamos.

—Sin duda, y, sin embargo, nuestro atlas no acusa ninguna isla en el límite del mar antártico.

—Es inexplicable, Gordon, y, en realidad, si consiguiéramos salir de la isla Chairman, no sabría yo qué dirección tomar.

—¿Salir de la isla? —exclamó Gordon—. ¿Pero aún piensas en eso?

—¡Siempre, Gordon! Si pudiéramos construir una embarcación que resistiera regularmente el mar, no titubearía yo en embarcarme.

—Bien... bien... —replicó Gordon—. No corre prisa... Esperemos, al menos, a haber organizado nuestra pequeña colonia.

—Es que tú, querido Gordon, te olvidas de que tenemos allí a nuestras familias —respondió Briant.

—Sí, indudablemente, Briant... Pero en fin, no somos muy desgraciados así. Esto va muy bien... y creo que no nos falta nada.

—Nos faltan muchas cosas, Gordon —respondió Briant, que creyó oportuno no prodigar la conversación sobre ese tema—. Mira, por ejemplo, casi ya no nos queda combustible.

—¡Oh! ¡Aún no se han quemado todas las selvas de la isla!

—No, Gordon; pero ya es hora de que repongamos nuestra provisión de leña, porque se acaba.

—Hoy mismo —respondió Gordon—. Veamos lo que marca el termómetro.

El termómetro, colocado en el almacén, no indicaba más que cinco grados sobre cero, aunque estaba en toda su actividad el horno; pero así que lo pusieron contra la pared exterior no tardó en marcar diecisiete grados bajo cero. Era un frío intenso y que seguramente se intensificaría si el tiempo continuaba claro y seco algunas semanas. Es más, a pesar del ronquido de la cocina ya bajaba sensiblemente la temperatura en la Cueva del Francés.

A eso de las nueve, después del desayuno, decidieron ir al Bosque de las Trampas para traer de allí todo un cargamento de leña. Cuando la atmósfera está en calma pueden soportarse impunemente las más bajas temperaturas; lo particularmente doloroso, es la áspera brisa que azota el rostro y las manos, y es muy difícil preservarse de ella. Por fortuna, aquel día, el viento era muy flojo y el cielo tenía una pureza perfecta, como si estuviera helado el aire.

Por eso, en vez de aquella nieve blanda, en la que la víspera se hundía uno hasta la cintura, los pies pisaban un suelo de una dureza metálica, y así, con tal de asegurar el paso, se podía caminar como se caminaría por la superficie del Lago de la Familia o del río Zelanda, que estaban enteramente helados. Con algunos pares de esas especies de raquetas que se ponen en los pies los indígenas de las regiones polares, o aun con un trineo tirado por perros o rengíferos se podría haber recorrido el lago en toda su extensión, de Sur a Norte, en pocas horas.

Mas en aquella circunstancia no se trataba de una expedición tan larga. Lo ineludible era ir a la selva próxima y rehacer la provisión de combustible.

Pero el transporte a la Cueva del Francés de una cantidad suficiente de leña no dejaría de ser un trabajo penoso, ya que ese transporte no podía efectuarse sino en brazos o a la espalda. Entonces se le ocurrió a Mokó una buena idea, y apresuráronse a ponerla en ejecución en espera de que pudiesen construir un vehículo de cualquier clase con las tablas del yate. Aquella gran mesa del almacén, construida sólidamente y que medía doce pies de largo por cuatro de ancho, les sería muy útil, poniéndola patas arriba y arrastrándola por la capa de nieve helada. Y, en efecto, así lo hicieron, y enganchándose cuatro de los mayores, con cuerdas, a ese vehículo algo primitivo, partieron a las ocho de la mañana camino del Bosque de las Trampas.

Los pequeños, con la nariz encarnada y curtidas las mejillas, brincaban por delante como perritos, y *Phann* les daba el ejemplo.

A veces se subían también a la mesa, no sin disputas y puñetazos, sólo por gusto, con riesgo de algunas caídas, que nunca serían muy graves. Sus gritos resonaban con extraordinaria intensidad en medio de aquella atmósfera fría y seca, y agradaba realmente ver aquella pequeña colonia de tan buen humor y tanta salud.

Todo cuanto la vista alcanzaba entre la Montaña de Auckland y el Lago de la Familia, estaba completamente blanco. Los árboles, con sus enramadas de escarcha, con sus ramas cargadas de brillantes cristales, agrupábanse en la lejanía como en el fondo de una decoración mágica. En la superficie del lago volaban a bandadas los pájaros hasta la otra parte del acantilado. Doniphan y Cross no se habían olvidado de llevar las escopetas, prudente precaución, porque se vieron huellas sospechosas, pertenecientes a animales que no eran chacales, ni pumas, ni jaguares.

—Tal vez sean estos gatos monteses llamados *paperos* —dijo Gordon— y que no son menos temibles que los jaguares y pumas.

—¡Si no son más que gatos...! —respondió Costar, encogiéndose de hombros.

—También los tigres son gatos —exclamó Jenkins.

—Service, ¿es verdad que esos gatos son malos? —preguntó Costar.

—Sí, es verdad —respondió Service—, y se comen a los niños como ratones.

No dejó de preocupar a Costar esa respuesta.

No tardaron en recorrer la media milla que había entre la Cueva del Francés y el Bosque de las Trampas, y los jóvenes leñadores empezaron a trabajar al momento, atacando con el hacha solamente los árboles de recio grueso, que fueron despojados de las ramas pequeñas, para abastecerse, no de esos haces que llamean un instante, sino de esos leños que pudieran alimentar convenientemente el hornillo y las estufas. La mesa-trineo recibió una pesada carga; pero se deslizaba muy fácilmente y todos tiraban de ella dos viajes.

Después de comer volvieron al trabajo y no lo interrumpieron hasta las cuatro, cuando ya declinaba el día. Grande era la fatiga; pero como no había ninguna necesidad de hacer las cosas con exceso, Gordon aplazó para el día siguiente la tarea, y cuando Gordon ordenaba no había más remedio que obedecer.

Así que volvieron a la Cueva del Francés, cuidáronse de aserrar los leños y almacenarlos, y esto los tuvo ocupados hasta la hora de acostarse.

Continuaron sin tregua, durante seis días, aquel acarreo, lo que les aseguró combustible para muchas semanas. Excusado es decir que toda aquella provisión no pudo apilarse en el almacén, pero no había inconveniente en que permaneciese al aire libre al pie del contrafuerte.

El 15 de julio, según el calendario, era el día de Saint Swithin, que, en Inglaterra, tiene la misma reputación que el de San Medardo en Francia.

—Entonces, si llueve hoy tendremos lluvia durante cuarenta días.

—Poco nos importa —respondio Service—, puesto que estamos en la peor estación. Si fuese en verano...

Y, en verdad, los habitantes del hemisferio austral poco pueden preocuparse de la influencia que pueden tener San Medardo o Saint Swithin, que son santos de invierno entre nuestros antípodas.

Sin embargo, no persistió la lluvia; los vientos cambiaron al Sudoeste y continuaron aún fríos tan intensos, que Gordon no permitió a los pequeños poner los pies fuera.

En efecto, a mediados de la primera semana de agosto la columna termostática descendió hasta 2 grados bajo cero. A poco que se expusiera uno al aire exterior, el aliento se condensaba en nieve. Las manos no podían coger un objeto de metal, sin sentir un vivo dolor, análogo al de las quemaduras. Hubieron de tomar las más minuciosas precauciones para mantener a un grado suficiente la temperatura interna.

Pasaron quince días terribles. Todos se resentían más o menos de la falta de ejercicio, y Briant no veía sin inquietud las caras pálidas de los pequeños, cuyos hermosos colores habían desaparecido; pero gracias a las bebidas calientes, que no faltaban, y exceptuando algunos resfriados o bronquitis inevitables, los jóvenes colonos salieron sin gran daño de tan peligroso período.

Hacia el 16 de agosto el estado de la atmósfera tendió a mejorar con el viento que venía del Oeste. El termómetro subió a doce grados bajo cero, temperatura tolerable, dada la calma del aire. Entonces, Doniphan, Briant, Service, Wilcox y Baxter tuvieron la ocurrencia de emprender una excursión a la Bahía de Sloughi. Saliendo a primera hora de la mañana, podrían estar de vuelta la misma tarde.

Tratábase de reconocer si había en la costa alguna buena cantidad de esos anfibios, huéspedes habituales de las regiones antárticas, y de los que habían visto ya algunos ejemplares cuando varó el yate. Al mismo tiempo pensaban sustituir el pabellón, que, después de las borrascas del invierno, estaría hecho jirones, y, además, por consejo de Briant, clavarían en el mástil de señales una tablilla que indicase la situación de la Cueva del Francés, por si algunos marineros que vieran el pabellón desembarcasen en la playa.

Gordon dio su consentimiento, pero encomendándoles mucho que estuviesen de regreso antes de la noche, y la pequeña caravana partió en la mañana del 17 de agosto, cuando aún no era de día. El cielo estaba purísimo y la luna lo iluminaba con los pálidos rayos de su cuarto menguante.

Había seis millas hasta la bahía, que no eran para asustar a piernas bien reposadas.

Salvaron rápidamente esa distancia. Como el Pantano del Sur estaba helado no tuvieron que contenerlo, lo que abrevió el recorrido. Y así, antes de las nueve de la mañana, Doniphan y sus compañeros desembocaron en la playa.

—Ved aquí una bandada de volátiles —exclamó Wilcox y mostraba, alineados en los arrecifes, algunos miles de pájaros que semejaban grandes patos, con el pico alargado como una concha de mejillón y dando unos gritos tan penetrantes como desagradables.

—Parecen soldados a quienes va a pasar revista el general —exclamó Service.

—Son pájaros bobos —respondió Baxter—, y no valen un tiro.

Aquellas estúpidas aves, que se hallaban en posición casi vertical, debido a sus patas situadas muy hacia atrás, no pensaron siquiera en huir y las hubieran podido matar a palos. Tal vez vinieran a Doniphan ganas de entregarse a esa inútil matanza; pero como Briant tuvo la prudencia de no oponerse, dejaron a los pájaros bobos en paz.

—Por lo demás aquellas aves no podían servir para nada; había allí otros muchos animales cuya grasa serviría para el alumbrado de la Cueva del Francés durante el siguiente invierno.

Eran focas, que retozaban en los rompientes, cubiertas a la sazón de una espesa capa de nieve; pero, para matar algunas, hubiera habido que cortarles la retirada por el lado de los arrecifes. Y en cuanto Briant y sus compañeros se acercaron, huyeron ellas dando saltos extraordinarios y desapareciendo bajo las aguas. Más adelante podría organizarse una expedición especial para la captura de tales anfibios.

Después de comer frugalmente algunas provisiones que llevaban, los muchachos examinaron la bahía en toda su amplitud.

Una sabana uniformemente blanca extendíase desde la embocadura del río Zelanda hasta el promontorio de Cabo Falso. Aparte de los pájaros bobos y aves marinas, tales como petreles y gaviotas, parecía que los volátiles hubieran abandonado la playa para ir al interior de la isla en busca de alimentos. Dos o tres pies de nieve se extendían por la playa, y bajo esa espesa capa hubiera desaparecido lo que quedaba de los restos del *schooner*. Las algas, retenidas más acá de los rompientes, indicaban que la Bahía de Sloughi no había sido invadida por las mareas vivas del equinoccio.

En cuanto al mar, seguía desierto hasta el límite extremo de aquel horizonte que Briant no había visto desde hacía más de tres meses. Y más allá, a cientos de millas, estaba aquella Nueva Zelanda que él no perdía la esperanza de tornar a ver algún día.

Baxter volvió a izar entonces un pabellón nuevo que llevaba y clavó una tablilla que indicaba la situación de la Cueva del Francés, a seis millas subiendo por el río. Y luego, a la una de la tarde, volvieron a tomar la orilla izquierda. En el camino, Doniphan mató un par de cercetas y otro de avefrías que revoloteaban por la superficie del río, y a cosa de las cuatro, en el momento de oscurecerse el día, llegaron todos a la Cueva del Francés. Allí enteraron a Gordon de lo que había sucedido y, puesto que a la Bahía de Sloughi acudían muchas focas, les darían caza en cuanto lo permitiera el tiempo.

Pronto terminaría ya el invierno.

Durante la última semana de agosto y la primrea de septiembre, se impuso el viento de mar. Fuertes turbonadas provocaron un rápido ascenso de la temperatura. No tardó en derretirse la nieve, y la superficie del lago rompióse con ensordecedor estruendo. Los témpanos que no se derritieran en su sitio metiéronse en la corriente del río, amontonándose unos sobre otros, y formóse una barrera de hielo que no desapareció por completo hasta el 10 de septiembre.

Así se acabó aquel invierno. Gracias a las precauciones tomadas, no hizo padecer mucho a la pequeña colonia. Todos se conservaban en buena salud, y como estudiaban con celo, Gordon casi no necesitó castigar a los recalcitrantes.

Sin embargo, un día tuvo que castigar a Dole, cuya conducta necesitaba un correctivo ejemplar.

Muchas veces, el testarudo muchacho habíase negado a hacer su ejercicio escrito y Gordon le había reprendido, sin que el niño hiciera caso de sus observaciones. Si no le castigaron a pan y agua, pues esto no entra en el sistema de las escuelas anglosajonas, sí le condenaron a azotes.

Ya hemos dicho que los jóvenes ingleses no sienten la repugnancia qué, sin duda alguna, sentirían los franceses por esa clase de castigo.

Y, no obstante, en aquella ocasión, Briant hubiese protestado contra ese modo de castigar, si no hubiese tenido que respetar las decisiones de Gordon.

Por lo demás, aquello que avergonzaría a un escolar francés, no avergüenza al colegial inglés, que sólo se ruborizaría si los demás pudieran pensar que temía una corrección corporal.

Dole recibió, pues, los azotes que la aplicó Wilcox, designado por la suerte para esas funciones de ejecutor público, y aquello sirvió de tal ejemplo que no volvió a repetirse el caso.

El 10 de septiembre se cumplieron seis meses desde que el «Sloughi» se perdiera en los arrecifes de la isla Chairman.

CAPITULO XIV

Con la primavera que se anunciaba, los jóvenes colonos iban a poder realizar algunos de los proyectos concebidos en largos ocios del invierno.

Era evidente que por el Oeste no había ninguna tierra próxima a la isla... ¿Sucedería lo mismo al Norte, al Sur y al Este, formaría aquella isla parte de un archipiélago o de un grupo del Pacífico? No, indudablemente, si se atenían al mapa de Francisco Baudoin. Sin embargo, podía haber tierras en aquellos parajes, aunque no las hubiera visto el náufrago, por la sencilla razón de que éste no tenía anteojos ni gemelos y que, desde lo alto de la Montaña de Auckland, apenas abarcaba la vista un horizonte de algunas millas. Los jóvenes colonos, mejor armados para observar el mar en su lejanía, tal vez descubrieran lo que el superviviente del «Duguay-Trouin» no tuvo la posibilidad de vislumbrar.

Dada su configuración, la isla Chairman no medía arriba de una docena de millas en su parte central, al este de la Cueva del Francés. Por la parte opuesta a la Bahía de Sloughi en que el litoral se escotaba, convendría hacer un reconocimiento.

Pero antes de visitar las diversas regiones de la isla, tratábase de explorar el territorio comprendido entre la Montaña de Auckland, el Lago de la Familia y el Bosque de las Trampas. ¿Qué recursos tenía el territorio? ¿Era rico en árboles o arbustos que pudieran ser provechosos? Para saberlo, decidióse hacer una expedición, y quedó fijada para los primeros días de noviembre. Sin embargo, aunque la primavera iba a comenzar astronómicamente, la isla Chairman, situada bajo una latitud bastante elevada, no sintió todavía su influencia. El mes de septiembre y la mitad de octubre fueron señalados por grandes tempestades. Hubo fríos muy intensos; pero no prolongados, porque las áreas del viento eran sumamente variables. Durante aquel período del equinoccio manifestáronse con violencia sin igual algunas perturbaciones atmosféricas parecidas a las que se habían llevado al «Sloughi» a través del Pacífico. Ante los redoblados ataques de las borrascas parecía que la Montaña de Auckland se estremecía de arriba abajo cuando las ráfagas del Sur, rozando la región del Pantano Sur, que no le oponía ningún obstáculo, traían los glaciales fríos del mar Antártico. Ruda tarea era tener que cerrar la entrada de la Cueva del Francés. Veinte veces hundió la puerta que daba acceso al almacén, y penetró por el pasillo hasta el zaguán. En esas condiciones, resintiéronse indudablemente mucho más que en la época de los fríos intensos, que habían hecho descender la columna termométrica a treinta grados bajo cero. Y no sólo había que luchar contra el huracán, sino también contra la lluvia y el granizo.

Para colmo de las desdichas, la caza parecía haber desaparecido, como si hubiese ido a refugiarse a las partes de la isla menos expuestas a los furores del equinoccio, y también la pesca, asustada probablemente por la agitación de las aguas, que bramaban a lo largo de las orillas del lago.

No obstante no permanecieron ociosos en la Cueva del Francés. Como la mesa no podía servir ya de vehículo, por haber desaparecido la capa de nieve endurecida, Baxter buscó los medios de fabricar un aparato propio para el acarreo de los objetos pesados.

Con este propósito se le ocurrió la idea de utilizar dos ruedas de igual tamaño, que pertenecían al guindaste del *schooner*, trabajo que requirió varios tanteos que un hombre de oficio hubiera evitado.

Aquellas ruedas eran dentadas y, después de intentar en vano romper los dientes, Baxter se vio reducido a rellenar los entrantes con cuñas de madera muy apartadas y que fueron cercadas por una faja metálica. Reunidas luego las dos ruedas por una barra de hierro, construyóse sobre ese eje una sólida armazón de tablas. Vehículo bien rudimentario; pero, tal como era, había de prestar grandes servicios y los prestó. No hay necesidad de añadir que, a falta de caballo, de mula o de asno, los más vigorosos de la colonia tendrían que tirar de dicho vehículo.

¡Ah! ¡Si pudieran apoderarse de cuadrúpedos, que domesticarían para ese uso, cuántas fatigas se ahorrarían! ¿Por qué la fauna de la isla Chairman, salvo algunos animales carnívoros, cuyos restos o huellas habían encontrado, parecía ser más rica en volátiles que en rumiantes? Además, a juzgar por el ñandú de Service, ¿podrían esperar que se doblegase a los deberes de la domesticidad?

En efecto, el ñandú no había perdido absolutamente nada de su carácter salvaje. No dejaba acercarse a él, sin defenderse con el pico y las patas; intentaba romper las ligaduras que le mantenían atado, y si lo hubiera conseguido, pronto lo hubiesen perdido entre los árboles del Bosque de las Trampas.

Sin embargo, Service no se desanimaba. Como es natural, había dado al ñandú el nombre de «Brausewind», como lo hizo con el avestruz maese Jack, del *Robinson Suizo*. Y aunque puso un amor propio excesivo en domar al rebelde animal, de nada valieron los buenos ni los malos tratos.

—Y sin embargo —dijo un día, ateniéndose a la novela de Wyss, que nunca se cansaba de leer—, Jack consiguió hacer de su avestruz una rápida cabalgadura.

—Es verdad —le respondió Gordon—, pero entre tu héroe y tú, Service, hay la misma diferencia que entre su avestruz y el tuyo.

—¿Cuál, Gordon?

—Pues, simplemente, la diferencia que separa la imaginación de la realidad.

—No importa —replicó Service—. Y conseguiré dominar al avestruz... Y, si no, él me dirá la causa.

—Pues bien, palabra de honor —respondió Gordon riendo—, que no me extrañaría tanto oírle contestarte como ver que te obedece.

A pesar de las bromas de sus compañeros, Service estaba decidido a montar en su ñandú en cuanto el tiempo lo permitiera. Y así, imitando siempre a su tipo imaginario, le hizo una especie de arnés con lona de vela y un capuchón con anteojeras móviles. ¿No dirigía Jack a su animal según le bajase una u otra de las anteojeras sobre el ojo derecho o sobre el izquierdo? ¿Y por qué lo que había dado buen resultado a aquel chico no podría dárselo a su imitador? Service hizo hasta una collera de betas, que consiguió fijar en el cuello del animal, que muy a gusto hubiera prescindido de ese adorno. En cuanto al capuchón, fue imposible ponérselo en la cabeza.

Así se pasaban los días en obras de acondicionamiento, que hicieron mucho más cómoda la Cueva del Francés. Era el mejor modo de ocupar las horas que no se podían aprovechar fuera, sin quitar nada a las que había de dedicar al trabajo.

A todo esto, el equinoccio tocaba a su fin. El sol calentaba con más fuerza y el cielo se serenaba. Estaban a mediados de octubre. El suelo comunicaba su calor a los árboles y a los arbustos, que se preparaban a reverdecer.

Ya era posible salir de la Cueva del Francés días enteros. Los vestidos de abrigo, pantalones de paño grueso, camisetas de punto o marineras de lana habían sido reparados, doblados y guardados cuidadosamente en las arcas, después de ser rotulados por Gordon. Los jóvenes colonos, más cómodos con vestidos más ligeros, saludaron con alegría el regreso de la primavera. Además, tenían una esperanza que no les abandonaba, la esperanza de hacer algún descubrimiento que modificase su situación. ¿No pudiera ser que durante el verano visitase algún buque aquellos parajes? Y si pasaba a la vista de la isla Chairman, ¿por qué no había de acercarse al ver el pabellón que ondeaba en la cresta de la montaña de Auckland?

En la segunda quincena de octubre intentáronse muchas excursiones, en un radio de dos millas, alrededor de la Cueva del Francés. En ellas sólo tomaron parte los cazadores, de lo cual se resintió la comida, a pesar de que, por recomendación de Gordon, tenía que ahorrarse severamente pólvora y perdigones. Wilcox tendió lazos con los cuales capturó algunas parejas de martinetas y avutardas, y a veces incluso esas vizcachas que parecen acures. Con frecuencia, durante el día, iban a visitar las trampas, porque los chacales y paperos no dejaban de anticiparse a los cazadores para destruir toda la caza, y, en realidad, era muy triste trabajar en beneficio de aquellos animales carniceros, a los que no perdonaban cuando se presentaba la ocasión. Y hasta cogieron unos cuantos de tales animales dañinos en las antiguas trampas, que habían sido reparadas, y en las nuevas, puestas en el límite de la selva. En cuanto a las fieras, volvieron a ver sus huellas; mas no tuvieron que rechazar sus ataques, contra los cuales estaban siempre en guardia.

Doniphan mató también varios saínos y güemules (jabalíes y ciervos de pequeño tamaño), cuya carne es muy sabrosa. En cuanto a los ñandúes, nadie sintió no poder alcanzarlos pues el poco éxito de Service en su ensayo de domesticación no era muy a propósito para animarlos.

Y bien se vio en la mañana del 26, cuando el obstinado muchacho quiso montar en el avestruz, al que, no sin gran trabajo, consiguió poner unos arneses.

Todos fueron a la Terraza del Deporte para presenciar el interesante experimento. Los dos pequeños miraban a su compañero con cierto sentimiento de envidia, mezclado con algo de comprensible inquietud.

En el momento decisivo titubearon en suplicar a Service que los llevase a la grupa, y los mayorcitos se encogieron de hombros. Gordon quiso disuadir a Service de que intentase una prueba que se le antojaba peligrosa; pero como éste se obstinó tanto, decidieron dejarle hacer lo que quisiera el chico.

Mientras Garnett y Baxter sujetaban al animal, cuyos ojos tenía tapados por las anteojeras de la capucha, Service, después de varias tentativas infructuosas, consiguió montarse en el avestruz y, con voz muy segura, exclamó:

—¡Soltad!

El ñandú, privado del uso de sus ojos, permaneció al principio inmóvil, retenido por el muchacho, que le apretaba vigorosamente entre las piernas; pero así que las anteojeras fueron levantadas por una cuerda que al mismo tiempo servía de brida, dio un salto prodigioso y partió en dirección al bosque.

Service no pudo dominar ya a su fogosa cabalgadura, que corría con la rapidez de una flecha. En vano intentó detenerla cegándola de nuevo. De una cabezada, el ñandú se quitó el capuchón, que resbaló por el cuello, al que se agarró con ambos brazos Service, y, luego, una violenta sacudida desmontó al poco hábil jinete, que cayó precisamente en el momento en que el animal iba a desaparecer por entre los árboles del Bosque de las Trampas.

Acudieron los compañeros de Service; y cuando llegaron a él el avestruz estaba ya fuera del alcance de su vista.

Por fortuna, Service, que había caído en una hierba espesa, no se hizo daño alguno.

—¡Estúpido animal...! ¡Estúpido animal! —exclamó muy confuso—. Si lo cojo...

—¡No volverás a cogerlo! —respondió Doniphan, que se complacía en burlarse de su compañero.

—Decididamente —dijo Webb—, tu amigo Jack era mejor jinete que tú.

—Es que mi ñandú no estaba lo bastante domesticado —respondió Service.

—No podría estarlo —replicó Gordon—. Consuélate, Service, pues no hubieras podido hacer nada de este animal, y no te olvides de que en la novela de Wyss hay de todo.

Así que terminó la aventura, los pequeños no tuvieron que lamentarse por no haber montado en el avestruz.

En los primeros días de noviembre el tiempo pareció favorable para una expedición de algunos días, cuyo objeto era reconocer la orilla occidental del Lago de la Familia, hasta su extremo Norte. El cielo era muy puro y el calor bastante soportable todavía, y no sería ninguna imprudencia pasar algunas noches al aire libre. Hicieron, pues los preparativos necesarios.

En la expedición habían de tomar parte los cazadores de la colonia, y esta vez Gordon creyó conveniente unirse a ellos. En cuanto a los compañeros que se quedaban en la Cueva del Francés, estarían bajo la vigilancia de Briant y Garnett. Más adelante, antes de que terminase la buena estación, Briant emprendería a su vez otra excursión, con objeto de visitar la parte inferior del lago, ora yendo por sus orillas con la canoa, ora cruzándolo; puesto que, según el mapa, apenas media cuatro o cinco millas a la altura de la Cueva del Francés.

Así convenidas las cosas, en la mañana del 5 de noviembre, y después de despedirse de sus compañeros, partieron Gordon, Doniphan, Baxter, Wilcox, Webb, Cross y Service.

En la Cueva del Francés no había de variarse en nada la vida de siempre. Fuera de las horas destinadas al trabajo, Iverson, Jenkins, Costar y Dole continuaron como de costumbre, pescando en las aguas del lago y del río, que es lo que constituía su recreo favorito. Pero no se crea que, por no haber acompañado Mokó a los jóvenes exploradores, se vieran reducidos éstos a una mala cocina, no; estaba allí Service, que con frecuencia ayudaba al grumete en sus operaciones culinarias, conocimientos que hizo resaltar para tomar parte en la expedición.

¡Quién sabe si no esperaba volver a encontrar su avestruz!

Gordon, Doniphan y Wilcox iban armados de escopetas. Además, todos llevaban revólver en el cinturón. Completaban su equipo unos cuchillos de monte y dos destrales. En lo posible, sólo habían de emplear los perdigones y la pólvora para defenderse, si eran atacados, o para cazar, en caso de que no pudieran hacerlo de una manera menos costosa. Con ese objeto Baxter, que se había ejercitado desde hacía algún tiempo en el manejo del lazo y las bolas, se llevó estos instrumentos. Era el tal Baxter un muchacho poco bullicioso, pero realmente diestro y que consiguió gran habilidad en el manejo de aquellos aparatos. A decir verdad, hasta entonces sólo los había ensayado con objetos inmóviles y no se sabía si obtendría muy buen resultado contra un anima que huyera a todo correr.

Ya se vería.

Gordon tuvo también la idea de llevar la lancha de caucho, que era de fácil transporte, puesto que se cerraba como una maleta y no pesaba más de diez libras. El mapa acusaba dos riachuelos, tributarios del lago y por los que podrían pasar en la barca de caucho, en caso de no ser vadeables.

Ateniéndose al mapa de Baudoin, del que Gordon llevaba una copia para consultarla o comprobarla, según el caso, la orilla occidental del Lago de la Familia se extendía en una longitud de dieciocho millas por lo menos, a juzgar por su curvatura. La exploración exigía, por lo menos tres días, entre ida y vuelta, si no sufría algún retraso.

Gordon y sus compañeros, precedidos de *Phann*, dejaron el Bosque de las Trampas a su izquierda y caminaron con buen paso por el suelo arenoso de la orilla.

Dos millas más allá, rebasaron el lugar hasta donde habían llegado los días anteriores desde su instalación en la Cueva del Francés. En aquel lugar crecían hierbas altas, de esas llamadas cortaderas, agrupadas en matas de más talla que la de un hombre alto.

Esto retrasó un poco la marcha, pero no tuvieron que lamentarlo, porque *Phann* se detuvo ante la entrada de media docena de madrigueras que perforaban el suelo y denunciadoras de la existencia de algún animal.

Indudablemente *Phann* habría olido allí algún animal que convendría matar en su cubil. Y ya se preparaba Doniphan a apuntar con la escopeta, cuando Gordon le detuvo.

—Ahora pólvora, Doniphan —le dijo—, ¡ahora pólvora, por favor!

—¡Quién sabe si no está ahí dentro nuestra comida, Gordon! —respondió el joven cazador.

—Y quizá también nuestra cena —añadió Service, que acababa de agacharse para mirar al interior de la madriguera.

—Si hay animales ahí dentro —respondió Wilcox—, ya los haremos salir sin que nos cueste un solo perdigón.

111

—¿Cómo? —preguntó Webb.

—Ahumando las madrigueras, como se hace con las de los hurones y las zorras.

Entre las matas de cortaderas, el suelo estaba cubierto de hierbas secas, que Wilcox quemó inmediatamente en las bocas de las madrigueras. Un minuto después aparecieron doce roedores medio asfixiados, que en vano intentaron huir. Eran conejos tucutucos, y Service y Webb mataron algunas parejas a hachazos, en tanto que *Phann* estrangulaba otros tres a dentelladas.

—¡Con esto tendremos un asado excelente! —dijo Gordon—. Recogedlos y que los guise Mokó.

—Yo me encargo de ello —exclamó Service que tenía prisa por desempeñar sus funciones de jefe de cocina— y, si queréis ahora.

—En el primer alto que hagamos —respondió Gordon.

Tardaron media hora en salir de aquella selva en miniatura, formada por las altas cortaderas. Más allá reapareció la playa quebrada por largas líneas de dunas, cuya arena de extremada finura desaparecía al menor soplo.

A aquella altura, la parte posterior de la montaña de Auckland estaba ya a más de dos millas hacia atrás, por el Este, lo cual se explicaba por la dirección que tomaba el acantilado, que iba en sentido oblicuo desde la Cueva del Francés hasta la Bahía de Sloughi. Toda aquella parte de la isla estaba hundida en la espesa selva que Briant y sus compañeros recorrieron en su primera expedición al lago y que era regada por el riachuelo al que habían dado el nombre de río del Dique.

Como indicaba, el mapa, ese riachuelo corría hacia el lago, y los muchachos llegaron a su embocadura a eso de las once de la mañana, después de recorrer sin grandes esfuerzos seis millas desde su partida.

Hicieron alto en aquel lugar, al pie de un soberbio pino, y encendieron con leña seca una hoguera entre dos grandes piedras. Momentos después, dos tucutucos, desollados y preparados por Service, se asaban ante una llama crepitante. Excusado es decir lo mucho que procuró el joven cocinero dar vueltas al asador, hasta que estuviera en su punto al asado, mientras *Phann*, agazapado junto a la hoguera, aspiraba el aromático olor que despedía la caza.

Comieron con buen apetito, sin tener queja de aquel primer ensayo culinario de Service.

Bastaron los tucutucos y no tuvieron que tocar las provisiones que llevaban en los morrales, salvo la galleta, que sustituía al pan, y aún ésta la economizaron bastante; puesto que no les faltaba carne, y carne sabrosa, por el saborcillo de esas plantas aromáticas de que se nutren los roedores.

Hecho eso, pasaron el riachuelo, y como pudieron vadearlo, no necesitaron recurrir a la barca de caucho, que les hubiera hecho perder mucho tiempo.

Como la orilla del lago se volvía poco a poco pantanosa, les obligó a volver al lindero de la selva, aunque con la intención de tornar a encaminarse al Este, en cuanto lo permitiese el estado del suelo. Seguían viendo las mismas especies, los mismos árboles de espléndido follaje, hayas, abedules, encinas verdes, pinos de diversas clases. Gran cantidad de preciosas aves revoloteaban de rama en rama, tales como pájaros carpinteros de moño encarnado, papamoscas de moño blanco, reyezuelos de la especie de los escitalopes, millares de pájaros arañeros, que trinaban en la enramada, en tanto que los pinzones, alondras y mirlos cantaban o silbaban con todas sus fuerzas. En lontananza, por los aires, cerníanse cóndores, auras, algunas parejas de caracaras, águilas voraces, que frecuentan gustosas los parajes de la América del Sur.

Sin duda, en recuerdo de Robinson Crusoe, lamentó Service que no estuviera representada en la ornitología de la isla la familia de los loros. Ya que no había podido domesticar un avestruz, tal vez se mostrase menos rebelde uno de esos pájaros parlanchines. Pero no vio ni uno solo y tuvo que consolarse.

En resumen, abundaba la caza, maras, pichiciegos y particularmente urogallos. Gordon no pudo negar a Doniphan el placer de tirar a un saíno de tamaño regular que serviría para la comida del día siguiente, si no para la cena de aquella noche.

No fue necesario internarse entre los árboles en donde hubiera sido más fatigosa la marcha; bastaba ir por el lindero, y así lo hicieron hasta las cinco de la tarde. El segundo riachuelo, de unos cuarenta pies de ancho, les interceptó entonces el paso. Era uno de los tributarios del lago e iba a parar al Pacífico, más allá de la Bahía de Sloughi, después de haber dado la vuelta por el norte de la montaña de Auckland.

Gordon decidió detenerse en aquel lugar, pues habían andado doce millas, marcha suficiente para un día. Entretanto, les pareció indispensable dar nombre a aquel riachuelo, y como habían hecho alto en sus orillas, fue llamado río Stop (río del Alto).

Instalaron el campamento en los primeros árboles de la orilla. Como los urogallos fueron reservados para el día siguiente, los tucutucos constituyeron el plato fuerte de la comida, y también esta vez desempeñó convenientemente sus funciones Service. Además, la necesidad de dormir vencía la de comer, y si las bocas se abrían de hambre, los ojos se cerraban de sueño. Por lo tanto, encendieron un gran fuego, ante el cual tendiéronse todos después de envolverse en sendas mantas, y la viva luz de aquella hoguera, por cuya conservación velaron por turno Wilcox y Doniphan, bastó para mantener a distancia las fieras. En una palabra, no hubo ninguna alarma, y al apuntar el día todos estaban dispuestos para ponerse de nuevo en marcha.

Mas no bastaba haber dado nombre al río, sino que hacía falta pasarlo, y, como no era vadeable, apelaron a la barca de caucho; pero como esta frágil barquilla no podía transportar más que una persona a la vez, tuvo que hacer siete veces la travesía de la orilla izquierda a la orilla derecha del río Stop, lo que exigió más de una hora. No importaba gran cosa, desde el momento que, gracias a ello, no se mojaron las provisiones ni las municiones.

En cuanto a *Phann*, que no temía bañarse las patas, se arrojó al agua, y en pocos saltos pasó de orilla a orilla.

Como ya no era pantanoso el terreno, Gordon fue en dirección oblicua hacia la orilla del lago, a donde llegaron antes de las diez. Después de un desayuno compuesto de asado de saíno, encamináronse al Norte. Nada indicaba entonces que estuviera cerca el extremo del lago y el horizonte, por el Este, continuaba circunscrito a una línea circular de cielo y agua, cuando, hacia el mediodía, Doniphan, que miraba con el anteojo, exclamó:

—¡Ahí está la orilla!

Y todos miraron por aquel lado, donde empezaban a asomar las copas de los árboles por encima de las aguas.

—No nos detengamos —respondió Gordon—, y procuremos llegar antes de la noche.

Una llanura árida, ondulada por largas dunas, sembrada de algunas matas de juncos y cañas, extendíase por el Norte hasta perderse de vista. En su parte septentrional parecía que en la isla Chairman no hubiese sino vastos espacios arenosos que contrastaban con las verdes selvas del centro y a los que Gordon dio muy acertadamente el nombre de Desierto de Arena.

Hacia las tres viose claramente la orilla opuesta, que se redondeaba a menos de dos millas al Nordeste. Aquella región parecía abandonada de toda criatura viva, salvo por algunas aves marinas, como mergos, petreles y somorgujos, que pasaban al ir a las rocas del litoral donde a buen seguro anidaban todos ellos.

En realidad, si el «Sloughi» hubiese encallado en aquellos parajes, los jóvenes náufragos al ver una tierra tan estéril, se habrían creído privados de todo recurso. En vano hubieran buscado en medio de aquel desierto algo equivalente a su cómoda mansión de la Cueva del Francés.

¿Les convendría avanzar más en aquella dirección y reconocer del todo aquella parte de la isla que parecía inhabitable? ¿No valdría más dejar para una segunda expedición la exploración de la orilla derecha del lago, en donde otros bosques podrían ofrecer nuevas riquezas? Sí, sin duda alguna. Además, el continente americano, si estaba próximo a la isla Chairman, debía de hallarse por el Este.

No obstante, a propuesta de Doniphan, decidieron llegar a la extremidad del lago, que no se hallaría muy lejos; porque la doble curva de sus orillas iba acentuándose cada vez más. Así lo hicieron, y, a la caída de la tarde, detuviéronse al fondo de una pequeña caleta que había en el ángulo norte del Lago de la Familia.

No se veían en aquel lugar ni un árbol, ni una mata de hierba, ni musgos, ni líquines secos. A falta de combustible, tuvieron que contentarse con las provisiones que contenían los morrales, y a falta de abrigo, con la alfombra de arena, en la que tendieron las mantas.

Durante aquella primera noche, nada turbó el silencio del Desierto de Arena.

CAPITULO XV

A doscientos pasos de la caleta alzábase una duna de unos cincuenta pies de altura, observatorio muy indicado para que Gordon y sus compañeros pudieran tomar una vista más extensa de la región.

Así que hubo salido el sol, apresuráronse a subir aquella duna hasta su cumbre, y desde allí dirigieron inmediatamente el anteojo hacia el Norte.

Si el vasto desierto arenoso se prolongase hasta el litoral, como indicaba el mapa, sería imposible ver el fin, porque el horizonte de mar debía de hallarse a más de doce millas al Norte y a más de siete al Este.

Pareció, pues, inútil volver a subir más allá de la parte septentrional de la isla Chairman.

—¿Y qué vamos a hacer ahora? —preguntó Cross.

—Desandar lo andado —respondió Gordon.

—¡Pero no antes de habernos desayunado! —se apresuró a rectificar Service.

—Pon la mesa —dijo Webb.

—Puesto que hemos de volver atrás —dijo entonces Doniphan—, ¿no podríamos seguir otro camino para regresar a la Cueva del Francés?

—¿Por qué no? —contestó Gordon.

—Y hasta me parece —añadió Doniphan— que sería más completa nuestra expedición, si contorneásemos la orilla derecha del Lago de la Familia.

—Sería un poco más largo —respondió Gordon—. Según el mapa, tendríamos que andar de treinta a cuarenta millas, lo cual requeriría cuatro o cinco días, suponiendo que no se presentase ningún obstáculo en el camino, y en la Cueva del Francés estarían intranquilos; vale más no darles esa inquietud.

—Sin embargo —siguió diciendo Doniphan—, tarde o temprano tendremos que reconocer esta parte de la isla.

—Por supuesto —respondió Gordon—, y con ese objeto pienso organizar una expedición.

—No obstante —dijo Cross—, tiene razón Doniphan. Nos convendría no seguir el mismo camino...

—Convenido —contestó Gordon—, y propongo que sigamos la orilla del lago hasta el río Stop y que luego vayamos directamente al acantilado cuya base recorreremos.

—¿Y por qué volver a bajar por la orilla que ya hemos seguido? —preguntó Wilcox.

—Eso es, Gordon —añadió Doniphan—, ¿por qué no tomar un atajo por esa llanura de arena para llegar a los primeros árboles del Bosque de las Trampas, que no están a más de tres o cuatro millas al Sudoeste?

—Porque siempre nos veremos obligados a cruzar el río del Alto

—respondió Gordon—. Estamos seguros de poder pasar por donde pasamos ayer; mientras que, más abajo, nos veríamos muy apurados si el río se volviera torrencial. Así pues, me parece mucho más prudente no internarnos en la selva hasta después de poner el pie en la orilla izquierda del río del Alto.

—¡Siempre prudente, Gordon! —exclamó Doniphan, con un dejo de ironía.

—Nunca lo seremos demasiado —respondió Gordon.

Entonces dejáronse deslizar todos por el declive de la duna y volvieron al lugar en que habían hecho alto, tomaron un· trozo de galleta y de caza fiambre, enrollaron las mantas, tomaron de nuevo las armas y siguieron a buen paso el camino de la víspera. El cielo era magnífico. Una ligera brisa rizaba apenas las aguas del lago. Podía esperarse un hermoso día. Gordon no pedía sino que el tiempo se mantuviera bueno durante treinta y seis horas más; porque pensaba llegar a la Cueva del Francés en la tarde del día siguiente.

Desde las seis hasta las once de la mañana anduvieron sin trabajo las nueve millas que separaban el río Stop de la punta del mar. No hubo ningún incidente en el camino, salvo que en las proximidades del río mató Doniphan dos soberbias avutardas de plumajpe negro, ocelado de rojo por encima y de blanco por debajo, lo cual le puso de muy buen humor, como también a Service, siempre dispuesto a desplumar, vaciar y guisar un ave cualquiera.

Y eso es lo· que hizo una hora después, cuando sus compañeros y él hubieron pasado sucesivamente el río en la barca de caucho.

—Ya estamos en el bosque —dijo Gordon—, y espero que Baxter encontrará ocasión de lanzar el lazo o las bolas.

—El caso es que hasta ahora no han hecho ninguna maravilla —respondió Doniphan, que tenía poca estima por todo útil de caza que no fuera la carabina o la escopeta.

—¿Qué podían hacer contra pájaros? —replicó Baxter.

—Pájaros o cuadrúpedos, no tengo yo mucha confianza, Baxter.

—Ni yo —añadió Cross, siempre dispuesto a apoyar a su primo.

—Esperad, cuando menos, a que Baxter haya tenido ocasión de servirse de esos útiles y entonces decidiréis —respondió Gordon—. Yo estoy seguro de que dará algún buen golpe. Y si algún día faltan municiones, nunca nos faltarán las bolas y el lazo.

—Pero nada cazaremos con eso —respondió el incorregible muchacho.

—Ya lo veremos —repuso Gordon—. Y, entretanto, vamos a almorzar.

Los preparativos exigieron algún tiempo, pues Service quería que la avutarda estuviera bien asada. Y si ese volátil bastó para satisfacer el apetito de aquellos estómagos jóvenes, es porque realmente era de muy buen tamaño. En efecto, esas especies de avutardas que pesan unas treinta libras y miden cerca de tres pies del pico a la cola, se cuentan entre los mayores ejemplares de la familia de las gallináceas. Verdad es que aquélla fue devorada hasta el último pedazo e incluso hasta el último hueso; porque *Phann*, a quien le dieron el caparazón, no dejó mucho más que sus amos.

Terminado el desayuno los muchachos penetraron en aquella parte aún desconocida del bosque Traps, que el río Stop cruzaba antes de arrojarse al Pacífico. El mapa indicaba que su curso se volvía hacia el Noroeste, contorneando el extremo del acantilado, y que su embocadura estaba situada más allá del promontorio del Cabo Falso. Por eso Gordon resolvió abandonar la orilla del río Stop, en vista de que seguía en una dirección opuesta a la Cueva del Francés, y lo que quería era llegar por el camino más corto a las primeras estribaciones de la montaña de Auckland, para ir a lo largo de su basamento, bajando hacia el Sur.

Después de orientarse con la brújula Gordon se encaminó francamente hacia el Oeste. Los árboles, más espaciados que en la parte sur del bosque Traps, o de las Trampas, dejaban libre paso por un suelo con menos hierbas y malezas.

Entre los abedules y hayas abríanse a veces pequeños claros en que penetraban a torrentes los rayos del sol. Flores silvestres mezclaban allí sus frescos colores al verdor de los arbustos y de la alfombra de hierba. En diversos sitios, soberbias hierbas canas mecían en la punta, unos tallos de dos a tres pies de altura. Cogieron algunas de esas flores, con las que se adornaron las chaquetas Service, Wilcox y Webb. Y entonces Gordon, cuyos conocimientos de botánica habían de aprovechar en más de una ocasión a la pequeña colonia, hizo un descubrimiento muy útil. Acababa de llamarle la atención un arbusto muy tupido, de hojas poco desenvueltas y cuyas ramas, erizadas de espinas, contenían un pequeño fruto rojizo, del tamaño de un guisante.

—Ése es el trulca, si no me engaño —exclamó—. Y es un fruto que usan mucho los indios.

—Si se come —respondió Service—, comámoslo, ya que no cuesta nada.

Y antes de que pudiera impedírselo Gordon, Service mordió dos o tres frutos.

¡Qué mueca hizo y con qué carcajadas recibieron el percance sus compañeros, mientras él despedía la abundante salivación que acababa de producir en sus papilas linguales la acidez de aquel fruto!

—¿Y tú decías que eso se comía, Gordon? —exclamó Service.

—Yo no he dicho de ningún modo que eso se comiera —replicó Gordon—. Si los indios usan esos frutos es para fabricar un licor que obtienen por fermentación, y añadiré que ese licor será un precioso recurso para nosotros, y cuando se nos haya agotado la provisión de brandy, con tal de no fiarse mucho de él porque se sube a la cabeza. Llevémonos un saco de estas trulcas y haremos la prueba en la Cueva del Francés.

El fruto era muy difícil de coger en medio de los miles de espinas que lo rodeaban; pero dando ligeros golpecitos en las ramas, Baxter y Webb hicieron caer al suelo gran cantidad de frutas, llenaron con ellas el zurrón y pusiéronse de nuevo en camino.

Más lejos recogieron también algunas vainas de otro arbusto especial de las tierras cercanas de Sudamérica.

Eran vainas de algarrobo, cuyo fruto produce también por fermentación un licor muy fuerte. Esta vez Service se abstuvo de hincarle los dientes, e hizo bien; porque si la algarroba parece dulce al principio, pronto deja en la boca una sequedad muy dolorosa, y no estando acostumbrado no se puede comer impunemente.

Por último, hicieron también otro descubrimiento no menos importante por la tarde, a un cuarto de milla antes de llegar a la base de la montaña de Auckland. El aspecto de la selva había cambiado y con el aire y el calor que llegaban más abundantemente a los claros los vegetales adquirían un desarrollo soberbio. A sesenta u ochenta pies desplegaban los árboles su exuberante ramaje, en el cual charlaba todo un mundo de pájaros chillones. Entre las más bellas especies distinguíanse el haya antártica, que conserva en toda estación el verde pálido de su follaje. Luego, no tan elevados, pero magníficos también, crecían por grupos algunos de esos *winters* cuya corteza puede reemplazar a la canela, lo cual permitiría al cocinero de la Cueva del Francés sazonar sus salsas. También entre aquellos vegetales reconoció Gordon el pernetia, árbol del té, de la familia de las vaccinieas, que se encuentra hasta en las altas latitudes y cuya hoja aromática produce, por infusión, una bebida muy saludable.

—Esto podrá sustituir nuestra provisión de té —dijo Gordon—. Tomemos unos puñados de estas hojas, y más adelante vendremos a hacer provisión para todo el invierno.

Serían las cuatro cuando llegaron al extremo norte de la montaña de Auckland y aunque en aquel lugar parecía un poco menos elevada que en los alrededores de la Cueva del Francés, hubiera sido imposible subir al otro lado, que se alzaba verticalmente. Pero eso no tenía importancia, ya que sólo se trataba de seguirlo al volver hacia el río Zelanda.

Dos millas más allá, oyóse el murmullo de un torrente que espumeaba al través de una estrecha garganta del acantilado y que fue fácil vadear, un poco más abajo.

—Este debe ser el río que descubrimos en nuestra primera expedición al lago —dijo Doniphan.

—¿Aquel en que había la pequeña calzada de piedra? —preguntó Gordon.

—El mismo —respondió Doniphan— y al que, por esa razón, hemos dado el nombre de río del Dique.

—Pues bien, acampemos en su orilla derecha —siguió diciendo Gordon—. Son ya las cinco, y puesto que aún hemos de pasar otra noche al aire libre, vale más hacerlo junto a este río y al abrigo de árboles corpulentos. Mañana por la noche, si no se presenta ningún obstáculo, supongo que dormiremos en nuestras camitas del zaguán.

Service se cuidó entonces de la cena, para la que había reservado la segunda avutarda. Era otro asado, ¡siempre asado!, pero no hubiera sido justo reprochárselo a Service, que apenas podía variar de comida.

Entretanto Gordon y Baxter se adentraron por el bosque, uno en busca de nuevos arbustos o nuevas plantas y el otro con la intención de utilizar el lazo y las bolas, aunque sólo fuera para terminar con las burlas de Doniphan.

Ambos habían dado unos cien pasos por el oquedal, cuando Gordon, llamando a Baxter por señas, le mostró un grupo de animales que retozaban en la hierba.

—¿Cabras? —dijo en voz baja Baxter.

—Por lo menos así parecen —respondió Gordon—. Procuraremos cogerlas...

—¿Vivas?

—Sí, Baxter, vivas: y gracias a que no está con nosotros Doniphan; pues ya hubiera matado a alguna de un tiro y ahuyentado a las demás. Acerquémonos despacito, sin que nos vean.

Aquellos graciosos animales, en número de media docena, no se habían espantado. Sin embargo, presintiendo algún peligro, una de las cabras, sin duda la madre, olfateaba el aire y se mantenía vigilante, pronta a escapar con su rebaño.

De pronto oyóse un silbido. Las bolas acababan de escaparse de la mano de Baxter, que sólo estaba a unos veinte pasos del grupo. Lanzadas diestra y vigorosamente, arrolláronse alrededor de una de las cabras, en tanto que las otras desaparecían por la espesura del bosque, Gordon y Baxter corrieron hasta la cabra, que en vano intentaba desprenderse de las bolas. La cogieron, la dejaron en imposibilidad de huir y, con ella, fueron cogidos dos cabritos, a los que el instinto había retenido junto a la madre.

—¡Hurra! —exclamó Baxter, a quien la alegría volvía expresivo—. ¡Hurra! ¿Son efectivamente cabras?

—No —dijo Gordon—. Más bien creo que sean vicuñas.

—¿Y dan leche estos animales?

—¡Ya lo creo!

—¡Pues sean bien venidas las vicuñas!

No se equivocaba Gordon. En realidad, las vicuñas se parecen a las cabras; pero tienen las patas largas, el vellón fino y corto como seda, y la cabeza pequeña y sin cuernos. Esos animales viven principalmente en las Pampas de América y en las proximidades del Estrecho de Magallanes.

Puede el lector imaginarse fácilmente el recibimiento que se hizo a Gordon y a Baxter cuando volvieron al campamento, el uno tirando de la vicuña por la cuerda de las bolas, y el otro con un cabrito bajo cada brazo. Puesto que su madre seguiría amamantándolos, probablemente se les podría domesticar sin gran trabajo. Tal vez fuera aquélla la base de un futuro rebaño, que no dejaría de ser muy útil a la pequeña colonia. Por supuesto, que Doniphan lamentó el tiro que hubiera podido disparar; pero como se trataba de coger la caza viva, y no de matarla, hubo de reconocer que las bolas valían más que las armas de fuego. Cenaron. La vicuña, atada a un árbol, no se negó a pacer, mientras sus pequeños brincaban en torno suyo.

Sin embargo, la noche no fue tan apacible como lo fue en las llanuras del Desierto de Arena. Aquella parte de la selva recibía la visita de animales más temibles que los chacales, porque tienen algo de rugido y de ladrido a la vez. Así, a eso de las tres de la mañana, produjose cierta alarma debida esta vez a verdaderos rugidos que resonaban en las cercanías.

Doniphan, de guardia junto al fuego, con la escopeta al alcance de la mano, no creyó al principio deber avisar a sus compañeros. Pero llegaron a ser tan violentos los rugidos, que Gordon y los demás se despertaron por sí solos.

—¿Qué pasa? —preguntó Wilcox.

—Debe de ser una manada de fieras que rondan por las inmediaciones —dijo Doniphan.

—Serán, probablemente, jaguares o pumas —respondió Gordon.

—Unos y otros vienen a lo mismo.

—No del todo, Doniphan; el puma es menos peligroso que el jaguar; pero, en manada, son carniceros muy temibles.

—Estamos preparados para recibirlos —respondió Doniphan. Y se puso a la defensiva, mientras sus compañeros se armaban con rapidez de revólveres.

—No disparéis más que sobre seguro —recomendó Gordon—. Por lo demás, creo que el fuego impedirá a esos animales acercarse...

—No están lejos —exclamó Cross.

En efecto, la manada debía de estar muy cerca del campamento, a juzgar por el furor de *Phann*, al que Gordon retenía a duras penas. Pero no había medio de distinguir ninguna silueta a través de la profunda oscuridad del bosque.

Sin duda aquellas fieras tendrían la costumbre de ir de noche a apagar la sed en aquel lugar, y al encontrar ocupado el sitio demostraban su disgusto con espantosos rugidos. ¿Se contentarían con eso y no habría que rechazar una agresión, cuyas consecuencias podrían ser graves...? De pronto, a menos de veinte pasos, aparecieron en las tinieblas unos puntos claros y móviles, y casi al mismo tiempo, oyóse una detonación.

Doniphan acababa de disparar la escopeta, a la que respondieron rugidos más violentos. Él y sus compañeros, revólver en mano, estaban prontos a hacer fuego, si las fieras se arrojaban contra el campamento.

Baxter cogió entonces una tea encendida, lanzándola vigorosamente por la parte en que habían aparecido aquellos ojos, que brillaban como ascuas.

Un momento después, las fieras, una de las cuales debió de ser herida por Doniphan, habían dejado aquel lugar, perdiéndose por las profundidades del bosque Traps.

—¡Se han ido! —exclamó Cross.

—¡Buen viaje! —añadió Service.

—¿No volverán? —preguntó Cross.

—No es probable —respondió Gordon—; pero vigilemos hasta que sea de día.

Echaron más leña a la hoguera, cuyo vivo resplandor conservaron hasta los primeros rayos del alba. Levantaron el campo y los muchachos entraron en el oquedal para ver si el disparo había dado muerte a alguno de los animales.

A veinte pasos de allí, había en el suelo una gran mancha de sangre. El animal pudo huir, pero hubiera sido fácil encontrarle lanzando tras su rastro a *Phann* si Gordon no hubiera creído inútil internarse más en la selva.

La cuestión de saber si se trataba de jaguares, pumas o de otros animales no menos peligrosos no pudo aclararse; pero lo importante era que Gordon y sus compañeros habían salido sanos y salvos.

Partieron de nuevo a las seis de la mañana; no hubo tiempo que perder, si querían cubrir en el día las nueve millas que separaban el río del Dique de la Cueva del Francés. Como Service y Webb cargaron con las dos jóvenes vicuñas, la madre no se hizo rogar para seguir dócilmente a Baxter, que la llevaba atada a una cuerda.

Poco variado era el camino de la montaña de Auckland. A la izquierda extendíase una cortina de árboles, unas veces dispuestos en macizos casi impenetrables, y agrupados otras a los bordes de los claros. A la derecha, alzábase una muralla a pico veteada de lechos de guijarros, empotrados en la piedra caliza y cuya altura aumentaba a medida que se inclinaba hacia el Sur.

A las once hicieron el primer alto para almorzar y, con objeto de no perder tiempo, recurrieron a la reserva de los morrales y prosiguieron al momento el camino.

Marchaban rápidamente; parecía que nada vendría a retardarlos, cuando, a eso de las tres de la tarde, estalló entre los árboles otro disparo.

Doniphan, Webb y Cross, acompañados de *Phann*, habían adelantado unos cien pasos. y sus compañeros no podían ya verlos, cuando se oyeron estos gritos:

—¡Cuidado...! ¡Cuidado...!

¿Tenían por objeto esas voces advertir a Gordon, Wilcox, Baxter y Service que se pusieran en guardia?

Súbitamente, a través de la espesura, apareció un animal de gran tamaño. Baxter, que acababa de desenrollar el lazo, lo arrojó, con tanto acierto, que el nudo corredizo se arrolló en el cuello del animal, que en vano intentó quitárselo. Pero, como era vigoroso, hubiera arrastrado a Baxter, si Gordon, Wilcox y Service no cogieran la punta del lazo, que consiguieron atar al tronco de un árbol.

Casi al mismo tiempo, salieron del bosque Webb y Cross, seguidos de Doniphan, que exclamó malhumorado:

—¡Maldito animal...! ¿Cómo no le habré dado?

—Baxter no le ha fallado —respondió Service—, y le hemos cogido vivo y bien vivo.

—¿Qué importa, si, después de todo, habrá que matarlo? —replicó Doniphan.

—¿Matarlo? —repuso Gordon—. ¡Matarlo, cuando viene tan oportunamente para servirnos de animal de tiro!

—¿Ese animal? —eclamó Service.

—Es un guanaco —respondió Gordon—. Y los guanacos representan muy buen papel en los acaballaderos de la América del Sur.

En el fondo, por útil que pudiera ser el animal, Doniphan sintió mucho no haberle dado muerte, pero se guardó bien de decirlo, y acercóse a examinar aquel hermoso ejemplar de la fauna de la isla de Chairman.

Aunque en la Historia Natural se clasifica al guanaco en la familia de los camellos, no se parece nada al animal que lleva ese nombre, tan común en el África septentrional. Aquél, con su cuello afilado, su fina cabeza y sus piernas largas y algo delgadas, lo que revela la agilidad de sus movimientos, el pelaje leonado, con manchas blancas, no sería inferior a los más hermosos caballos de raza americana. Seguramente podrían emplearlo en rápidas carreras si podían domesticarlo primero y domarlo después, como al parecer hacen con bastante facilidad en las haciendas de las Pampas argentinas.

Además, el animal era bastante tímido y ni intentó siquiera escapar. Así que Baxter hubo aflojado el nudo corredizo que le ahogaba, fue fácil conducirlo por el mismo lazo, como si fuera un ronzal.

Decididamente, aquella excursión al norte del Lago de la Familia iba a ser provechosa para la colonia. El guanaco, la vicuña y sus dos crías, el descubrimiento del árbol del té, de las algarrobas y trulcas, merecía que hicieran buen recibimiento a Gordon y, sobre todo, a Baxter, que, como no tenía nada de la vanidad de Doniphan, no pretendía en modo alguno vanagloriarse de sus éxitos. El caso es que Gordon se alegró mucho de ver que las bolas y el lazo habían de prestar verdaderos servicios. Indudablemente, Doniphan era un cazador experto, con el cual debían contar llegado el caso; pero su destreza costaba siempre alguna carga de pólvora y perdigones; por lo cual, Gordon se proponía animar a sus compañeros a que se sirvieran de estos útiles de caza que tan ventajosamente usan los indios.

Según el mapa, aún quedaban cuatro millas para llegar a la Cueva del Francés, y se dieron prisa, para estar allí antes de la noche. Por cierto que no faltaron a Service ganas de montarse en el guanaco y hacer su entrada en tan «magnífico corcel». Pero Gordon no quiso permitírselo, pues era preferible esperar que el animal estuviera adiestrado para servir de cabalgadura.

—Supongo que no respingará mucho —dijo—. Y en el caso, poco probable, de que no quisiera dejarse montar, habrá de consentir, por lo menos, en tirar de nuestro carro. Por lo tanto, paciencia, Service, y no te olvides de la lección que te dio el avestruz.

A eso de las seis, llegaban a la vista de la Cueva del Francés.

El niño Costar, que jugaba en la Terraza del Deporte, anunció la llegada de Gordon. Inmediatamente acudieron Briant y los demás, y recibieron con alegres hurras la vuelta de los exploradores, después de aquellos días de ausencia.

SEGUNDA PARTE

CAPITULO I

Nada de particular acaeció en la Cueva del Francés durante la ausencia de Gordon, y el jefe de la pequeña colonia tuvo motivos para estar satisfecho de Briant, a quien los pequeños demostraban sincero cariño. Y el mismo Doniphan, a no ser por su carácter altivo y envidioso, hubiera apreciado en su verdadero valor las buenas cualidades de su compañero, mas no fue así, y, gracias al ascendiente que había tomado sobre Wilcox, Webb y Cross, éstos le sostenían gustosos cuando se trataba de llevar la contraria al joven francés, tan distinto, por sus modales y su carácter, de sus compañeros de origen anglosajón.

Pero Briant no paraba mientes en estas cosas; hacía lo que consideraba su deber, sin preocuparse nunca de lo que de él pensasen. Su mayor preocupación era la inexplicable actitud de su hermano Santiago.

Últimamente Briant había acosado a preguntas a su hermano, sin obtener más contestación que ésta:

—No... hermano... no... No tengo nada.

—No quieres hablar, Santiago, y haces mal, pues sería un alivio, tanto para ti como para mí... Observo que te vuelves cada vez más triste, más sombrío... Vamos a ver... Yo soy tu hermano mayor y tengo derecho a saber la causa de tu pena... ¿Qué tienes que reprocharte?

—¡Ay, hermano...! —respondió, por fin, Santiago, cual si no pudiera resistir algún remordimiento secreto—. Tal vez me perdonarías tú... lo que he hecho... Mientras que los demás...

—¿Los demás? ¿Los demás...? —exclamó Briant—. ¿Qué quieres decir, Santiago?

El niño rompió a llorar; pero, a pesar de la insistencia de su hermano, no añadió sino estas palabras:

—Ya lo sabrás más adelante.

Después de esta respuesta, se comprende cuál sería la inquietud de Briant. ¿Qué habría hecho Santiago en su pasado? He ahí lo que a toda costa quería saber Briant. Así que estuvo de vuelta Gordon, le habló de esa semiconfesión arrancada a su hermano, y suplicóle que interviniera en este asunto.

—¿Para qué? —le respondió prudentemente Gordon—. Vale más dejar a Santiago que obre por su propio impulso. En cuanto a lo que haya podido hacer... será sin duda alguna travesura cuya importancia exagera... Esperemos a que se explique por sí mismo.

Al día siguiente, 9 de noviembre, pusiéronse de nuevo a trabajar los jóvenes colonos. No faltaba quehacer. En primer lugar, había que atender a las reclamaciones de Mokó, cuya despensa empezaba a vaciarse, aunque las trampas tendidas en las inmediaciones de la Cueva del Francés funcionaron varias veces. En realidad, lo que faltaba era la caza mayor, y, por consiguiente, era menester pensar en la construcción de trampas bastante sólidas para que las vicuñas, los saínos y güemules se dejaran coger en ellas, sin perder un perdigón ni un gramo de pólvora.

Y a esta clase de trabajo dedicaron los mayores todo el mes de noviembre, que es el mayo de las latitudes del hemisferio septentrional.

El guanaco, la vicuña y sus dos crías, en cuanto llegaron, fueron instalados provisionalmente entre los árboles más próximos a la Cueva del Francés. Allí, atáronlos con largas cuerdas que les permitían moverse en un cierto radio. Durante el período de los días largos, ya bastaría eso; pero se imponía la instalación de un abrigo más conveniente, antes de que llegase el invierno; por lo cual, Gordon decidió construir un cobertizo y un cercado protegidos por altas empalizadas, al pie de la montaña de Auckland, por la parte del lago, un poco más allá de la puerta del zaguán. Empezaron las obras y organizóse un verdadero taller bajo la dirección de Baxter. Daba gusto ver a aquellos celosos muchachos manejar, con más o menos destreza, las herramientas que encontraron en el arca de la carpintería del *schooner*: unos la sierra, òtros el hecha o la azada. Y aunque a veces estropeaban el trabajo, no por eso se desanimaban. Unos árboles de mediano grueso, cortados por la raíz y bien desramados, suministraban el número de estacas necesario para cercar un espacio lo bastante grande para que pudieran vivir cómodamente en él una docena de animales. Aquellos troncos, hincados sólidamente en el suelo, unidos entre sí por traviesas, podían resistir todas las tentativas de los animales dañinos que pretendieran derribarlos o salvarlos. En cuanto al cobertizo, fue construido con las bordas del «Sloughi», lo cual evitó a los jóvenes carpinteros el trabajo de partir los árboles en tablas, trabajo muy difícil en aquellas condiciones. Cubrieron luego el techo con una tela embreada gruesa, para que no tuvieran nada que temer de las ráfagas de viento. Una buena y espesa cama, que se renovaría con frecuencia, un fresco alimento de hierbas, musgo y follaje, del que harían amplia provisión, era todo cuanto se necesitaba para conservar en buen estado los animales domésticos. Garnett y Service, encargados particularmente del sostenimiento del cercado, fueron pronto recompensados de sus fatigas, al ver al guanaco y la vicuña domesticarse cada vez más.

Por añadidura, el cercado no tardó en recibir nuevos huéspedes, en primer lugar otro guanaco que había caído en una de las trampas de la selva, y después una pareja de vicuñas, macho y hembra, de que Baxter se apoderó, ayudado por Wilcox, que también empezaba a manejar diestramente las bolas. Hubo también un ñandú a quien había perseguido *Phann*; pero pronto se convencieron de que ocurriría con él lo mismo que con el primero, pues a pesar de la buena voluntad de Service, que se empeñó en domesticarlo, nada se pudo conseguir.

Excusado es decir que hasta el momento en que se terminó el cobertizo al guanaco y la vicuña los metían todas las noches en el almacén. Gritos de chacales y de zorras, rugidos de fieras resonaban muy cerca de la Cueva del Francés, y por eso no era prudente dejar fuera aquellos animales.

Mientras Garnett y Service se cuidaban más especialmente del ganado, Wilcox y algunos de sus compañeros no dejaban de preparar lazos y trampas, que iban a ver todos los días. Además, hubo también trabajò para dos de los pequeños, Iverson y Jenkins; porque los faisanes, gallinas y martinetas necesitaron un corral que Gordon mandó construir en un rincón del cercado, y a aquellos niños se les recomendó la misión de cuidar de él, lo que hicieron con gran celo.

Como se ve, Mokó tenía ya a su disposición no sólo la leche de las vicuñas, sino también los huevos de las aves, y seguramente hubiera preparado muchas veces algunos manjares de su cosecha, si Gordon no le recomendara economizar el azúcar. Y así, sólo los domingos y algunos otros días de fiesta, veíase aparecer en la mesa un plato extraordinario, con el que se regalaban, ansiosos, Dole y Costar.

Sin embargo, ya que era imposible fabricar azúcar, ¿no podrían encontrar una sustancia propia para sustituirlo? Service, con sus *Robinsones* en la mano, sostenía que no había más que buscar. Gordon buscó, pues, y acabó por descubrir en el bosque de Traps un grupo de árboles que, tres meses después, en los primeros días de otoño, habían de cubrirse de un follaje purpúreo del más bonito efecto.

—Son arces —dijo—, árboles del azúcar.

—¿Árboles de azúcar? —exclamó Costar.

—No, goloso —respondió Gordon—. No son árboles de azúcar, pero pueden producirlo.

Era ése uno de los descubrimientos más importantes que hicieron los jóvenes colonos desde su instalación en la Cueva del Francés. Practicando una incisión en el tronco de esos arces, obtuvo Gordon un líquido, producido por la condensación, y esa savia, al solidificarse, daba una materia azucarada. Aunque inferior en condiciones sacarinas a los jugos de la caña y de la remolacha, no dejaba de ser preciosa aquella sustancia para las necesidades de la cocina y mucho mejor que los productos similares que se extraen del abedul durante la primavera.

Tenían ya azúcar, y, por lo tanto, no tardaron en tener licor. Siguiendo los consejos de Gordon, Mokó intentó tratar por fermentación los granos de trulca y de algarrobo. Después de triturados en un cubo, con una pesada mano de mortero de madera, aquellos granos suministraron un líquido alcohólico cuyo sabor hubiera bastado para endulzar las bebidas calientes a falta de azúcar de arce. En cuanto a las hojas cogidas del árbol del té, reconocieron que valían casi tanto como la aromática planta china, y por eso, los exploradores, en sus excursiones por la selva, nunca dejaron de hacer una abundante cosecha.

En resumen, la isla Chairman suministraba a sus habitantes, ya que no lo superfluo, cuando menos lo necesario. Lo que faltaba, y era muy de lamentar, eran las legumbres frescas, y tuvieron que contentarse con tomarlas en conserva, de las que tenían unas cien latas, que Gordon escatimaba lo más posible. Ya había intentado Briant cultivar aquellos ajos, vueltos al estado silvestre, que el náufrago francés sembró al pie del acantilado. Vana tentativa. Por fortuna, el apio, como ya hemos dicho, crecía con abundancia en las orillas del Lago de la Familia, y como no había necesidad de economizarlo, reemplazaba no sin ventaja a las legumbres frescas.

Inútil es decir que las redes de pescar que en invierno tenían en el río se transformaban en redes de caza en cuanto llegaba la buena estación, y entre otros volátiles, cogieron perdices pequeñas, que sin duda procedían de tierras situadas lejos de la isla.

Doniphan hubiera querido explorar la vasta región del Pantano del Sur, más allá del río Zelanda; pero era peligroso aventurarse a través de aquellos pantanos que cubrían en gran parte las aguas del lago, mezcladas con las aguas del mar en la época de las crecidas.

Wilcox y Webb capturaron también gran número de acures del tamaño de liebres, cuya carne blanquecina, algo seca, tiene algo de la del conejo y de la del cerdo. Para cazarlos cuando se hallaban en sus madrigueras, bastaba silbar ligeramente para traerlos al orificio de entrada y apoderarse de ellos. Varias veces cobraron también los jóvenes cazadores mofetas, zorrillas casi iguales a las martas, de hermosa piel negra a listas blancas, pero que despedían fétidas emanaciones.

—¿Cómo podrán soportar semejante olor? —preguntó un día Iverson.

—¡Bah...! Cuestión de costumbre —respondió Service.

El río suministraba su contingente de galaxias, el Lago de la Familia, poblado de especies mayores, producía, entre otras, hermosas truchas, que, a pesar de la cocción, conservaban un sabor algo salobre. Verdad es que siempre quedaba el recurso de ir a pescar entre las aguas de la bahía Sloughi aquellas variedades de merluzas que se refugiaban allí por miríadas. Además, cuando llegase el momento en que los salmones intentaran ir contra la corriente del río Zelanda, Mokó procuraría hacer provisión de esos pescados, que, conservados en sal, asegurarían un excelente alimento para el invierno.

En aquella época, a petición de Gordon y Baxter, con ramas elásticas de fresnos, fabricó unos arcos y flechas con cañas, armadas de un clavo en su punta, lo cual permitió a Wilcox y a Cross, los más diestros después de Doniphan, cazar de vez en cuando algunas piezas pequeñas. A todo esto, aunque Gordon seguía oponiéndose a gastar municiones, sobrevino una circunstancia en la que tuvo que apartarse de su acostumbrada economía. Un día, el 7 de diciembre, llamóle aparte Doniphan y le dijo:

—Gordon, estamos infestados de chacales y zorras. Vienen de noche en manadas y destruyen las trampas, al mismo tiempo que la caza que en ellas ha caído... Hay que acabar de una vez con esos animales.

—¿No se podrían tender más lazos? —dijo Gordon, al ver a donde quería ir a parar su amigo.

—¿Lazos? —respondió Doniphan, que no había perdido nada de su acostumbrado desdén por tan vulgares útiles de caza—. ¿Lazos...? Pase, si se tratara de chacales, que son lo bastante estúpidos para dejarse coger a veces; pero tratándose de zorras, varía la cosa. Esos animales son muy astutos y desconfiados. A pesar de cuantas precauciones toma Wilcox, cualquier noche quedará devastado el cercado y no nos dejarán ni una sola ave en el corral.

—Pues bien, ya que es necesario —respondió Gordon—, concedo unas docenas de cartuchos; pero, sobre todo, procurad no disparar más que sobre seguro.

—Bien... Puedes contar con ello, Gordon. Esta noche nos embarcaremos al paso de esos animales y haremos tal matanza que no los volveremos a ver en mucho tiempo.

Urgía exterminarlas. Las zorras de aquellas regiones, particularmente las de América del Sur, parecen más astutas que sus congéneres de Europa, causan enormes estragos en las inmediaciones de las haciendas y tienen bastante inteligencia para cortar las correas que retiene a los caballos o al ganado en los pastos.

Llegada la noche, Doniphan, Briant, Wilcox, Baxter, Webb, Cross y Service, apostáronse en las cercanías de un «covert», nombre que dan en el Reino Unido a amplios espacios de terreno sembrado de matorrales y maleza. Ese «covert» estaba situado cerca del bosque de Traps, por la parte del lago.

No invitaron a *Phann* a que les acompañara, porque más bien les hubiera servido de estorbo, pues daría la señal de alarma a las zorras. Además, no se trataba de buscar una pista, porque la zorra, aun en el calor de su carrera, no deja tras de sí absolutamente nada de su tufillo, o, por lo menos, son tan ligeras sus emanaciones que no podrían reconocerlas los mejores perros.

Eran las doce cuando Doniphan y sus compañeros se pusieron en acecho, entre las matas de brezos silvestres que orillaban el «covert».

Un profundo silencio, no turbado siquiera por el más ligero soplo de la brisa, permitía oír a las zorras deslizarse por las hierbas secas.

Poco después de las doce de la noche, señaló Doniphan la aproximación de una manada de esos animales, que cruzaba el «covert» para ir a beber al lago.

Los cazadores esperaron, no sin impaciencia, a que las zorras estuvieran reunidas en número de veinte, lo cual llevó cierto tiempo, porque avanzaban con gran circunspección, como si sintieran alguna emboscada. De pronto, a una señal de Doniphan, sonaron varios disparos; todos dieron en el blanco, y cinco o seis zorras rodaron por el suelo, mientras las demás, enloquecidas, corriendo a derecha y a izquierda, fueron mortalmente heridas en su mayoría.

Al amanecer, encontraron diez de esos animales tendidos entre la hierba; y como esa matanza se repitió durante tres noches seguidas, pronto quedó libre la colina de tan desagradables visitas, que ponían en peligro a los huéspedes del cercado. Además, les valió unas cincuenta hermosas pieles de un gris plateado que, ya en forma de alfombras, ya a modo de vestidos, añadieron comodidades a la Cueva del Francés.

El 15 de diciembre emprendieron una gran expedición a la bahía de Sloughi. Como el tiempo era espléndido, Gordon decidió que en ella tomaran parte todos, lo cual acogieron los más pequeños con grandes demostraciones de alegría.

Partiendo con el alba, podrían regresar probablemente antes de la noche, y si sobrevenía algún retraso, todo se reduciría a que acampasen entre los árboles.

La expedición tenía por principal objeto dar caza a las focas que frecuentaban la Costa del Naufragio en la época de los fríos. Las luces, gastadas abundantemente durante las tardes y noches de aquel largo invierno, estaban a punto de agotarse; de la provisión de candelas fabricadas por el náufrago francés no quedaban más que dos o tres docenas, y en cuanto al aceite contenido en los barriles del «Sloughi», y que servía para alimentar los faroles del zaguán, se había consumido ya la mayor parte, lo que preocupaba muy seriamente al siempre previsor Gordon.

Cierto es que Mokó pudo reservar una gran cantidad de las grasas que le suministraba la caza, rumiantes, roedores y volátiles; pero aún es más cierto que esas grasas se agotarían rápidamente con el consumo diario. ¿Y no sería posible reemplazarlas por una sustancia que la naturaleza produjera ya del todo preparada o algo menos? A falta de aceite vegetal, ¿no podría la colonia asegurarse existencias infinitas, por decirlo así, de aceites animales?

Sí, indudablemente, si los cazadores conseguían matar cierto número de aquellas focas, de aquellos pájaros que iban a solazarse al banco de arrecifes de la bahía de Sloughi durante la estación calurosa. Es más, había que darse prisa, porque tales anfibios no tardarían en buscar aguas más meridionales en los parajes del océano Antártico. Por esta razón, la expedición proyectada tenía gran importancia, y se hicieron los preparativos de manera que pudiese dar buenos resultados.

Hacía ya tiempo que Service y Garnett aplicáronse con éxito a adiestrar a los dos guanacos para animales de tiro. Baxter les había fabricado un cabestro de hierbas, envueltas en gruesa lona de velas; y si aún no los montaban, a lo menos se les podía enganchar el carro, que siempre era preferible que engancharsen los mismos chicos.

Aquel día cargaron el carro con municiones y diversos utensilios, entre otros, una enorme caldera y media docena de barriles vacíos, que habían de volver repletos de aceite de foca, pues valía más despedazar esos animales en el sitio en que los cogieran, que llevarlos a la Cueva del Francés, donde apestarían el aire con sus olores malsanos.

Efectuóse la partida al salir el sol, y se hizo la marcha sin dificultad durante las dos primeras horas. Si el carro no fue muy de prisa, debióse a que el suelo desigual de la orilla derecha del río Zelanda no se prestaba mucho a la tracción de los guanacos. Pero luego se volvió muy difícil la marcha cuando la pequeña caravana contorneó el marjal entre los árboles de la selva. Resintiéronse de ello las piernecitas de Dole y de Costar, por lo que Gordon, a instancias de Briant, tuvo que autorizarles a instalarse en el carro, para que descansaran sin necesidad de detenerse.

A eso de las ocho, mientras el vehículo atravesaba penosamente los límites del marjal, los gritos de Cross y de Webb, que caminaban un poco delante, hicieron acudir primero a Doniphan y luego a los demás.

En aquel lugar, a unos cien pasos de distancia, revolcábase un enorme animal, que el joven cazador reconoció inmediatamente. Era un hipopótamo grueso que, por fortuna para él, desapareció por el pantano antes que pudiera dispararle. Por lo demás, ¿a qué hubiera conducido tan inútil disparo?

—¿Qué animal es ése tan grande? —preguntó Dole, intranquilo sólo por haberlo visto.

—Es un hipopótamo —le respondió Gordon.

—¿Un hipopótamo? ¡Qué nombre tan extraño!

—Es como si dijéramos un caballo de río —dijo Briant.

—Pero no se parece en nada a un caballo —repuso muy oportunamente Costar.

—No —exclamó Service—, creo que sería mejor llamarlo cerdopótamo.

Reflexión que no carecía de exactitud y que provocó la alegre risa de los pequeños.

Serían poco más de las diez de la mañana cuando desembocó Gordon en la playa de la bahía de Sloughi, e hicieron alto junto a la orilla del río, en el lugar donde instalaron el primer campamento cuando fue demolido el yate.

Había allí un centenar de focas brincando entre las rocas, calentándose al sol. Y hasta las había retozando en la arena.

No debían de estar muy familiarizados aquellos animales con la presencia del hombre. Después de todo, tal vez no hubieran visto nunca un ser humano, ya que la muerte del náufrago francés se remontaba a más de veinte años. Por eso, aunque sea una medida de prudencia habitual por los parajes árticos o antárticos, los más viejos del grupo no se pusieron en guardia para vigilar el peligro. Sin embargo, convenía no espantarlos anticipadamente, porque abandonarían el lugar en pocos instantes.

Y, ante todo, así que llegaron frente a la bahía de Sloughi, los jóvenes colonos dirigieron su mirada hacia aquel horizonte tan ampliamente recortado entre los cabos Americano y Falso Mar.

El mar estaba absolutamente desierto. Una vez más habían de reconocer que aquellos parajes parecían situados fuera de las rutas marítimas.

No obstante, podía suceder que algún buque pasase a la vista de la isla, y en ese caso, un puesto de observación instalado en la cumbre de la montaña de Auckland o hasta en la cúspide del cabo Falso Mar, al cual se hubiera subido uno de los cañones del *schooner*, valdría más que el mástil de señales para llamar la atención. Pero eso sería obligarse a permanecer en guardia en aquel puesto día y noche, y, por consiguiente, lejos de la Cueva del Francés, por lo cual Gordon consideraba impracticable esa medida. Y así tuvo que reconocerlo también Briant, a quien seguía preocupando la cuestión de la repatriación. Lo más lamentable era que la Cueva del Francés no estuviera situada en aquella parte de la montaña de Auckland, enfrente de la bahía de Sloughi.

Después de una rápida comida, en el momento en que el sol de mediodía invitaba a las focas a calentarse en la playa, Gordon, Briant, Doniphan, Baxter, Cross, Webb, Wilcox, Garnett y Service se prepararon a darles caza, y durante esta operación Iverson, Jenkins, Santiago, Dole y Costar habían de permanecer en el campamento, bajo la custodia de Mokó, al mismo tiempo que *Phann*, a quien no convenía dejar en medio de aquel grupo de anfibios. Además, tenían que velar por los dos guanacos, que se pusieron a pacer entre los primeros árboles de la selva.

Llevaban todas las armas de fuego de la colonia, escopetas y revólveres, con suficiente cantidad de municiones, que esta vez no regateó Gordon por tratarse del interés general, ya que el abastecimiento se imponía.

Lo primero que debían intentar era cortar la retirada a las focas por el lado del mar. Doniphan, a quien sus compañeros dejaron gustosos el cuidado de dirigir la maniobra, les hizo bajar por el río hasta su embocadura, escondiéndose al abrigo de la orilla, y así les sería fácil caminar a lo largo de los arrecifes, para cercar la playa.

El plan fue ejecutado con mucha prudencia, y los jóvenes cazadores, esparcidos de treinta a cuarenta pasos unos de otros, pronto formaron un semicírculo entre la playa y el mar. Entonces, a una señal que dio Doniphan, levantáronse todos a la vez, sonaron simultáneamente las detonaciones y cada disparo produjo una víctima.

Las focas que salieron ilesas se levantaron, agitando la cola y las aletas, y asustadas, sobre todo por el ruido de las detonaciones, precipitáronse a saltos hacia los arrecifes.

Las persiguieron a tiros de revólver. Doniphan, entregado por completo a sus instintos, hizo maravillas, en tanto que sus compañeros le imitaban lo mejor que podían.

Aquella matanza no duró más que unos minutos, aunque los anfibios fueron perseguidos hasta el borde de las últimas rocas, más allá de las cuales desaparecieron los supervivientes, dejando en la playa unos veinte entre muertos y heridos.

La expedición dio magníficos resultados y los cazadores, de vuelta al campamento, instaláronse entre los árboles, de manera que pudieran pasar allí treinta y seis horas.

Dedicaron la tarde a un trabajo que no dejaba de ser muy repugnante; en él participó personalmente Gordon, y como era una tarea indispensable, todos la efectuaron muy decididos. En primer lugar, tuvieron que llevar a la arena a las focas que habían caído entre los arrecifes, y aunque tales animales no eran de gran tamaño, les dio bastante trabajo el transporte. Entretanto, Mokó había puesto la caldera encima de una hoguera formada entre dos grandes piedras. Los cuartos de foca, cortados en pedazos de cinco o seis libras cada uno, fueron metidos en la caldera, previamente llena de agua dulce sacada del río a la hora de la bajamar, y bastaron unos minutos para que la ebullición desprendiera un aceite claro que sobrenadó en la superficie y con el cual fueron llenando sucesivamente los barriles.

Aquel trabajo hizo insoportable la permanencia en aquel lugar, por la peste que se desprendía de la caldera. Todos se tapaban las narices, pero no los oídos, lo que permitía oír las bromas que tan desagradable operación suscitaba. Ni aun el delicado «lord Doniphan» puso mala cara ante la tarea, que fue continuada al día siguiente.

Al terminarse este segundo día, Mokó había recogido ya varios cientos de galones de aceite, y les pareció suficiente, puesto que quedaba asegurado el alumbrado de la Cueva del Francés para todo el invierno siguiente. Esto aparte, no volvieron las focas a los arrecifes ni a la playa, y seguramente no se presentarían de nuevo en el litoral de la Bahía de Sloughi hasta que con el transcurso del tiempo se les olvidara su terror.

A la mañana siguiente levantaron el campo en cuanto amaneció, y puede asegurarse que lo hicieron con gran satisfacción. La víspera por la noche cargaron en el carro los barriles, herramientas y utensilios, y como había de ser más pesado el regreso que la ida, los guanacos no podrían arrastralo muy de prisa, porque el suelo subía sensiblemente en dirección al Lago de la Familia.

En el momento de la partida invadieron el aire los ensordecedores gritos de mil aves de rapia, borníes y halcones que, procedentes del interior de la isla, ensañáronse en los despojos de las focas, de los que pronto no quedaría el menor rastro.

Después de enviar un postrer saludo a la bandera del Reino Unido que ondeaba en la cumbre de la montaña de Auckland, y de echar un último vistazo al Pacífico, púsose en marcha la pequeña caravana subiendo por la orilla derecha del Zelanda.

No ocurrió ningún incidente durante el regreso. A pesar de los obstáculos del camino, los guanacos cumplieron también su misión, los mayores ayudaron tan oportunamente en los pasajes difíciles, que todos ellos llegaron a la Cueva del Francés antes de las seis de la tarde.

El día siguiente y los sucesivos fueron dedicados a los trabajos habituales. Probaron el aceite de foca en los faroles y vieron que la luz que daba, aunque de calidad bastante mediana, bastaría para iluminar el zaguán y el almacén. Por lo tanto, ya no era de temer quedarse en la oscuridad durante los largos meses de invierno.

A todo esto, acercábase el día de Navidad, que tan alegremente celebraban los anglosajones, y Gordon, no sin motivo, quiso celebrarlo con cierta solemnidad. Sería como un recuerdo dirigido al país perdido, como un vuelo del corazón hacia las familias ausentes. Si aquellos niños hubieran podido hacerse oír, ¡cómo hubieran gritado!: «Estamos todos... aquí, vivos, muy vivos... Nos volveréis a ver.» Ellos podían conservar aún una esperanza que ya no tenían sus padres, allí en Auckland, la esperanza de volverles a ver algún día.

Así, pues, Gordon anunció que el 25 y el 26 de diciembre, habría vacaciones en la Cueva del Francés, que se suspenderían todos los trabajos en esos dos días, y que aquellas primeras Navidades serían en la isla Chairman lo que suelen ser en diversos puntos de Europa.

Fácil es imaginar lo bien acogida que fue esa proposición. Claro está que el 25 de diciembre habría un festín de gala para el que Mokó prometía maravillas. El y Service no dejaban de conferenciar misteriosamente a ese respecto, mientras que Dole y Costar intentaban sorprender el secreto de sus deliberaciones. Por lo demás, la despensa estaba lo bastante bien provista para suministrar los elementos de una comida solemne.

Llegó el gran día. Sobre la puerta del zaguán, por fuera, Baxter y Wilcox dispusieron artísticamente los pabellones, banderas y banderines del «Sloughi», lo cual daba un aire de fiesta a la Cueva del Francés.

Por la mañana un cañonazo despertó ruidosamente los alegres ecos de la Montaña de Auckland. Era una de las dos piezas instaladas al través de la cañonera del zaguán que Doniphan acababa de disparar en honor de las Navidades.

Luego los pequeños felicitaron el año nuevo a los mayores, que paternalmente les felicitaron a su vez, y hasta hubo un discurso pronunciado por Costar y dirigido al jefe de la isla Chairman, y no lo hizo del todo mal el niño.

Todos se habían puesto las mejores prendas para tal fiesta. El tiempo era magnífico, y antes y después de almorzar paseáronse a lo largo del lago y hubo juegos diversos en la terraza del Deporte, en los cuales todos tomaron parte. Habían llevado a bordo del yate todos los objetos especiales tan en uso en Inglaterra, como bolas, pelotas, mazas, raquetas para el golf, para el fútbol, para los «bowls», bolas de madera que se arrojaban a mano y cuya desviación debida a su forma ovalada hay que corregir y, por último, para los «fives», que se parece al juego de pelota.

Pasaron muy bien el día. Sobre todo los pequeños, estuvieron contentísimos. No hubo discusiones ni disputas. Verdad es que Briant se encargó más particularmente de divertir a Dole, Costar, Iverson y

Jenkins, sin haber podido lograr que su hermano Santiago se uniera a ellos, en tanto que Doniphan y sus compañeros de costumbre, Webb, Cross y Wilcox, formaban bando aparte, a pesar de las observaciones del prudente Gordon. Por último, cuando una nueva salva de artillería anunció la hora de la cena, los jóvenes convidados fueron alegremente a ocupar su asiento para el festín servido en el comedor del almacén.

En la gran mesa, cubierta con un precioso mantel blanco, ocupaba el centro un árbol de Navidad, plantado en un enorme tiesto rodeado de verduras y flores. De sus ramas pendían banderitas con los colores reunidos de Inglaterra, América y Francia. Mokó se había excedido de veras en la elaboración de sus manjares, y mostróse satisfecho de los cumplidos que le dirigieron, como también a Service, su amable colaborador. Un acure en adobo, un guiso de martinetas, una liebre asada, sazonada con hierbas aromáticas, una avutarda con las alas levantadas y el pico en el aire, tres latas de legumbres en conserva, un pastel, ¡y qué pastel, dispuesto en forma de pirámide, con sus tradicionales pasas de corinto mezcladas de frutas de algarrobo y que llevaba una semana sumergido en un baño de brandy!; además, algunas copas de clarete, de sherry, de licores, de té, de café, a los postres se reconocería que había allí lo suficiente para celebrar de un modo soberbio las Navidades en la isla Chairman, tan alejada de sus patrias.

Briant brindó cordialmente por Gordon, que le respondió bebiendo a la salud de la pequeña colonia y al recuerdo de las familias ausentes.

Finalmente, y esto fue muy conmovedor, levantóse Costar y, en nombre de los más pequeños dio las gracias a Briant por la abnegación de que tantas pruebas había dado para con ellos y por sus innumerables esfuerzos en pro de la colonia.

Briant no pudo librarse de una profunda emoción cuando resonaron los hurras en su honor, hurras que no hallaron eco en el corazón de Doniphan.

CAPITULO II

Ocho días después comenzaba el año 1861 y, en aquella parte del hemisferio austral, empezaba un nuevo año en pleno corazón del verano.

Hacía cerca de diez meses que los jóvenes náufragos del «Sloughi» fueron arrojados a la isla, a mil ochocientas leguas de Nueva Zelanda.

Hay que convenir en que durante ese período se había mejorado poco a poco la situación, y hasta parecía que estuviesen seguros de subvenir a todas las necesidades de la vida material. Mas no dejaban de estar abandonados en tierra desconocida. ¿Los auxilios de fuera, los únicos que podían esperar, llegarían por fin, y llegarían antes de terminarse el verano? ¿Estaría condenada la colonia a sufrir los rigores de un invierno antártico? En realidad, hasta entonces no habían tenido enfermedades. Todos, grandes y chicos, se hallaban en muy buena salud, pues gracias a la prudencia de Gordon, que la exageraba, lo que no dejaba de provocar, a veces, recriminaciones contra su severidad, no se cometían excesos ni imprudencias de ninguna clase. Sin embargo, había que contar con las afecciones de que rara vez se libran los niños de esa edad, particularmente los más pequeños. En resumen, si lo presente era aceptable, lo futuro estaba preñado de inquietudes. Briant hubiera querido dejar la isla Chairman a todo trance. Y en ello pensaba sin cesar. Ahora bien, con la única embarcación que poseían, con aquella frágil canoa, ¿cómo aventurarse a emprender una travesía que podía ser larga si la isla no pertenecía a uno de los grupos del Pacífico o si el continente más cercano se hallaba a algunos cientos de millas? Y aun cuando los dos o tres de los más atrevidos se hubieran sacrificado por ir a buscar una tierra en el Este, ¿cuántas probabilidades habrían de que lograsen llegar a ella? En cuanto a construir un navío lo bastante grande para cruzar aquellos parajes del Pacífico, seguramente no podían hacerlo, pues era superior a sus fuerzas, y Briant no sabía lo que idear para la salvación de todos.

Por lo tanto, no había que hacer más que esperar, seguir esperando y trabajar para hacer más cómoda la instalación en la Cueva del Francés. Luego, si no en aquel verano, porque urgía el trabajo en previsión de la estación invernal, cuando menos al estío siguiente acabarían de reconocer por completo la isla los jóvenes colonos. Todos se pusieron a trabajar resueltamente. La experiencia les había demostrado lo que eran en aquella latitud los rigores del invierno. Durante semanas enteras, y hasta meses enteros, el mal tiempo les obligaría a confinarse en el zaguán, y era muy prudente precaverse contra el frío y el hambre, los dos enemigos que más podían temer.

Combatir el frío en la Cueva del Francés era cuestión de combustible, y el otoño, por corto que fuese, no terminaría sin que Gordon almacenase leña suficiente para alimentar día y noche las estufas. Pero, ¿no habían de pensar en los animales domésticos que había en el corral y en el cercado? Abrigarlos en el almacén hubiera sido una

133

molestia excesiva y hasta una imprudencia, en cuanto a la higiene. Así, pues, era necesario hacer más habitable el cobertizo y el cercado, protegerlos contra las bajas temperaturas, calentarlos con una hoguera que pudiera mantener siempre el aire interior a un grado soportable. Y a eso se dedicaron Baxter, Briant, Service y Mokó durante el primer mes del año nuevo.

En cuanto a la cuestión, no menos grave, de la alimentación para todo el período invernal, encargáronse de resolverla Doniphan y sus compañeros de caza. Visitaban todos los días las trampas, los lazos y cepos, y lo que no servía para el consumo cotidiano, iba a engrosar las reservas de la despensa, en forma de carnes saladas o ahumadas, que Mokó preparaba con su habitual esmero, y de ese modo aseguraron el alimento, por largo o riguroso que pudiera ser el invierno.

Así y todo, se imponía una expedición, la cual tendría por objeto explorar si no todos los territorios desconocidos de la isla Chairman, cuando menos la parte comprendida al este del Lago de la Familia. ¿Contendría selvas, pantanos o dunas? ¿Ofrecería nuevos recursos que pudieran aprovecharse?

Un día conferenció Briant sobre esto con Gordon, pero tratándolo de otra manera.

—Aunque el mapa del náufrago Baudoin esté trazado con cierta exactitud que hemos podido comprobar —dijo—, convendría conocer el Pacífico por el Este. Tenemos a nuestra disposición excelentes anteojos que no tenía mi compatriota, y quién sabe si divisaremos nosotros tierras que él no pudo ver. Su mapa presenta a la isla Chairman como aislada en estos parajes, y tal vez no lo esté.

—Tú persistes en tu idea —respondió Gordon—, y sientes ansiedad por partir.

—Sí, Gordon, y, en el fondo, tengo la seguridad de que piensas como yo. ¿No deben propender todos nuestros esfuerzos a repatriarnos en el plazo más breve posible?

—Conforme —respondió Gordon— ya que lo quieres, organizaremos una expedición.

—¿Una expedición en la que tomaremos parte todos? —dijo Briant.

—No —contestó Gordon—. Creo que seis o siete de nuestros compañeros...

—Y aun serían demasiados, Gordon. Siendo tantos, no podrían hacer otra cosa que dar la vuelta por el Norte o por el Sur, ¿y no exigiría eso mucho tiempo y muchas fatigas?

—Entonces, ¿qué es lo que te propones, Briant?

—Que crucemos el lago con la canoa, partiendo de la Cueva del Francés, para llegar a la orilla opuesta, y para eso, ir sólo dos o tres.

—¿Y quién conducirá la canoa?

—Mokó —respondió Briant—. Él sabe la maniobra de la embarcación y yo también entiendo algo. A vela, si el viento es bueno, o con dos remos, si es contrario, navegaremos fácilmente las cinco o seis millas que mide el lago en la dirección de esa corriente de agua, que según el mapa, recorre las selvas del Este, y así bajaremos hasta su embocadura.

—Convenido, Briant —contestó Gordon—, apruebo tu idea. ¿Y quién acompañará a Mokó?

—Yo, Gordon, puesto que no tomé parte en la expedición al norte del lago. Ahora me toca a mí ser útil... Y reclamo...

—¿Útil? —exclamó Gordon—. ¿No nos has prestado ya mil servicios, querido Briant? ¿No te has sacrificado ya más que cualquier otro?

—Todos hemos cumplido nuestro deber, Gordon... Así, queda convenido...

—Convenido... Briant. ¿A quién llevarás como tercer compañero? No te propondré a Doniphan, puesto que no estáis bien juntos.

—¡Oh, yo lo aceptaría de muy buena gana! —respondió Briant—. Doniphan no tiene mal corazón, es valiente y diestro, y, de no ser por su carácter envidioso, sería un excelente compañero. Además, poco a poco variará, cuando se percate de que yo no pretendo ponerme por delante ni por encima de nadie y estoy seguro de que llegaremos a ser los mejores amigos del mundo. Pero he pensado en otro compañero de viaje.

—¿Cuál?

—Mi hermano, Santiago —respondió Briant—. Su estado me preocupa cada vez más. Evidentemente tiene algo que reprocharse y que no quiere decir. Acaso en esta excursión, al verse a solas conmigo querrá comunicarme lo que oculta.

—Tienes razón, Briant. Llévate a Santiago y hoy mismo puedes empezar los preparativos de marcha.

—No será cosa larga —dijo Briant—; porque nuestra ausencia no durará más que de dos a tres días.

El mismo día, Gordon comunicó la expedición proyectada. Doniphan se mostró muy despechado al no tomar parte en ella, y como se quejase a Gordon, éste el hizo comprender que en la condiciones en que iba a realizarse, la expedición no requería más que tres personas y puesto que la idea se le había ocurrido a Briant, a éste le correspondía ejecutarla, etc.

—En fin —respondió Doniphan—. Todo ha de ser para él, ¿no es así, Gordon?

—Eres injusto, Doniphan. Injusto con Briant y también injusto conmigo.

No insistió Doniphan y se reunió con sus amigos Cross, Wilcox y Webb, junto a los cuales pudo desahogar a sus anchas el mal humor.

Cuando supo el grumete que iba a trocar momentáneamente sus funciones de cocinero por las de patrón de la canoa, no ocultó su alegría; la idea de partir con Briant duplicaba aún su contento. En cuanto a su sustituto en la cocina del almacén sería, naturalmente Service, que se regocijó a la idea de poder cocinar a su capricho, sin que nadie le ayudase.

En lo que se refiere a Santiago, pareció convenirle acompañar a su hermano y dejar por unos días la Cueva del Francés.

Pusieron inmediatamente en condiciones la canoa, instalaron una pequeña vela latina, que Mokó envergó y arrolló en el mástil dos escopetas, tres revólveres, municiones en cantidad suficiente, tres mantas de viaje, provisiones líquida y sólidas, impermeables para el caso de lluvia, los remos con un par de repuesto, tal fue el material que se creyó necesario para una expedición que no había de durar mucho, sin olvidarse de la copia que habían sacado del mapa del náufrago y a la que añadirían nuevos nombres a medida que descubriesen nuevos lugares.

El 4 de febrero, hacia las ocho de la mañana, después de despedirse de sus compañeros, embarcáronse Briant, Santiago y Mokó en el dique del río Zelanda. El tiempo era hermoso y soplaba una ligera brisa del Sudoeste. Izaron la vela y Mokó, instalado a popa, cogió el timón, dejando a Briant el cuidado de tener la escota. Aunque la superficie del lago apenas estaba rizada por algunos soplos intermitentes, la canoa sintió más vivamente el efecto de la brisa cuando se halló a alguna distancia; aceleróse su velocidad y media hora después, Gordon y los demás, que observaban desde la orilla de la Terraza del Deporte, no vieron sino un punto negro que pronto desaparecería.

Mokó se hallaba en la popa; Briant en el centro, y Santiago estaba instalado a proa, al pie del mástil. Durante una hora, siguieron viendo las cimas elevadas de la Montaña de Auckland; luego desaparecieron bajo el horizonte, aunque aún no se distinguía la orilla opuesta del lago, si bien no podía estar muy lejos. Por desgracia, como suele suceder cuando el sol adquiere fuerza, el viento marcó una propensión a aflojar y hacia el mediodía, sólo se manifestó por algunas ráfagas caprichosas.

—Es una contrariedad —dijo Briant— que no se haya mantenido todo el día la brisa.

—Aún sería peor, señor Briant —respondió Mokó— que se nos hubiera vuelto contraria.

—Eres un filósofo, Mokó.

—No sé lo que entiende usted por esa palabra —dijo el grumete—; pero, suceda lo que suceda, nunca me desanimo.

—Pues eso es precisamente filosofía.

—Vaya por la filosofía y cojamos los remos, señor Briant. Es de desear que lleguemos a la otra orilla antes de la noche. Después de todo, si no llegásemos no nos quedaría más que resignarnos.

—Haremos lo que Mokó. Vamos a tomar un remo, coge tú otro y que se ponga Santiago al timón.

—Tú me dirás cómo he de maniobrar, Mokó —respondió Santiago—, y yo seguiré tus indicaciones lo mejor que pueda.

Mokó arrió la vela, que ni siquiera se agitaba; porque el viento había caído por completo. Los tres muchachos se apresuraron a comer un bocadillo, tras lo cual el grumete se instaló a proa en tanto que Santiago iba a sentarse a popa y Briant permanecía en el centro. La canoa, arrancando vigorosamente, fue oblicuando un poco hacia el Nordeste, según la brújula.

La embarcación hallábase entonces en el centro de aquella vasta extensión de agua, como si estuviera en plena mar, pues la superficie del lago estaba circunscrita por una línea periférica de cielo. Santiago miraba atentamente en dirección Este, para ver si aparecía la costa en la parte opuesta a la Cueva del Francés.

A eso de las tres, el grumete, que había cogido el catalejo, afirmó que veía señales de tierra, y poco después, Briant comprobó que Mokó no se había equivocado. A las cuatro, por encima de una orilla bastante baja, divisaron árboles, lo cual explicaba por qué no había podido verlos Briant desde la cumbre del cabo Falso Mar. Así, la isla Chairman no contenía más altura que las de Auckland, que la quebraban entre la Bahía de Sloughi y el Lago de la Familia.

Aún faltaban dos millas y media o tres para llegar a la orilla oriental. Briant y Mokó manejaban con ardor los remos, no sin algún cansancio, porque era muy fuerte el calor. La superficie del lago era lisa como un espejo. Las más de las veces, sus aguas clarísimas dejaban ver a doce o quince pies del fondo, erizado de hierbas acuáticas, entre las cuales corrían millones de peces.

Por fin, a eso de las seis, atracó la canoa al pie de la playa, sobre la que se inclinaba la espesa enramada de las carrascas y los pinos marítimos. Esa playa, bastante elevada, no se prestaba mucho a un desembarco y tuvieron que seguirla durante media milla, poco más o menos, subiendo hacia el Norte.

—Ahí está el río indicado en el mapa —dijo entonces Briant.

Y mostraba una escotadura de la orilla, por la cual corría el exceso de aguas del lago.

—Pues bien, yo creo que no podemos dejar de darle un nombre —respondió el grumete.

—Tienes razón, Mokó. Llamémosle el río del Este, puesto que corre al oriente de la isla.

—Muy bien —dijo Mokó—. Y ahora no tenemos más que tomar la corriente del río y bajarla para llegar a su embocadura.

—Así lo haremos mañana, Mokó; pues vale más pernoctar en este sitio. En cuanto amanezca, dejaremos que la barca vaya a la deriva, lo cual nos permitirá reconocer la comarca por las dos orillas del río.

—¿Desembarcaremos? —preguntó Santiago.

—Sí —respondió Briant—. Y acamparemos al abrigo de los árboles.

Briant, Mokó y Santiago saltaron a la playa que formaba el fondo de una pequeña caleta. Después de amarrar sólidamente la canoa a un tronco, sacaron de ella las armas y las provisiones, y encendieron una hoguera de leña seca al pie de una carrasca. Cenaron galleta y carne fiambre, tendieron las mantas en el suelo y no necesitaban más aquellos jóvenes para dormir con un sueño profundo. Cargaron las armas, por si acaso; pero si antes de anochecer se oyeron algunos rugidos, la noche terminó tranquilamente.

—¡Ea, en marcha! —exclamó Briant, que fue el primero en despertarse, a las seis de la mañana.

En pocos minutos, los tres volvieron a ocupar su puesto en la canoa y se dejaron llevar por la corriente del río, que era bastante impetuosa, pues la marea llevaba ya media hora bajando, por lo que no tuvieron que recurrir a los remos. Briant y Santiago estaban sentados a proa, mientras que Mokó, instalado a popa, usaba uno de los remos a manera de espaldilla para mantener la ligera embarcación en la corriente.

—Es probable —dijo— que baste una marea para llevarnos hasta el mar, si es que el río del Este no tiene más que cinco o seis millas, porque su corriente es más rápida que la del río Zelanda.

—Es de esperar —respondió Briant—; al volver creo que necesitaremos dos o tres mareas.

—Así es, señor Briant, y si usted quiere, volveremos a partir sin entretenernos.

—Sí, Mokó —dijo Briant—, en cuanto veamos si hay o no alguna tierra por el Este de la isla Chairman.

Entretanto, la canoa corría a una velocidad que Mokó calculaba en más de una milla por hora. Además, el río del Este seguía una dirección casi rectilínea, que según la brújula, era la del Este Nordeste. Su lecho estaba más encajonado que el del río Zelanda y no era tan ancho, pues sólo tenía unos treinta pies, lo cual explicaba la rapidez de la corriente. Todo el terror de Briant era que se convirtiese en torbellino y no fuera navegable por aquel lado, pero, por si acaso, convenía prevenirse, por si se presentaba algún obstáculo.

Hallábase en plena selva, en medio de una vegetación bastante fértil, en la que había poco más o menos las mismas especies que en el Bosque de las Trampas, con la diferencia de que dominaban en ellas las coscojas, los alcornoques, pinos y abetos.

Entre otras, a pesar de no estar tan familiarizado como Gordon con las cosas de la botánica, reconoció Briant cierto árbol del que existen muchos ejemplares en Nueva Zelanda y que desplegaba la sombrilla de sus ramas a unos sesenta pies del suelo y tenía frutos cónicos de tres a cuatro pulgadas de largo, puntiagudos en su extremo y revestidos de una especie de escama brillante.

—Debe ser el pino real —exclamó Briant.

—Si no se equivoca usted, señor Briant —respondió Mokó—, parémonos un instante, pues la cosa lo merece.

Un espaldillazo llevó la canoa a la orilla izquierda y Briant y Santiago saltaron a la playa; minutos después traían una abundante cosecha de esos piñones que contienen esas almendras de forma ovalada envueltas en una ligera película y perfumadas como la avellana. Precioso hallazgo para los golosos de la pequeña colonia; pero también, y esto se lo enseñó Gordon en cuanto volvió Briant, porque esos frutos producen un aceite excelente. Importaba asimismo reconocer si en aquella selva había tanta caza como en las del occidente del Lago de la Familia. Y debía de haberla, porque Briant vio pasar por la espesura una bandada de ñandúes asustados y una manada de vicuñas y hasta una pareja de guanacos que corrían con maravillosa celeridad. Doniphan hubiera tenido allí ocasión de cazar unas cuantas aves. Pero Briant se abstuvo de gastar inútilmente la pólvora, ya que la canoa contenía suficiente cantidad de provisiones.

A eso de las once, advirtieron que estaban llegando al final del macizo de árboles. Al mismo tiempo, la brisa se impregnaba de un olor salino, que indicaba la proximidad del mar, y pocos minutos después, de pronto, más allá de un grupo de soberbias carrascas, apareció en el horizonte una línea azulada.

La corriente seguía arrastrando la canoa, aunque con menor rapidez, es cierto. No tardaría en sentirse la marea en el lecho del río del Este, que en aquel lugar medía de cuarenta a cincuenta pies.

Al llegar junto a las rocas que se alzaban en la costa, Mokó llevó la canoa hacia la orilla izquierda y sacando a tierra el rezón, lo hundió sólidamente en la arena, mientras Briant y su hermano desembarcaban a su vez.

¡Qué aspecto tan distinto del que presentaba la costa al oeste de la isla Chairman! Aquí, abríase una profunda bahía y precisamente a la altura de la de Sloughi; pero, en vez de una ancha playa de arena, festoneada por arrecifes, limitada por el acantilado que se alzaba al fondo de la Costa del Naufragio, había un montón de rocas, en medio de las cuales Briant pudo encontrar veinte grutas.

Así, pues, en aquella costa era muy habitable, y si el *schooner* hubiera encallado en aquel lugar y luego hubieran logrado ponerlo a flote, habría podido abrigarse en la embocadura del río del Este, en un pequeño puerto natural donde nunca faltaba agua, ni aun durante la bajamar.

En primer lugar Briant dirigió sus miradas hacia la parte del mar, al extremo horizonte de aquella vasta bahía, que, extendida en un sector de unas quince millas entre dos cabos arenosos, merecían el nombre de golfo.

En aquel momento, la bahía estaba desierta, como siempre, sin duda. No había ningún barco a la vista en todo su perímetro, que se recortara nítidamente sobre el fondo del cielo. No había la menor traza de tierra ni de isla. Mokó, acostumbrado a reconocer aquellas vagas alineaciones de las alturas lejanas que a menudo se confunden con los vapores de alta mar, no descubrió nada con el anteojo; la isla Chairman parecía estar tan aislada en los parajes del Este como en los del Oeste, y ésa debía ser la razón de que en el mapa del náufrago francés no se señalase en aquella dirección ninguna tierra que, de existir, estaría lejana.

Si dijéramos que Briant quedó muy decepcionado exageraríamos. No. La esperaba. Y por eso le pareció muy natural dar a aquella escotadura de la costa la denominación de Bahía de la Decepción.

—En fin —dijo—, tampoco es por aquí por donde podremos hallar el camino de regreso.

—¡Bah! —exclamó Mokó—. Siempre acaba uno por irse, por un camino o por otro. Entonces, creo que no haríamos mal en almorzar.

—Es verdad —dijo Briant—, y démonos prisa.

—¿A qué hora podrá subir la canoa el río del Este?

—Si queremos aprovechar la marea, habrá que embarcar al momento; pero es imposible, Mokó, pues quiero observar el horizonte en condiciones más favorables y desde lo alto de alguna roca que domine la playa.

—En ese caso, señor Briant, nos veremos obligados a esperar la próxima marea, que no se sentirá en el río del Este hasta las diez de la noche.

—¿Y no temes navegar de noche? —le preguntó muy sorprendido Briant.

—No, y lo haré sin peligro —respondió Mokó—; porque tendremos luna llena. Además, es tan directa la corriente del río, que bastará con gobernar con la espadilla mientras dure la marea, y después, cuando vuelva a bajar la corriente, intentaremos ir contra ella a remo o, si fuera muy impetuosa, nos detendríamos hasta el amanecer.

—Convenido, Mokó. Y puesto que tenemos doce horas por delante, aprovechémoslas para contemplar la exploración haciéndolo lo mejor posible.

Después de comer y hasta la hora de la cena, dedicaron todo el tiempo a visitar aquella parte de la costa, resguardada por macizos de árboles que avanzaban hasta el mismo pie de las rocas. En cuanto a la caza parecía ser tan abundante como en los alrededores de la Cueva del Francés, y Briant se dedicó a matar algunas martinetas para la cena.

Lo que caracterizaba el aspecto de aquel litoral era el amontonamiento de los bosques de granito. Desorden verdaderamente grandioso aquel montón de rocas gigantescas, cuya disposición irregular no se debía a la mano del hombre. Allí había varias de esas profundas excavaciones llamadas «chimeneas» en algunos países célticos, y no hubiera sido difícil instalarse entre sus paredes. No hubieran faltado zaguanes ni almacenes para las necesidades de la pequeña colonia. Solamente en un espacio de media milla encontró Briant una docena de tan cómodas cuevas, y esto le indujo a preguntarse por qué el náufrago francés no se habría refugiado en aquella parte de la isla Chairman; pues no cabía duda de que la había visitado, ya que las líneas generales de esta costa estaban representadas exactamente en el mapa. Por lo tanto, si no se encontraba huella alguna de su paso, era porque, muy probablemente, Francisco Baudoin eligió domicilio en la Cueva del Francés antes de llevar su exploración hasta los territorios del Este y, pareciéndole aquello menos expuesto a las borrascas del mar, juzgó conveniente permanecer allí. Explicación muy plausible, que Briant creyó deber admitir.

Hacia las dos, cuando el sol hubo pasado del punto más alto de su carrera, parecióle favorable el momento para proceder a una rigurosa observación del mar a lo ancho de la isla. Briant, Santiago y Mokó intentaron escalar entonces un macizo rocoso que se alzaba a cien pies sobre el portezuelo y, no sin grandes dificultades, llegaron a su cúspide.

Desde allí, mirando atrás, la vista dominaba la selva que se extendía hacia el Oeste hasta el Lago de la Familia, cuya superficie permanecía oculta por una cortina de verdor. Al Sur, la comarca parecía surcada por dunas amarillentas, cortadas por algunos negros baetales, como en las áridas campiñas de los países septentrionales. Al Norte, el contorno de la bahía terminaba en una punta baja que formaba el límite de una inmensa llanura arenosa situada más allá. En resumen, la isla Chairman no era verdaderamente fértil más que en su parte central, en donde las aguas dulces del lago le inyectaban vida, extendiéndose por los diversos ríos de sus dos orillas.

Briant miró con el catalejo al horizonte del Este, que en aquel momento se dibujaba con gran nitidez. Cualquier tierra situada en un radio de siete a ocho millas, hubiera aparecido indudablemente a través del objetivo del instrumento.

Mas no había nada en aquella dirección... Nada, a no ser el vasto mar circunscrito por la ininterrumpida línea del cielo.

Una hora pasaron Briant, Santiago y Mokó sin dejar de observar atentamente, e iban a bajar otra vez a la playa, cuando Mokó detuvo a Briant.

—¿Qué hay allí? —preguntó tendiendo la mano hacia el Nordeste.

Briant dirigió el anteojo hacia el punto indicado.

En efecto, allí, un poco por encima del horizonte, espejeaba una mancha blanquecina, que la vista hubiera podido confundir con una nube, de no ser en aquel momento absolutamente puro el cielo. Por lo demás, después de tenerla un rato largo en el campo del anteojo, Briant pudo afirmar que aquella mancha no se movía ni variaba en modo alguno de forma.

—Si no es una montaña —dijo—, no sé lo que pueda ser. Y aun una montaña no tendría ese aspecto.

Momentos después, como el sol bajaba más y más hacia el Oeste, desapareció la mancha. ¿Habría allí alguna otra tierra? ¿O aquella coloración blanquecina no sería sino una reflexión luminosa de las aguas? Esta última hipótesis fue la que admitieron Santiago y Mokó, si bien Briant conservó algunas dudas a ese respecto.

Terminada la exploración, volvieron los tres al puertecito que había en la embocadura del río del Este, a cuyo fondo estaba amarrada la canoa. Santiago recogió leña seca entre los árboles y encendió fuego, mientras Mokó preparaba un asado de martinetas.

Al hilo de las siete, después de comer con apetito, Santiago y Briant fueron a pasearse por la playa, mientras esperaban la hora de la marea para marchar.

Mokó, por su parte, subió por la orilla izquierda del río, en donde crecían los pinos piñoneros, algunos de cuyos frutos quería coger.

Cuando volvió hacia la embocadura del río del Este, empezaba a anochecer. En la lejanía, el mar seguía iluminado por los útimos rayos solares que resbalaban por la superficie de la isla, pero el litoral estaba sumido ya en una semioscuridad.

En el momento en que llegó Mokó a la canoa, no estaban aún de vuelta Briant y su hermano; pero como no podían hallarse muy lejos, no se preocupó el grumete.

Mas, en esto sorprendióse Mokó al oír gemidos y al mismo tiempo gritos. No se equivocaba: aquella voz era la de Briant.

¿Correrían algún peligro los dos hermanos? El grumete no vaciló en lanzarse a la playa, después de doblar las últimas rocas que cerraban el portichuelo.

De pronto vio algo que le impidió avanzar.

Santiago estaba de rodillas ante Briant y parecía implorarle, pedirle perdón... De ahí los gemidos que había oído Mokó.

Éste hubiera querido retirarse por discreción, pero era demasiado tarde. Lo había oído y comprendido todo. Ya sabía la falta cometida por Santiago y de la cual acababa de acusarse ante su hermano que exclamaba:

—¡Desdichado...! ¿Esto has hecho? ¿Eres tú la causa de...?

—¡Perdón... hermano... perdón!

—Por eso permanecías apartado de tus compañeros... Porque les temías... Que no lo sepan nunca, no... Ni una palabra, ni una palabra... a nadie.

Mokó hubiera dado cualquier cosa por no saber nada de aquel secreto; pero mucho le hubiera costado en aquel momento fingir ignorarlo ante Briant. Así, instantes después, cuando lo halló solo junto a la canoa, le dijo:

—Señor Briant, lo he oído todo...

—¿Cómo? ¿Sabes tú lo que Santiago...?

—Sí, señor Briant... Y hay que perdonarle...

—¿Le perdonarán los demás...?

—Tal vez —respondió Mokó—. Pero, por si acaso, vale más que no sepan nada y puede usted estar seguro de que yo callaré.

—Pobre Mokó —murmuró Briant, estrechando la mano del grumete.

Por espacio de dos horas, hasta el momento de embarcar, Briant no dirigió la palabra a Santiago. Por lo demás, éste permaneció sentado al pie de una roca, seguramente más abatido desde que, cediendo a las instancias de su hermano, lo había confesado todo.

A las diez, como ya se notaba la marea, Briant, Santiago y Mokó instaláronse en la canoa, y así que hubieron soltado las amarras, la arrastró rápidamente la corriente. La luna, que había aparecido poco antes de ponerse el sol, alumbraba suficientemente el curso del río del Este, para que la navegación se hiciera fácilmente, hasta eso de las doce y media. El flujo que había entonces obligó a tomar los remos y, durante una hora, la canoa no navegó más que una milla río arriba. Briant propuso que fondeasen hasta el amanecer, para esperar la marea ascendente, y así se hizo. A las seis de la mañana, empezaron

141

a navegar de nuevo y a las nueve entró la canoa en aguas del Lago de la Familia.

Allí volvió Mokó a izar la vela y con una agradable brisa que venía de través hizo rumbo a la Cueva del Francés.

A eso de las seis de la tarde, después de una feliz travesía durante la cual ni Briant ni Santiago salieron de su mutismo, Garnett, que pescaba en las orillas del lago, anunció la llegada de la canoa, y momentos después, ésta atracaba en el dique y Gordon acogía solícito el regreso de sus compañeros.

CAPITULO III

Briant juzgó conveniente guardar silencio sobre aquella escena entre él y su hermano, que había sorprendido Mokó, y no dijo una palabra ni siquiera a Gordon. En cuanto al relato de su expedición, lo hizo a sus compañeros, reunidos en el zaguán. Describió la costa oriental de la isla Chairman, en toda aquella parte circunscrita por Bahía de la Decepción, el curso del río del Este a través de los bosques próximos al lago, tan ricos en variedades de árboles verdes. Afirmó que hubiera sido más fácil la instalación en aquel litoral que en el del Oeste, aunque no dejó de añadir que no había motivo para abandonar la Cueva del Francés. En lo referente a aquella parte del Pacífico, no había a la vista ninguna tierra; no obstante, mencionó Briant aquella mancha blanquecina que había visto en alta mar y cuya presencia por encima del horizonte no se explicaba. Probablemente, no sería más que una voluta de vapores y convendría cerciorarse, cuando fuesen a visitar la Bahía de la Decepción. En una palabra, era indiscutible que la isla Chairman no tenía en aquellos parajes ninguna otra tierra cercana y, sin duda, la separarían del continente o de los archipiélagos más próximos algunos centenares de millas.

Convenía, por lo tanto, continuar con valor la lucha por la vida, en la esperanza de que viniera de fuera el socorro, ya que parecía improbable que los jóvenes colonos pudieran tenerlo nunca en sus propias manos.

Todos volvieron al trabajo. Todas las medidas propendieron a preservarse contra los rigores del cercano invierno, y Briant se aplicó a ello con más celo que hasta entonces. Sin embargo, notábase que se había vuelto menos comunicativo, y que también él tomó ejemplo de su hermano y mostraba cierta inclinación a permanecer aparte. Al observar ese cambio de carácter, Gordon advirtió también que Briant intentaba poner a Santiago por delante en cuantas ocasiones hubiera que desplegar cierto valor o correr algún peligro, cosa que Santiago aceptaba con mucha diligencia. No obstante, como Briant no dijo nunca cosa alguna que pudiera animar a Gordon a interrogarle acerca de todo aquello, éste mostróse reservado, aunque se inclinaba a creer que entre los dos hermanos había debido de mediar alguna explicación.

El mes de febrero lo pasaron en trabajos de varias clases.

Como Wilcox indicó que subía gran cantidad de salmones hacia las aguas dulces del Lago de la Familia, pescaron buen número de ellos con redes tendidas en el río Zelanda, de orilla a orilla. La necesidad de conservarlos requería que se procurasen bastante cantidad de sal, y esto motivó varios viajes a la Bahía de Sloughi, en donde Baxter y Briant dispusieron una pequeña salina, un simple cuadrado hecho entre los pliegues de la arena y en el cual se depositaba la sal una vez evaporadas las aguas del mar por la acción de los rayos solares.

En la primera quincena de marzo, tres o cuatro de los jóvenes colonos pudieron explorar parte de aquella comarca pantanosa del Sur, que se extendía por la orilla izquierda del río Zelanda. La idea de esa exploración se le ocurrió a Doniphan y, por consejo suyo, Baxter fabricó algunos pares de zancos, utilizando para ello ligeras berlingas. Como el pantano estaba cubierto en algunos sitios de una débil capa de agua, los zancos permitían aventurarse a pie enjuto hasta las superficies sólidas.

En la mañana del 1.° de abril, Doniphan, Webb y Wilcox, que habían cruzado el río en la canoa, desembarcaron en la orilla izquierda, llevando terciadas las escopetas. Doniphan se había armado con la de largo alcance del arsenal de la Cueva del Francés, pues creía que tendría una excelente ocasión de utilizarla.

Así que los tres cazadores hubieron puesto el pie en la playa, calzáronse los zancos para llegar a las partes altas del pantano que emergían con la marea baja. Acompañábalos *Phann*, que no necesitaba zancos ni temía mojarse las patas al brincar por las charcas.

Después de andar una milla en dirección al Sudeste, Doniphan, Wilcox y Webb llegaron al terreno seco del pantano y se quitaron los zancos para poder correr más fácilmente detrás de la caza.

No se veía el fin de aquella vasta extensión a la que llamaban el Pantano del Sur, excepto por la parte que se dirigía hacia el Este, en donde la línea azul del mar se arqueaba en el horizonte.

¡Cuánta caza en su superficie, agachadizas, patos, rescones, cercetas y miles de esas negretas, más solicitadas por su pluma que por su carne, pero que, preparadas convenientemente, suministraban un manjar muy aceptable! Doniphan y sus dos compañeros hubieran podido cazar cientos de esas innumerables aves acuáticas, sin perder un solo perdigón; pero fueron razonables y se contentaron con algunas docenas de volátiles, que *Phann* iba a recoger hasta el centro de las grandes charcas.

A todo esto, a Doniphan le entraron vivas tentaciones de matar otros animales, que no hubieran podido figurar en la mesa del almacén, a pesar del talento culinario del grumete. Eran martinetas, pertenecientes a la familia de las zancudas, y garzas adornadas de un blillante penacho de plumas blancas. Si el joven cazador se contuvo, a pesar de todo, porque hubiera sido quemar pólvora en vano, no sucedió lo mismo al ver una bandada de esos flamencos de alas de color de fuego, tan aficionados a las aguas salobres y cuya carne vale tanto como la de la perdiz. Esas aves, alineadas en buen orden, estaban custodiadas por centinelas que lanzaron un toque de corneta, en en el momento en el que sintieron el peligro. Al ver aquellos magníficos ejemplares de la ornitología de la isla, Doniphan se entregó a sus instintos y no se mostraron más cuerdos que él Wilcox y Webb. Corrieron hacia aquel lado, aunque muy inútilmente. Ignoraban que si se hubieran acercado sin ser vistos, habrían podido matar a su gusto aquellos flamencos, porque las detonaciones los dejan asombrados, pero no les ponen en fuga.

Así, pues, Doniphan, Webb y Wilcox, intentaron en vano alcanzar tan soberbias palmípedas, que medían más de cuatro pies desde el extremo del pico hasta la punta de la cola. Ya estaban sobre aviso y la bandada desapareció hacia el Sur, antes que pudieran llegar a ella ni aun sirviéndose de la escopeta de largo alcance.

No obstante, los tres cazadores volvieron con bastantes piezas y no tuvieron que arrepentirse de su paseo por el Pantano del Sur. Una vez en el límite de las charcas, tomaron de nuevo los zancos y fueron a la orilla del río, decididos a repetir una excursión que los primeros fríos haría aún más fructífera.

Además, Gordon no debía esperar el invierno para poner la Cueva del Francés en estado de soportar sus rigores. Había que hacer amplia provisión de combustible, para asegurar igualmente la calefacción en los establos y el corral. Con este objeto, hicieron muchas visitas al lindero del bosque. El carro, tirado por los dos guanacos, bajó y volvió a subir la cuesta muchas veces por día durante una quincena. Y ya, aunque el invierno durase seis meses o más, con un considerable acopio de leña y la reserva de aceite de focas, la Cueva del Francés no tendría nada que temer del frío ni de la oscuridad.

Aquellos trabajos no impedían en modo alguno no seguir el programa que organizaba la instrucción de la gente menuda. Los mayores daban clases por turno a los pequeños. Durante las controversias, que se efectuaban dos veces por semana, Doniphan continuó haciendo excesivo alarde de su superioridad; lo cual no era muy bien visto de los demás, salvo de sus partidarios de siempre. Y, sin embargo, antes de dos meses, cuando terminasen las funciones de Gordon, contaba con sucederle como jefe de la colonia. Ayudado por su amor propio, creía que aquel cargo le pertenecía por derecho propio. ¿No era una verdadera injusticia que no le hubieran elegido en la primera votación? Wilcos, Cross y Webb le alentaban torpemente en esas ideas, y hasta tanteaban el terreno con miras a la futura elección y no parecían dudar del triunfo que consideraba como indiscutible.

Y, no obstante, Doniphan no tenía mayoría entre sus compañeros; los pequeños, especialmente, parecía que no habían de declararse por él, ni tampoco por Gordon.

Gordon veía claramente todo aquel manejo y, aunque fuese reelegible, no tenía interés en conservar aquel cargo, como ya sabemos. Bien, sabía él que la severidad demostrada durante «su año de presidencia» no era muy a propósito para atraerle votos. Sus modales, algo duros, su espíritu, tal vez demasiado práctico, había desagradado muchas veces, y Doniphan esperaba que ese desagrado se volviera en su beneficio. En la época de la elección habría, sin duda, una lucha que sería interesante contemplar.

Lo que reprochaban a Gordon, principalmente, los pequeños, era su tacañería, realmente demasiado minuciosa, respecto a los platos de dulce. Además, les reñía si no cuidaban sus vestidos, cuando volvían a la Cueva del Francés con una mancha o un «siete» y, sobre todo, con el calzado roto, lo cual necesitaba composturas difíciles y agravaba la cuestión del calzado. ¡Y cuántas reprimiendas y, a veces, castigos por los botones perdidos! En realidad, eso de los botones de chaqueta o de pantalón, se repetía constantemente, y Gordon exigía a cada cual que todas las noches presentase el número reglamentario de botones y, si no, le dejaba sin postre o sin recreo. Entonces, intercedía Briant, unas veces por Jenkins, por Dole otras, y eso le creó cierta popularidad. Los pequeños sabían muy bien que los dos empleados de la cocina, Service y Mokó, eran adictos a Briant, y si alguna vez llegaba a ser éste el jefe de la isla Chairman vislumbraban un sabroso porvenir en que no se escatimarían golosinas.

¡De qué dependen a veces las cosas de este mundo! ¿No era realmente aquella colonia de muchachos la imagen de la sociedad y no tienen los niños, desde los comienzos de su vida una propensión a echárselas de hombres?

Briant no tomaba interés por estas cuestiones. Trabajaba sin tregua, no escatimaba la tarea a su hermano; y ambos eran los primeros en empezar el trabajo y los últimos en dejarlo, como si los dos tuvieran más particularmente que cumplir con su deber.

Pero los días no estaban totalmente consagrados a la instrucción común. El programa había reservado algunas horas para recreo. Es una de las condiciones de buena salud el dedicarse a los ejercicios gimnásticos, y en ellos tomaban parte grandes y chicos. Subían a los árboles, se alzaban hasta las primeras ramas por medio de una cuerda enrollada en el tronco; saltaban anchos espacios, ayudándose con largas perchas. Bañábanse en las aguas del lago, y los que no sabían nadar, no tardaron en aprender. Efectuaban carreras, con premios para todos los vencedores y ejercitábanse en el manejo de las bolas y del lazo.

Había también algunos de esos juegos muy en boga entre los jóvenes ingleses; y, además de los ya mencionados, el de la argolla, los *rounders*, en los cuales la bola es despedida por medio de un palo largo a unas clavijas de madera dispuestas en cada ángulo de un vasto pentágono regular, los *quoits*, que requieren más particularmente fuerza de brazos y buen golpe de vista, pero este último juego conviene describirlo con algún detalle, porque, cierto día, provocó una lamentable disputa en el momento decisivo de la partida, entre Briant y Doniphan.

Era la tarde del 25 de abril. Distribuidos en dos campos en número de ocho, Doniphan, Webb, Wilcox, Cross en un bando y en el otro Briant, Baxter, Garnett y Service, jugaban una partida de *quoits* en el césped de la Terraza del Deporte.

En la superficie plana de este terreno, y a unos cincuenta pies una de otra, habían plantadas dos clavijas de hierro, dos *hobs*. Cada jugador tenía dos *quoits*, especie de rodajas de metal, con un agujero en su centro y más delgadas por su circunferencia que por en medio.

En ese juego, cada jugador debe lanzar sus *quoits* sucesivamente y con bastante destreza para que puedan encajar, primero en la primera clavija y luego en la segunda. Si consigue el jugador llegar a uno de los *hobs*, gana dos puntos, y cuatro si consigue llegar a los dos. Cuando los *quoits* no hacen sino acercarse al *hob*, eso no vale más que dos puntos para los *quoits* que están más cerca del fin y un solo punto si no hay más que un *quoit* situado en buena posición.

Aquel día era grande la animación de los jugadores, precisamente por estar Doniphan en el bando opuesto al de Briant; cada cual ponía un amor propio extraordinario. Ya habían jugado dos partidos. Briant, Baxter, Service y Garnett ganaron el primero, con siete puntos y, sus adversarios ganaron el segundo, con seis.

Estaban en aquel momento jugando el partido decisivo. Cada uno de los bandos había llegado a cinco puntos y no quedaban por lanzar más que dos *quoits*.

—A ti te toca, Doniphan —dijo Webb—, y apunta bien. Nos queda el último *quoit* y hay que ganar.

—Pierde cuidado —respondió Doniphan.

Y se puso en facha, con los pies bien colocados uno delante del otro, la mano derecha sujetando la rodaja, ligeramente inclinado el cuerpo y el busto hacia el lado izquierdo, para asegurar mejor su lanzamiento.

Veíase que el vanidoso muchacho ponía en ello su alma, con los dientes apretados, las mejillas algo pálidas, viva la mirada y arrugado el ceño.

Después de apuntar con gran cuidado, balanceando la rodaja, la arrojó horizontal y vigorosamente, porque la meta estaba situada a unos cincuenta pies.

La rodaja no tocó al *hob* más que por su borde extremo y, en vez de encajar en la cabeza de la clavija, cayó al suelo, lo que no le dio más que seis puntos en total.

Doniphan no pudo contener un ademán de desprecio y pateó de cólera.

—¡Es lástima! —dijo Cross—. Pero no por eso hemos perdido aún, Doniphan.

—No, por cierto —añadió Wilcox—. Tu *quoit* está al mismo pie del *hob*, y si Briant no encaja el suyo, le desafío a que lo deje mejor situado.

—¡Apunta bien...! ¡Apunta bien...! —exclamó Service.

Briant no respondió, pues no quería de ningún modo disgustar a Doniphan. Sólo ansiaba una cosa, asegurarse el ganar el partido, aún más por sus compañeros que por sí mismo.

Colocóse, pues, en posición, y lanzó tan diestramente su *quoit*, que fue a ajustarse en el *hob*.

—¡Siete puntos! —exclamó triunfalmente Service—. ¡Hemos ganado el partido! ¡Hemos ganado!

Doniphan acababa de acercarse vivamente, diciendo:

—¡No...! ¡No está ganado el partido!

—¿Por qué? —preguntó Baxter.

—Porque Briant ha hecho trampa.

—¿Qué he hecho trampa? —respondió Briant palideciendo ante semejante acusación.

—Sí... ¡Ha habido trampa! —replicó Doniphan—. Briant no tenía los pies en la línea en que debía tenerlos... Se ha adelantado dos pasos.

—¡No es verdad! —exclamó Service.

—¡No, no es verdad! —respondió Briant—. Y aún admitiendo que lo fuera hubiera sido un error por mi parte, y no consentiré que Doniphan me acuse de haber hecho trampa.

—¿De veras? ¿No lo consentirás? —dijo Doniphan encogiéndose de hombros.

—No —respondió Briant, que empezaba a no poder dominarse— Y, ante todo, probaré que tenía los pies exactamente en la línea reglamentaria sin separarme de ella.

—¡Sí...! ¡Sí...! —exclamaron Baxter y Service.

—¡No...! ¡No...! —replicaron Webb y Cross.

—Mirad las huellas de mis zapatos en la arena —repuso Briant—. Y como Doniphan no ha podido engañarse, ahora le diré yo que ha mentido.

—¿Que he mentido? —exclamó Doniphan acercándose lentamente a su compañero.

Webb y Cross habíanse puesto detrás de él, para apoyarle, en tanto que Service y Baxter estaban prontos a asistir a Briant, si llegaba a haber lucha.

Doniphan tomó la actitud de un boxeador, quitóse la chaqueta, arremangóse hasta el codo las mangas y se enrolló el pañuelo en las muñecas.

Briant, que había recobrado la sangre fría, permaneció inmóvil, como si le repugnase batirse con uno de sus compañeros y dar semejante ejemplo a la pequeña colonia.

—Has hecho mal en injuriarme, Doniphan —dijo—, y ahora haces mal en provocarme.

—En efecto —respondió Doniphan con voz que denotaba el profundo despecho—, siempre hace uno mal en provocar a los que no saben responder a la provocación.

—Si no respondo a ella —dijo Briant—, es porque no me viene en gana responder.

—Si a ella no respondes —replicó Doniphan—, es por miedo.

—¿Miedo...? ¿Yo?

—¡Porque eres un cobarde!

Briant, que ya se había arremangado, se acercó resueltamente a Doniphan, y ambos adversarios quedaron en posición uno frente a otro.

En Inglaterra, y hasta en los colegios ingleses, el boxeo forma parte de la educación, por decirlo así. Además, se ha observado que los muchachos diestros en este ejercicio demuestran más mansedumbre y más paciencia que los demás y no buscan pendencia por cualquier cosa.

Briant, como francés, nunca había tenido afición a este cambio de puñetazos que toma por blanco únicamente el rostro. Así, pues, hallábase en estado de inferioridad respecto a su adversario, que era un púgil muy diestro, a pesar de ser ambos de igual edad, de igual estatura y sensiblemente de la misma fuerza.

Iba a comenzar la lucha y se iba a dar ya el primer asalto, cuando Gordon, que acababa de ser avisado por Dole, se apresuró a intervenir.

—¡Briant...! ¡Doniphan! —exclamó.

—¡Me ha tratado de embustero! —dijo Doniphan.

—¡Después que él me ha acusado de hacer trampa y me ha llamado cobarde! —respondió Briant.

En aquel momento estaban todos agrupados en derredor de Gordon, mientras los dos adversarios habían dado algunos pasos atrás, Briant cruzado de brazos y Doniphan en la actitud de boxeador.

—Doniphan —dijo entonces con voz severa Gordon—, yo conozco a Briant... No es él quien habrá buscado pendencia... Tú eres el que ha tenido la culpa.

—En eso te conozco bien, Gordon —replicó Doniphan—, siempre estás dispuesto a ir en contra mía.

—Sí... cuando lo mereces —respondió Gordon.

—¡Bueno! —repuso Doniphan—. Pero, sea la culpa de Briant o mía, si se niega a pelear será un cobarde.

—Y tú, Doniphan —repuso Gordon—, serás un chico que das un ejemplo detestable a tus compañeros. ¡No faltaba más que eso, que en la grave situación en que estamos, uno de nosotros pretenda desunirnos y que la emprenda constantemente con el mejor de todos!

—Da las gracias a Gordon, Briant —exclamó Doniphan—. Y, ahora, ¡en guardia!

—¡Pues bien, no! —exclamó Gordon—. Yo, vuestro jefe, me opongo a toda violencia entre vosotros. Vuelve a la Cueva del Francés, Briant. Y tú, Doniphan, ve donde quieras a que se te pase la cólera y no vuelvas a aparecer por aquí hasta que te halles en estado de comprender que, al echarte la culpa, no he hecho sino cumplir con mi deber.

—¡Eso es...! ¡Eso es! —exclamaron los demás, excepto Webb, Wilcox y Cross—. ¡Vive Gordon...! ¡Hurra por Briant!

Ante aquella casi unanimidad, no había más remedio que obedecer. Briant volvió al zaguán y, por la noche, cuando Doniphan volvió a la hora de acostarse, ya no manifestó ningún deseo de continuar las cosas. No obstante, advertíase que en él quedaba latente un sordo rencor, que aún se había aumentado su enemistad contra Briant y que, llegado el caso, no se olvidaría de la lección que acababa de darle Gordon. Además, se negó a las tentativas de reconciliación que éste quiso hacer.

Bien lamentables eran, en efecto, esas enfadosas disensiones que amenazaban la tranquilidad de la pequeña colonia. Doniphan tenía consigo a Wilcox, Cross y Webb, que sufrían su influencia, que le daban la razón en todo: ¿no podían por lo tanto, temerse una escisión en lo futuro?

Pero, desde aquel día, no volvió a haber nada. Nadie hizo alusión a lo ocurrido entre dos rivales y continuaron realizándose los trabajos de costumbre, en previsión del invierno, que no se iba a hacer esperar mucho tiempo; porque, durante la primera semana de mayo, el frío fue lo bastante sensible para que Gordon diera orden de encender las estufas del zaguán y tenerlas cargadas noche y día, y poco después se creyó necesario calentar el cobertizo del cercado y del corral, lo cual era de la incumbencia de Service y de Garnett.

En aquella época preparábanse ciertas aves a emigrar por bandadas. ¿Hacia qué regiones volaban? Evidentemente hacía las comarcas septentrionales del Pacífico o del continente americano, que les ofrecía un clima menos riguroso que el de la isla Chairman.

Entre esas aves figuraban en primera fila las golondrinas, maravillosas emigrantes, capaces de trasladarse rápidamente a considerables distancias. Con la incesante preocupación de emplear todos los medios para repatriarse, tuvo Briant la idea de utilizar la marcha de esos pájaros para señalar la situación de los náufragos del «Sloughi». Fácilmente cogieron algunas docenas de golondrinas de la especie de las «rústicas», que iban a anidar en el interior del almacén, pusiéronles en el cuello una bolsita de tela, con una nota que indicaba aproximadamente la parte del Pacífico en que convendría buscar la isla Chairman, suplicando con insistencia que se diera aviso de ello a Auckland, la capital de Nueva Zelanda.

Soltaron luego las golondrinas y despidiéronlas con verdadera emoción los jóvenes colonos, en el instante que desaparecían en la dirección Nordeste.

El 25 de mayo aparecieron las primeras nieves y, por consiguiente, algunos días antes que el año anterior. ¿Habría de deducirse de esa precocidad del invierno, que éste había de ser muy riguroso? Por lo menos, así era de temer. Afortunadamente, en la Cueva del Francés tenían asegurados por mucho tiempo calor, luz y alimentación, sin contar con los productos del Pantano del Sur, cuya caza abundaba a orillas del río Zelanda.

Varias semanas antes se habían distribuido ya ropas de abrigo y Gordon velaba por que se observasen escrupulosamente las medidas de higiene.

Durante el último período resintióse la Cueva del Francés de una secreta agitación que puso en conmoción aquellas cabecitas. En efecto, el 10 de junio terminaría el año por el que había sido nombrado Gordon jefe de la isla Chairman.

Esto produjo conversaciones, conciliábulos y hasta puede decirse que intrigas, que no dejaron de agitar seriamente a aquella gente menuda. Como sabemos, Gordon quería permanecer indiferente. En cuanto a Briant, por ser de origen francés, no pensaba en modo alguno en gobernar una colonia de jóvenes en la que estaban en mayoría los ingleses.

En el fondo, aunque disimulándolo bastante, al que más preocupaba la elección era a Doniphan. Indudablemente, por su inteligencia extraordinaria y su valor, de que nadie dudaba, hubiera tenido muchas probabilidades a no ser por su carácter altanero, su espíritu dominante y los defectos de su naturaleza envidiosa.

No obstante, ya porque se creyera seguro de suceder a Gordon, ya porque su vanidad le impidiese mendigar votos, afectó mantenerse aparte. Pero lo que no hizo él abiertamente, hicieron por él sus amigos, Wilcox, Webb y Cross; manejaban bajo cuerda a sus compañeros para que diesen su sufragio a Doniphan (sobre todo a los pequeños, cuya aportación era importante). Y como no figuraba ningún otro nombre, Doniphan pudo considerarse con razón que le elegirían seguramente.

Llegó el 10 de junio.

Por la tarde había de procederse al escrutinio. Cada cual tenía que escribir en una papeleta el nombre de la persona por quien quería votar, y la mayoría de los sufragios decidiría la elección. Como la colonia constaba de catorce miembros (pues Mokó, como negro, no podía pretender, ni pretendía, ser electo), siete votos más uno, por una misma persona, decidirían la elección de nuevo jefe.

Abrióse el escrutinio a las dos, bajo la presencia de Gordon, y llevóse a cabo con esa gravedad que la raza anglosajona imprime a todas las operaciones de esa índole.

Y contadas las papeletas, dieron los resultados siguientes:

> Briant . . . . 8 votos
> Doniphan . . . . 3 »
> Gordon . . . . 1 »

Ni Gordon ni Doniphan quisieron tomar parte en el escrutinio; Briant votó por Gordon.

Al oír pronunciar el resultado, no pudo disimular Doniphan su decepción ni el profundo enojo que sentía.

Briant, muy sorprendido de haber obtenido la mayoría de sufragios, estuvo a punto, en un principio, de rechazar el honor que le concedían; pero sin duda cruzaría por su imaginación alguna idea, porque después de mirar a su hermano Santiago, dijo:

—¡Gracias, compañeros, acepto!

Y a partir de ese día, Briant fue por el plazo de un año el jefe de los jóvenes colonos de la isla Chairman.

CAPITULO IV

Al elegir a Briant, sus compañeros habían querido hacer justicia a su carácter servicial, al valor de que daba muestras en todas las ocasiones de que dependía la suerte de la colonia, a su inagotable sacrificio por el interés general. Desde el día en que tomó, por decirlo así, el mando del *schooner*, durante aquella travesía de Nueva Zelanda a la isla Chairman, nunca retrocedió ante el peligro o la fatiga. Aunque fuese de distinta nacionalidad, todos le querían, grandes y chicos, principalmente estos últimos, de los que siempre había cuidado con tanto celo, y habían votado unánimemente por él. Los únicos que se negaban a reconocer las virtudes de Briant eran Doniphan, Cross, Wilcox y Webb, pero en el fondo sabían perfectamente que eran injustos con el más meritorio de sus compañeros.

Aunque previó que aquella elección acentuaría más la disidencia que ya existía, aunque pudo temer que Doniphan y sus partidarios tomarían alguna resolución lamentable, no escatimó Gordon sus felicitaciones a Briant. Por una parte, tenía un espíritu muy equitativo para no aprobar la elección que se había hecho, y, por otra, preferiría no tener que cuidarse más de la contabilidad de la Cueva del Francés.

Sin embargo, a partir de aquel día, advirtió que Doniphan y sus compañeros estaban decididos a no sufrir aquel estado de cosas, a pesar de que Briant resolvió no darles nunca ocasión de cometer ningún exceso.

En cuanto a Santiago, no dejó de sorprenderse un poco al ver aceptar a su hermano el resultado del escrutinio.

—¿Conque quieres...? —le dijo, sin terminar un pensamiento que Briant completó respondiéndole en voz baja:

—Sí, quiero ponerme en condiciones de hacer aún más de lo que hasta ahora hemos hecho para reparar tu falta.

—¡Gracias, hermano! —respondió Santiago—. Y no tengas miramientos conmigo.

Al día siguiente volvió a empezar el curso de aquella existencia que los largos días de invierno iban a hacer tan monótona.

Y en primer lugar, antes que los grandes fríos impidieran toda excursión a la Bahía de Sloughi, Briant tomó una medida que no dejaba de tener su utilidad.

Ya sabemos que en una de las cumbres más altas de la Montaña de Auckland se había puesto un mástil de señales. Ahora bien, ya no quedaba sino jirones de la bandera izada en la punta de ese mástil, por haber sido agitada durante algunas semanas por los vientos del mar. Por lo tanto, convenía sustituirlo por un aparato que pudiera soportar hasta las borrascas invernales, y, por consejo de Briant, construyó Baxter una especie de globo, trenzando aquellos juncos flexibles que abundaban a las orillas del pantano, que podría resistir, puesto que el viento pasaría a través de él. Terminado ese trabajo, emprendieron otra excursión a la bahía, el 17 de junio, y Briant reemplazó el pabellón del Reino Unido por aquella nueva señal, que se veía en un radio de muchas millas.

Pero no estaba muy lejos el momento en que Briant y sus administrados tendrían que acuartelarse en la Cueva del Francés, porque el termómetro bajaba lentamente, siguiendo una progresión continua, lo cual indicaba que persistirían los grandes fríos.

Briant mandó llevar a tierra la canoa, dejándola en la esquina del contrafuerte. Allí la taparon con una fuerte tela embreada, para que la sequía no desuniera sus junturas. Luego, Baxter y Wilcox pusieron trampas junto al cercado y cavaron nuevos hoyos al borde del Bosque de las Trampas. Por último, tendieron las redes a lo largo de la orilla izquierda del río Zelanda, para que pudieran retener en sus mallas las aves marinas que los fuertes vientos del Sur arrojaban al interior de la isla.

De vez en cuando, Doniphan y sus tres compañeros, montados en sus zancos, emprendían excursiones al Pantano del Sur, de donde nunca volvían con las manos vacías, si bien ahorraban tiros, porque, en cuanto a las municiones, Briant se mostraba tan económico como Gordon.

En los primeros días de julio empezó a helarse el río, y los pocos témpanos que se formaron en el Lago de la Familia fueron a la deriva arrastrados por la corriente. Pronto, por su acumulación algo al sur de la Cueva del Francés, se formó una barrera de hielo y la superficie del río convirtióse en una espesa costra helada. Con la persistencia del frío, que era ya de doce grados centígrados bajo cero, no tardaría en solidificarse. el lago en toda su extensión y, en efecto, después de un violento asalto de ráfagas que hizo más lenta esa solidificación, aclaróse el hielo y la temperatura descendió a cerca de veinte grados bajo la cifra de congelación, lo que bastó para que aquélla se realizara.

Reanudóse el programa de la vida invernal en las mismas condiciones que el año anterior, y Briant la hacía cumplir severamente, aunque sin abusar de su autoridad. Además, le obedecían gustosamente, y Gordon le facilitaba mucho la tarea, dando ejemplo de obediencia. Doniphan y sus partidarios no se insubordinaron nunca; cuidábanse del servicio cotidiano de las trampas, lazos y redes, que les habían encomendado especialmente pero vivían como aislados, hablando en voz baja, sin mezclarse sino rara vez en la conversación general, ni aun durante las comidas ni en las veladas nocturnas. ¿Preparaban alguna maquinación? No se sabía. En resumen, no se les podía dirigir ningún reproche y Briant no tuvo que intervenir en modo alguno. Contentábase con ser justo con todos, encargándose las más de las veces de los trabajos fatigosos y difíciles, y sin ahorrárselos tampoco a su hermano, que competía con él en interés y celo. Es más, Gordon pudo observar que el carácter de Santiago propendía a modificarse, y Mokó veía con placer que desde la explicación que había tenido con Briant, el niño se metía más frecuentemente en la conversación y en los juegos de sus compañeros.

Los estudios ocupaban aquellas largas horas que el frío obligaba a pasar en el zaguán. Jenkins, Iverson, Dole y Costar hacían sensibles progresos, y al instruirlos no dejaban de instruirse a su vez los mayores. Durante las largas tardes, leían en voz alta relatos de viajes, a los que Service hubiera preferido seguramente la lectura de los Robinsones. A veces el acordeón de Garnett dejaba escapar una de esas armonías pesadas que el desgraciado melómano tocaba con lamentable convicción. Otros cantaban a coro algunas canciones de su infancia. Después, una vez terminado el concierto, cada cual se iba a acostar hasta las primeras horas de la mañana siguiente.

Entretanto Briant no dejaba de reflexionar en la vuelta a Nueva Zelanda, que era su mayor preocupación, y en eso se diferenciaba de Gordon, que no pensaba más que en la organización de la colonia de la isla de Chairman. Así, pues, la presidencia de Briant debería señalarse sobre todo por los esfuerzos que se realizarían con objeto de repatriarse. Pensaba constantemente en aquella mancha blanquecina, vista a lo largo de la Bahía de la Decepción. ¿No pertenecería a alguna tierra situada en las cercanías de la isla? —se preguntaba Briant—. Y, si así era, ¿sería imposible construir una embarcación con la que intentasen llegar a aquella tierra? Pero cuando hablaba de ello con Baxter, éste meneaba la cabeza comprendiendo muy bien que semejante trabajo era superior a sus fuerzas.

—¿Por qué somos niños? —repetía Briant—. Sí, niños, cuando deberíamos ser hombres.

Y ésa era su mayor pena.

Durante las noches de invierno, aunque la seguridad parecía cierta en la Cueva del Francés, alarmáronse varias veces los colonos porque *Phann* lanzaba largos ladridos, cuando las manadas de animales carniceros, chacales casi siempre, iban a rondar en torno del cercado. Doniphan y los demás precipitábanse entonces a la puerta del zaguán y, arrojando tizones encendidos a aquellos malditos animales, conseguían ponerlos en fuga. También dos o tres veces mostráronse en las inmediaciones varias parejas de jaguares y pumas, aunque sin acercarse nunca tanto como los chacales. A aquéllos los recibían a tiros, si bien por la distancia desde donde les tiraban no podían ser heridos mortalmente. En resumen, llegaron a preservar el cercado, pero a fuerza de muchos trabajos.

El 24 de julio, Mokó tuvo al fin ocasión de demostrar nuevos conocimientos culinarios en la preparación de un plato de caza, en el que todos se relamieron, unos como buenos gastrónomos y como glotones los otros. Wilcox y Baxter, que se ayudaban gustosos, no se habían limitado a instalar útiles de caza para los animales, volátiles o roedores más pequeños. Curvando algunos de aquellos resalvos que crecían entre los macizos del Bosque de las Trampas, pudieron instalar verdaderas trampas de nudos corredizos para las piezas de gran tamaño. Esa clase de lazos se ponen generalmente en las selvas al paso de los corzos y suele producir buenos resultados.

En el Bosque de las Trampas la noche del 24 de julio metióse en uno de los nudos corredizos no un corzo, sino un magnífico flamenco, que a pesar de sus esfuerzos no pudo escapar. Al día siguiente, cuando Wilcox fue a ver los lazos, el animal estaba ya estrangulado porque la hebilla del resalvo, al enderezarse, le había apretado en el cuello. Aquel flamenco, bien desplumado y relleno de hierbas aromáticas y asado en su punto, fue declarado excelente por unanimidad. Para todos hubo parte de las alas y los muslos e incluso una pequeña porción de la lengua, que es lo más apetitoso entre lo más apetitoso que se puede comer bajo la capa de los cielos.

La primera quincena del mes de agosto hubo cuatro días de frío excesivo, y no sin temor vio Briant descender el termómetro a treinta grados centígrados bajo cero. La pureza del aire era incomparable *y*, como sucede con frecuencia durante esos grandes descensos de temperatura, no había la menor brisa que perturbase la atmósfera.

Durante ese período no podían salir de la Cueva del Francés sin helarse instantáneamente hasta la medula de los huesos. Prohibieron a los pequeños que se expusieran al aire un solo instante y los mayores no lo hacían más que en caso de absoluta necesidad, principalmente para alimentar día y noche las hogueras del establo y del corral.

Por fortuna, no duraron mucho los fríos. Hacia el 6 de agosto el viento volvió al Oeste y entonces asaltaron a la Bahía de Sloughi y la Costa del Naufragio espantosas borrascas que, después de azotar de pleno el dorso de la Montaña de Auckland, rebotaban por encima con incomparable violencia, a pesar de lo cual no se resintió la Cueva del Francés, cuyas sólidas paredes sólo hubiese podido desunir un terremoto. Las ráfagas más irresistibles, las que arrojan a la costa barcos enormes o derriban edificios de piedra, nada podían contra el inquebrantable acantilado. En cuanto a los árboles abatidos, si fueron muchos, era otro tanto trabajo ahorrado a los jóvenes leñadores cuando tuvieran que reponer su provisión de combustible.

En resumen, aquellas borrascas modificaron profundamente el estado atmosférico, ya que produjeron el término de los grandes fríos. A partir de ese período, la temperatura subió constantemente, y una vez terminadas aquellas perturbaciones, se mantuvo en una media de siete a ocho grados bajo cero.

La última quincena de agosto fue muy soportable. Briant pudo emprender de nuevo las tareas de fuera, salvo la pesca, porque las superficies del río y del lago estaban cubiertas todavía de una espesa capa de hielo. Hicieron muchas visitas a los lazos, trampas y redes, donde caía abundante caza de los pantanos, la cual nunca faltó en la despensa.

Por lo demás, pronto contó el cercado con algunos nuevos habitantes. Aparte de las polladas de avutardas y gallinas de Guinea, la vicuña tuvo cinco crías, a las que no faltaron los cuidados de Garnett y de Service.

En esas circunstancias, y ya que el estado del cielo lo seguía permitiendo, tuvo Briant la idea de ofrecer a sus compañeros una sesión de patines. Aquellos muchachos estaban más o menos acostumbrados a esa clase de ejercicio, muy en boga en los inviernos de Nueva Zelanda, y quedaron encantados en aquella ocasión de poder desplegar sus facultades en la superficie del Lago de la Familia.

Así, el 25 de agosto, a las once de la mañana, Briant, Gordon, Doniphan, Webb, Cross, Baxter, Garnett, Service, Jenkins y Santiago, dejando a Iverson, Dole y Costar bajo la custodia de Mokó y de *Phann*, salieron de la Cueva del Francés en busca de un lugar en que la capa de hielo fuese bastante extensa y propia para patinar.

Briant llevaba una de las cornetas de a bordo, para reunir a su pequeña tropa en caso de que algunos se dejasen llevar demasiado lejos por el lago. Todos habían almorzado antes de partir y pensaban estar de regreso para la cena.

Tuvieron que subir la orilla en un espacio de más de tres millas, para llegar a un emplazamiento conveniente; porque el Lago de la Familia estaba lleno de témpanos en las cercanías de la Cueva del Francés. Los jóvenes se detuvieron ante una superficie uniformemente solidificada que se extendía hacia el Este, hasta perderse de vista.

Hubiera sido un magnífico campo de maniobras para un ejército de patinadores.

Excusado es decir que Doniphan y Cross llegaban consigo las escopetas para cazar algo, si se presentaba la ocasión. En cuanto a Briant y Gordon, a quienes nunca había gustado esta clase de deporte, sólo fueron allí con la intención de impedir las imprudencias.

Indiscutiblemente, los más diestros patinadores de la colonia eran Doniphan, Cross y, sobre todo, Santiago, que vencía tanto por su velocidad de movimientos como por la precisión con que describía complicadas curvas y difíciles espirales.

Antes de dar la señal de partida, reunió Briant a sus compañeros y les dijo:

—No necesito recomendaros que estéis prudentes y prescindáis de todo amor propio. Si no hay temor de que se rompa el hielo, siempre hay peligro de romperse un brazo o una pierna. No os alejéis mucho. Si os vierais arrastrados a mucha distancia, no os olvidéis de que Gordon y yo esperamos aquí. Así, cuando dé yo la señal con la corneta, todos habéis de procurar reuniros con nosotros.

Hechas esas recomendaciones, corrieron los patinadores al lago, y Briant se tranquilizó al verles desplegar verdadera habilidad. Si al principio hubo algunas caídas, no tuvieron más resultado que el de producir unas cuantas carcajadas.

En verdad, Santiago obraba maravillas, por delante, por detrás; poniéndose en un solo pie, en dos, ya derecho, ya agachado, describiendo círculos y elipses con perfecta regularidad. ¡Y qué satisfacción era para Briant ver a su hermano tomar parte en los juegos de los demás!

Es probable que Doniphan, el deportista tan apasionado por todos los ejercicios corporales, tuviera cierta envidia del éxito de Santiago, a quien aplaudían muy a gusto. Por eso no tardó en alejarse de la orilla a pesar de las insistentes recomendaciones de Briant. Y hasta llegó un momento en que llamó por señas a Cross para que se uniera con él.

—¡Eh, Cross! —le gritó—. Veo una bandada de patos... Allí... por el Este... ¿Los ves?

—Sí, Doniphan.

—Tú tienes tu escopeta y yo la mía... Así, pues, ¡a cazar!

—Pero Briant lo ha prohibido.

—¡Déjame en paz con Briant! ¡En marcha...! ¡A toda velocidad!

En un abrir y cerrar de ojos Doniphan y Cross patinaron media milla, persiguiendo aquella bandada de aves que revoloteaba sobre el Lago de la Familia

—¿A dónde van? —dijo Briant.

—Habrán visto alguna pieza —respondió Gordon—, y el instinto de la caza...

—O más bien el instinto de la desobediencia —replicó Briant—. ¡Siempre es Doniphan...!

—¿Crees, Briant, que corren algún peligro?

—¡Quién sabe, Gordon...! Siempre es imprudente alejarse... ¿Ves qué lejos están ya?

Y efectivamente, llevados por rápida carrera, Doniphan y Cross no parecían más que dos puntitos en el horizonte del lago.

Sí, tenían tiempo de volver, puesto que aún quedaban unas horas de día, pero, sin embargo, era una imprudencia. En efecto, en aquella época del año siempre era de temer una variación súbita en el estado de la atmósfera. Cualquier modificación en la dirección del viento bastaría para provocar ráfagas o nieblas.

Júzguese, pues, cuál no sería el temor de Briant cuando, a eso de las dos, desapareció repentinamente el horizonte bajo una espesa faja de bruma. En aquel momento aún no habían reaparecido Cross y Doniphan, y la bruma, acumulada ya en la superficie del lago, ocultaba su orilla occidental.

—¡Eso es lo que yo temía! —exclamó Briant—. ¿Cómo encontrarán ahora el camino?

—¡Un toque de corneta...! ¡Da un toque de corneta! —respondió vivamente Gordon.

Sonó tres veces la corneta y su nota metálica se prolongó al través del espacio. Tal vez contestasen a ella algunos disparos, que era el único medio que Doniphan y Cross tenían de dar a conocer su posición.

Gordon y Briant escucharon, pero no llegó a sus oídos ninguna detonación.

A todo esto, la niebla había ganado en espesor como en extensión y sus primeras volutas estaban a menos de un cuarto de milla, y como al mismo tiempo se elevaba hacia las zonas superiores, no tardarían muchos minutos en desaparecer totalmente en el lago.

Entonces llamó Briant a aquellos de sus compañeros que estaban al alcance de su vista, y momentos después todos estuvieron reunidos en la orilla.

—¿Qué decidimos? —preguntó Gordon.

—Hay que intentarlo todo para encontrar a Cross y a Doniphan antes de que se extravíen por completo en la niebla. Vaya uno de nosotros en la dirección que ellos han tomado y procure descubrirlos a toque de corneta...

—¡Yo estoy pronto a partir! —dijo Baxter.

—¡También nosotros! —añadieron otros dos o tres.

—No... Ya iré yo —dijo Briant.

—¡No! ¡Iré yo, hermano! —respondió Santiago—. Con los patines no tardaré en alcanzar a Doniphan.

—Bueno —contestó Briant—. Vete, Santiago, y escucha bien si oyes disparos... Llévate la corneta, que servirá para señalar tu presencia.

—Sí, hermano.

Un instante después, Santiago era invisible en medio de las brumas, que se volvían cada vez más opacas.

Briant, Gordon los demás prestaron atentamente oídos a los toques de corneta lanzados por Santiago, que pronto fueron apagados por la distancia.

Transcurrió media hora, sin noticias de los ausentes, ni de Cross ni de Doniphan, incapaces de orientarse por el lago, ni de Santiago, que había salido en su busca.

¿Y qué sería de los tres, si se echase encima la noche antes de que pudieran volver?

—¡Si tuviéramos siquiera armas de fuego! —exclamó Service—. Tal vez...

—¿Armas? —dijo Briant—. Las hay en la Cueva del Francés... No perdamos un instante, ¡en marcha!

Era lo mejor que podían hacer porque, ante todo, convenía indicar, tanto a Santiago como a Doniphan y a Cross, la dirección que convenía seguir para encontrar la orilla del Lago de la Familia. Por consiguiente, lo mejor era volver por el camino más corto a la Cueva del Francés, en donde podrían hacer señales por medio de detonaciones sucesivas.

En menos de media hora, Briant, Gordon y los demás recorrieron las tres millas que les separaba de la Terraza del Deporte.

En esta ocasión, ya no se trataba de ahorrar pólvora. Wilcox y Baxter cargaron dos escopetas y las dispararon en la dirección del Este.

No obtuvieron respuesta ni disparos ni toques de corneta.

Eran ya las tres y media. La niebla propendía a espesarse a medida que el sol descendía detrás de la Montaña de Auckland. Al través de aquellos pesados vapores era imposible ver cosa alguna en la superficie del lago.

—¡Al cañón! —dijo Briant.

Una de las piezas pequeñas del «Sloughi», la que apuntaba al través de una de las troneras practicadas junto a la puerta del zaguán, fue arrastrada al centro de la Terraza del Deporte, apuntando convenientemente hacia el Nordeste.

Cargáronla con uno de los cartuchos de señales, y Baxter iba ya a tirar de la cuerda del estopín, cuando Mokó sugirió la idea de poner un taco de hierba untado de grasa por encima del cartucho, pues creía saber que eso daba más fuerza a la detonación; y no se equivocaba.

Hízose el disparo, no sin que Dole y Costar se tapasen los oídos.

En medio de una atmósfera tan perfectamente tranquila era inadmisible que no se oyese a una distancia de muchas millas aquella detonación.

Escucharon... ¡Nada!

Durante una hora más dispararon el cañón cada diez minutos. No podía ser que Doniphan, Cross y Santiago se engañasen en cuanto al significado de aquellos cañonazos repetidos que indicaban la posición de la Cueva del Francés. Además, aquellas descargas debían de oírse en toda la superficie del Lago de la Familia; porque las nieblas son muy propias para la propagación lejana del sonido, y esa propiedad se aumenta con la densidad de la niebla.

Por fin, poco antes de las cinco, percibiéronse bastante claramente en la dirección del Nordeste dos o tres disparos de escopeta.

—¡Ellos! —exclamó Service.

Y al punto Baxter respondió con una última descarga a la señal de Doniphan.

Momentos después dibujáronse dos sombras al través de la bruma, que no era tan espesa cerca de la orilla como en el lago. Pronto se unieron otros hurras a los que partían de la Terraza del Deporte.

Eran Doniphan y Cross.

Santiago no venía con ellos.

Imagínese la mortal angustia que debió de sentir Briant. Su hermano no pudo encontrar a los dos cazadores, que ni siquiera habían oído su toque de corneta. En efecto, en aquel momento Cross y Doniphan, que procuraban orientarse, encamináronse a la parte meridional del Lago de la Familia, mientras Santiago se internaba en el Este para procurar reunirse con ellos, que, a su vez, no hubiesen podido encontrar nunca el camino, a no ser por las detonaciones que salieron de la Cueva del Francés.

Briant, pensando únicamente en su hermano perdido en medio de la niebla, no pensaba apenas dirigir ningún reproche a Doniphan, cuya desobediencia podía tener consecuencias tan graves. Si Santiago se viera reducido a pasar la noche en el lago con una temperatura que quizá descendiese a quince grados bajo cero, ¿cómo podría resistir un frío tan intenso?

—Hubiera debido ir yo en su lugar... yo —repetía Briant, a quien Gordon y Baxter intentaban en vano dar un poco de esperanza.

Dispararon aún algunos cañonazos que, indudablemente, si Santiago estuviera cerca de la Cueva del Francés, hubiese oído y no habría dejado de señalar su presencia con algunos toques de corneta. Pero cuando los últimos ecos del cañón se perdieron a lo lejos, las detonaciones quedaron sin respuesta.

Ya empezaba a hacerse de noche y la oscuridad no tardaría en envolver toda la isla.

Sin embargo, produjose entonces una circunstancia bastante favorable. La niebla parecía propender a desvanecerse. La brisa, que se había levantado al Sur, como sucedía todas las noches después de las calmas del día, empujaba la niebla hacia el Este y descubría la superficie del Lago de la Familia. Por lo tanto, la dificultad de llegar a la Cueva del Francés pronto sería debida únicamente a las tinieblas de la noche.

En esas condiciones, sólo se podía hacer una cosa: encender una gran hoguera en la orilla a modo de señal. Y Wilcox, Baxter y Service apilaban ya leña seca en el centro de la Terraza del Deporte, cuando los detuvo Gordon.

—¡Esperad! —dijo.

Gordon miraba atentamente con el anteojo en la dirección del Nordeste.

—Me parece que veo un punto —dijo—, un punto que se mueve.

Briant tomó el anteojo y miró a su vez.

—¡Loado sea Dios...! Él es... —exclamó—. ¡Es Santiago!

Y todos empezaron a gritar a voz en cuello, como si pudieran oírles a una distancia que no sería menor de una milla.

Sin embargo, la distancia disminuía a simple vista. Santiago, con los patines puestos, deslizábase con la rapidez de una flecha por la capa helada del lago, acercándose a la Cueva del Francés. No tardaría muchos minutos en llegar.

—Parece que no viene solo —exclamó Baxter, sin poder contener un movimiento de sorpresa.

En efecto, una observación más detenida hizo ver que detrás de Santiago y a unos cien pies de él, se movían con igual velocidad otros dos puntos.

—¿Qué es eso? —preguntó Gordon.

—¿Serán hombres? —dijo Baxter.

—No... Parecen animales —replicó Wilcox.

—Acaso fieras —exclamó Doniphan.

No se equivocaba, y, sin titubear, escopeta en mano, corrió al lago, al encuentro de Santiago.

En pocos instantes alcanzó Doniphan al joven y disparó dos tiros contra las fieras, que retrocedieron y no tardaron en desaparecer.

Eran dos osos, que nadie hubiera esperado verlos figurar en la fauna de la isla Chairman. Y puesto que tan temibles animales andaban por la isla, ¿cómo es que nunca habían visto rastros de ellos los cazadores? ¿Había que suponer que no la habitaban, pero que durante el invierno, ya aventurándose por la superficie del mar helado, ya embarcados en témpanos flotantes, llegaban los osos hasta aquellos parajes? ¿Y no parecía indicar aquello que había algún continente cerca de la isla Chairman? Había que meditar sobre este punto.

Sea lo que fuere, Santiago estaba a salvo, y su hermano le estrechaba en sus brazos.

No escatimaron al valeroso niño felicitaciones, abrazos y apretones de mano. Después de haber estado tocando en vano la corneta para llamar a sus compañeros, perdióse a su vez en lo más espeso de la niebla, y cuando desconfiaba de orientarse oyó las primeras detonaciones.

«No puede ser más que el Cañón de la Cueva del Francés», pensó, procurando reconocer de dónde venía el sonido.

Hallábase entonces a varias millas de la orilla, al nordeste del lago. E inmediatamente, patinando a toda velocidad, corrió en la dirección que le señalaban.

De pronto, en el momento en que empezaba a disiparse la niebla, se vio en presencia de dos osos, que corrían tras él. A pesar del peligro, no le abandonó ni un solo instante su sangre fría, y, gracias a la rapidez de su carrera, pudo mantener a distancia a aquellos animales; pero, si se hubiera caído, estaba perdido. Y entonces... llevándose aparte a Briant, mientras todos volvían a la Cueva del Francés, le dijo en voz baja:

—Gracias, hermano, gracias por haberme permitido...

Briant le estrechó la mano sin contestar.

Luego, en el momento en que Doniphan iba a traspasar la puerta del vestíbulo, le dijo:

—Yo te había prohibido alejarte; ya ves que tu desobediencia hubiera podido causar una gran desgracia. No obstante, aunque hayas hecho mal, Doniphan, no por eso dejo de darte las gracias por haber ido en auxilio de Santiago.

—No he hecho más que cumplir con mi deber —respondió fríamente Doniphan.

Y ni siquiera cogió la mano que tan cordialmente le alargaba su compañero.

CAPITULO V

Seis semanas después de estos acontecimientos, a eso de las cinco de la tarde, acababan de detenerse cuatro de los jóvenes colonos al extremo meridional del Lago de la Familia.

Era el 10 de octubre. Sentíase ya la influencia del buen tiempo. Bajo los árboles, revestidos del follaje reciente, el sol había adquirido su color primaveral. Una dulce brisa rizaba ligeramente la superficie del lago, iluminada aún por los últimos rayos del sol que rozaban la vasta llanura del Pantano del Sur orillada por un estrecho arenal. Muchos pájaros pasaban en bandadas chillonas, volviendo a su abrigo nocturno a la sombra de los bosques o a las fragosidades del acantilado. Diversos grupos de árboles de hojas perennes, pinos, carrascas y, no lejos, un abetal de algunos acres, eran los solos que rompían la monótona aridez de aquella parte de la isla Chairman. En aquel lugar quedaba quebrado el marco vegetal del lago. Y para volver a hallar la espesura de las selvas habría que subir durante muchas millas cualquiera de las dos orillas laterales.

En aquel momento un hermoso fuego encendido al pie de un pino marítimo proyectaba su aromático humo, que el viento rechazaba por encima del pantano; un par de patos asábanse ante un hogar llameante instalado entre dos piedras. Después de cenar los cuatro muchachos no tendrían más que envolverse en sus mantas, y en tanto que uno de ellos velara, los otros tres dormirían tranquilamente hasta que fuese de día.

Eran Doniphan, Cross, Webb y Wilcox, y ahora veremos en qué circunstancias habían decidido separarse de sus compañeros.

Durante las últimas semanas en aquel segundo invierno que los jóvenes colonos acababan de pasar en la Cueva del Francés, fueron más tirantes las relaciones entre Doniphan y Briant. No se habrá olvidado el despecho con que Doniphan vio nombrar presidente a su rival. Habíase vuelto más envidioso y más terrible y costábale mucho resignarse a someterse a las órdenes del nuevo jefe de la isla Chairman. Y si no se le resistía abiertamente, era porque sabía muy bien que no le hubiese apoyado la mayoría. Sin embargo, en distintas ocasiones manifestó tan mala voluntad, que Briant no pudo dejar de hacerle justos reproches. Desde los incidentes del paseo de patines, en que había sido flagrante su desobediencia, ya fuese llevado por sus instintos de cazador, ya porque quisiera hacer lo que le venía en gana, se hizo aún más patente su rebeldía y había llegado el momento en que Briant iba a verse obligado a castigarle.

Gordon, muy preocupado por aquel estado de cosas, había conseguido hasta entonces que Briant se contuviera; pero éste advertía muy bien que se le acababa la paciencia y que, en interés de todos y para mantener el buen orden, era necesario un ejemplo. En vano intentó Gordon traer a Doniphan a mejores sentimientos; si en otro tiempo había ejercido alguna influencia en él, tuvo que reconocer que la había perdido totalmente. Doniphan no le perdonaba el haber hecho con frecuencia causa común con su rival. Por eso, la intervención de Gordon no tuvo ningún resultado, y éste previó con profunda pena muy próximas complicaciones.

De todo esto resultaba que quedaba destruida la buena armonía, tan indispensable para la tranquilidad de los habitantes de la Cueva del Francés. Reinaba allí un malestar moral, que hacía muy penosa la vida en común.

En efecto, salvo a las horas de las comidas, Doniphan y sus partidarios, Cross, Webb y Wilcox, que sufrían cada vez más su dominio, vivían aparte. Si el mal tiempo les impedía ir de caza, reuníanse en un rincón del vestíbulo y allí hablaban entre sí en voz baja.

—Seguramente —dijo un día Briant a Gordon—, los cuatro se entienden para hacer algo...

—No contra ti, Briant —respondió Gordon—. ¿Intentarán ocupar tu lugar...? No se atrevería Doniphan... Todos nosotros estamos a tu lado, ya lo sabes y él no lo ignora.

—¿No pensarán, quizás, en separarse de nosotros?

—Es de temer, Briant, y no creo que tengamos derecho a impedírselo.

—¿Pero no crees, Gordon, que van a establecerse lejos?

—Tal vez no piensen en eso, Briant.

—Sí, lo piensan. He visto a Wilcox sacar la copia del mapa del náufrago Baudoin, con el objeto evidente de llevársela...

—¿Eso ha hecho Wilcox?

—Sí, Gordon, y en verdad, no sé yo si para que terminen semejantes disgustos fuera preferible dimitir en favor de otro... en tu favor, Gordon, o incluso en favor de Doniphan... Así se terminaría toda rivalidad.

—No, Briant... —respondió enérgicamente Gordon—, no... Eso sería faltar a tus deberes para con los que te han nombrado... y a los que te debes más que a ti mismo.

Y en medio de estas enfadosas disensiones terminó el invierno, con los primeros días de octubre, y como los fríos habían desaparecido definitivamente, se deshelaron por completo las superficies del lago y del río. Y fue entonces, en la noche del 9 de octubre, cuando Doniphan comunicó su decisión de salir de la Cueva del Francés con Webb, Cross y Wilcox, cuanto antes mejor.

—¿Queréis abandonarnos? —preguntó Gordon.

—Abandonaros, no, Gordon —respondió Doniphan—. Pero Cross, Wilcox, Webb y yo hemos formado el proyecto de instalarnos en otra parte de la isla.

—¿Y por qué, Doniphan? —preguntó Baxter.

—Pues sencillamente, porque queremos vivir a nuestro gusto, y lo digo con franqueza, porque no nos conviene recibir órdenes de Briant.

—Me gustaría saber lo que tienes que echarme en cara, Doniphan —dijo Briant.

—Nada... A no ser que estás al frente de nosotros —respondió Doniphan—. Ya hemos tenido a un americano por jefe de la colonia... Ahora nos gobierna un francés... Ya lo único que falta es que nombren a Mokó...

—Supongo que no hablarás en serio —dijo Gordon.

—Lo serio es —replicó con tono altanero Doniphan— que si a nuestros compañeros les agrada tener por jefe a cualquiera que no sea inglés, eso no nos gusta ni a mis amigos ni a mí.

—Bien —respondió Briant—, Wilcox, Webb, Cross y tú, Doniphan, sois muy dueños de iros y de llevaros la parte de los objetos a que tenéis derecho.

—No lo hemos dudado nunca, Briant, y mañana mismo saldremos de la Cueva del Francés.

—Ojalá no os tengáis que arrepentir de vuestra determinación —añadió Gordon, que comprendió que sería inútil toda insistencia para que se quedasen.

He aquí ahora el proyecto que Doniphan había resuelto poner en práctica.

Algunas semanas antes, al hacer el relato de su excursión por la parte oriental de la isla Chairman, afirmó Briant que la pequeña colonia hubiera podido instalarse allí en buenas condiciones. Las masas rocosas de la costa contenían muchas cavernas; las selvas, al levante del Lago de la Familia, confinaban con la playa; el río del Este suministraba agua dulce en abundancia; por sus orillas pululaba la caza de pelo y pluma, en una palabra, la vida debía de ser allí tan fácil como en la Cueva del Francés, y mucho más de lo que había sido en la Bahía de Sloughi. Además, la distancia entre la Cueva del Francés y la costa no era sino de doce millas en línea recta, esto es, seis que correspondían a la anchura del lago y poco más o menos otras tantas al curso del río del Este. Así, pues, en caso de absoluta necesidad, sería fácil comunicarse con la Cueva del Francés.

Y después de meditar detenidamente sobre todas las ventajas, decidió Doniphan a Wilcox, Cross y Webb a ir a establecerse con él en la otra parte de la isla.

Doniphan no se proponía llegar por vía fluvial a la Bahía de la Decepción. El itinerario que pensaba seguir era bajar por la orilla del Lago de la Familia hasta su punta meridional, contornear esta punta, subir por la orilla opuesta hasta llegar al río del Este, explorando una comarca de la que aún no conocían nada y luego ir a lo largo del río, en medio de la selva, hasta su embocadura. Sería un recorrido bastante largo, de quince a dieciséis días, pero él y sus compañeros lo harían como cazadores. De este modo evitaría Doniphan embarcarse en la canoa, cuya maniobra hubiera requerido manos más expertas que las suyas. El bote de caucho que se quería llevar bastaría para cruzar el río del Este, y, en caso necesario, para pasar otro río, si lo había al este de la isla.

Además esa primera expedición no había de tener otro objeto que el de reconocer el litoral desde la Bahía de la Decepción para elegir allí el lugar en que Doniphan y sus tres amigos irían a instalarse definitivamente. Por eso, no queriendo embarazarse con equipajes, resolvieron no tomar más que dos escopetas, cuatro revólveres, dos destrales, suficiente cantidad de municiones, espineles, mantas de viaje, una de las brújulas de bolsillo, la ligera barquilla de caucho, y unas pocas reservas, pues no dudaban de que la caza y la pesca proveerían con abundancia a sus necesidades. Por lo demás, creían ellos que la expedición no duraría más que seis o siete días. Así que hubieran elegido su morada, volverían a la Cueva del Francés, tomarían parte de los objetos procedentes del «Sloughi», de los que eran legítimos poseedores, y cargarían ese material en el carro. Cuando Gordon o cualquier otro quisiera ir a visitarlos, serían muy bien recibidos; pero en las condiciones actuales, se negaban terminantemente y, en ese punto, no consentirían desistir de su determinación.

Al día siguiente, en cuanto amaneció, Doniphan, Cross, Webb y Wilcox despidiéronse de sus compañeros, que se mostraron muy apenados por la separación. Tal vez los mismos que se marchaban estuviesen más conmovidos de lo que querían aparentar, aunque estuvieran firmemente resueltos a realizar su proyecto, en el que tomaba parte la obstinación. Después de cruzar el río Zelanda, con la canoa que condujo Mokó al pequeño dique, alejáronse sin apresurarse mucho, examinando al mismo tiempo aquella parte inferior del Lago de la Familia, que se iba estrechando poco a poco hacia su punta y la inmensa llanura del Pantano del Sur, cuyo fin no se veía ni al Sur ni al Oeste. Mataron algunas aves durante el camino, en los mismos bordes del pantano. Doniphan, comprendiendo que había que ahorrar sus municiones, limitóse a la caza necesaria para el alimento del día.

El cielo estaba encapotado, pero sin amenazar lluvia, y la brisa parecía fija en el Nordeste. Durante aquel día no anduvieron más de cinco o seis millas los cuatro muchachos, y a eso de las cinco llegaron al extremo del lago y se detuvieron para pernoctar allí.

Éstos son los hechos ocurridos en la Cueva del Francés, entre los últimos días del mes de agosto y el 11 de octubre.

Así, pues, Doniphan, Cross, Wilcox y Webb estaban ya lejos de sus compañeros, de los cuales no hubieran debido separarse nunca por ninguna causa. ¿Si se sentían aislados ya? Sí, tal vez. Pero, decididos a cumplir su proyecto hasta el fin, no pensaban más que en crearse una nueva existencia en cualquier otro punto de la isla Chairman.

Al día siguiente, después de una noche bastante fría, que fue soportable gracias a una hoguera encendida hasta la hora del alba, preparáronse los cuatro a partir. La punta meridional del Lago de la Familia dibujaba un ángulo muy agudo en la reunión de las dos orillas, de las cuales la de la derecha subía casi perpendicularmente hacia el Norte. Al Este, la comarca seguía siendo pantanosa, si bien el agua no inundaba su suelo herboso, elevado algunos pies por encima del lago; veíase quebrado por algunas protuberancias tapizadas de hierbas y sombreadas de árboles escuálidos. Como esa comarca parecía formada principalmente por dunas, Doniphan le dio el nombre de Tierras Bajas. Después, no queriendo lanzarse por lo desconocido, decidió continuar siguiendo la orilla para llegar al río del Este y la parte del litoral ya explorado por Briant. Luego verían de explorar aquella región de las Tierras Bajas, hasta la costa.

Entretanto, sus compañeros y él discutieron mucho sobre ese punto, antes de emprender la marcha.

—Si las distancias están señaladas con exactitud en el mapa —dijo Doniphan—, debemos encontrar el río del Este a siete millas a lo sumo de la punta del lago, y sin gran fatiga, podremos llegar allí por la tarde.

—¿Y por qué no acortar por el Nordeste, de manera que encontremos el río hacia su embocadura? —dijo Wilcox.

—En efecto, eso nos ahorraría una buena tercera parte del camino —añadió Webb.

—Sin duda —respondió Doniphan—; pero, ¿a qué aventurarnos por estos territorios pantanosos que no conocemos y exponernos a tener que volver atrás? En cambio, siguiendo la orilla del río, hay muchas más probabilidades de que no nos intercepte el paso ningún obstáculo.

—Además— añadió Cross—, nos interesa explorar el curso del río del Este.

—Desde luego —respondió Doniphan—, porque ese río establece la comunicación directa de la costa y el Lago de la Familia. Además, al bajarlo, tendremos ocasión de reconocer también la parte de la selva por donde pasa.

Dicho esto, pusiéronse en marcha y a buen paso. Una estrecha calzada dominaba desde tres o cuatro pies de altura, por una parte, el nivel del lago y, por otra, la larga llanura de dunas que se extendía a la derecha. Como el suelo subía sensiblemente, era de suponer que el aspecto de la comarca variaría por completo algunas millas más allá.

En efecto, a eso de las once, Doniphan y sus compañeros se detuvieron para almorzar al borde de una caleta, sombreada por corpulentas hayas. De allí, en toda la extensión que podía abarcar hacia el Este la mirada, sólo se veía una masa confusa de verdor que ocultaba el horizonte.

Un acure que Wilcox mató por la mañana constituyó la comida, preparada más o menos bien por Cross, encargado, especialmente, de sustituir a Mokó como cocinero. Después de hacer un asado sobre las ascuas, de devorarlo y de apagar la sed al mismo tiempo que el hambre, Doniphan y sus compañeros tomaron por la orilla del Lago de la Familia.

Aquella selva, cuyo lindero seguía el lago, componíase de las mismas especies vegetales que el Bosque de las Trampas, de la parte occidental, sólo que los árboles de hojas perennes crecían en mayor número. Había más pinos marítimos, abetos y carrascas que abedules o hayas, todos ellos de soberbias dimensiones.

También pudo observar Doniphan, con gran satisfacción, que no era menos variada la fauna en aquella parte de la isla. Vieron varios guanacos y vicuñas, como también una bandada de ñandúes que se alejaba después de haber apagado la sed. Por la espesura pululaban liebres, martas, tucutucos, saínos y también caza de pluma.

A las seis de la tarde tuvieron que hacer alto. En aquel paraje, la orilla estaba cortada por un riachuelo que servía de desagüe al lago. Debía de ser, y en efecto era, el río del Este. Y lo reconocieron tanto más fácilmente cuanto que, entre un grupo de árboles al fondo de una estrecha caleta, descubrió Doniphan huellas recientes de un campamento, o sea las cenizas de una hoguera.

Allí era donde Briant, Santiago y Mokó llegaron durante su excursión a la Bahía de la Decepción, y allí donde pasaron la primera noche.

Lo mejor que podían hacer Doniphan, Webb, Wilcox y Cross era acampar en aquel sitio, encender de nuevo carbones apagados, cenar y tenderse bajo los mismos árboles que habían abrigado a sus compañeros. Y así lo hicieron.

Ocho días antes, cuando Briant se detuvo en aquel lugar, no podían sospechar que cuatro compañeros suyos irían allí a su vez con intención de vivir solos en aquella parte de la isla Chairman.

Y acaso, al verse allí, lejos de la cómoda mansión de la Cueva del Francés, en la que sólo dependía de ellos haberse quedado, pesaría a Cross, Wilcox y Webb su calaverada. Pero ya estaba unida su suerte a la de Doniphan, y éste era demasiado vanidoso para reconocer sus yerros, harto terco para renunciar a sus proyectos y sobrado envidioso para consentir en doblegarse a su rival.

Al llegar el día, Doniphan propuso que cruzasen el río del Este.

—Eso tendremos adelantado —dijo— y nos bastará el día para llegar a la embocadura, que no está a más de cinco o seis millas.

—Y además —dijo Cross—, Mokó cosechó piñones en la orilla izquierda, y también nosotros haremos provisión por el camino.

Desplegaron entonces el bote de caucho y así que lo pusieron en el agua, Doniphan se encaminó a la playa opuesta, desarrollando una cuerda por la popa. Con unos cuantos golpes de zagual pronto salvó los treinta o cuarenta pies de anchura que medía el río en aquel sitio, tras lo cual, halando la cuerda cuyo extremo mantenían Wilcox, Webb y Cross, atrajeron hasta ellos la ligera embarcación, en la que fueron pasando sucesivamente a la otra orilla.

Hecho esto, Wilcox extendió el bote de caucho, lo cerró como un maletín y se lo echó a la espalda y emprendieron de nuevo la marcha. Claro está que hubiera sido menos fatigoso abandonarse en la canoa a la corriente del río del Este, como habían hecho Briant, Santiago y Mokó; pero, como el bote de caucho no podía llevar más que una persona cada vez, tuvieron que renunciar a ese modo de locomoción.

Aquel día fue muy fatigoso. El espesor de la selva, el suelo, casi siempre erizado de espesas hierbas, sembrado de ramas arrancadas por las últimas borrascas, y varias charcas que tuvieron que contornear no sin trabajo, retrasaron la llegada al litoral. Durante el camino Doniphan pudo comprobar que el náufrago francés no parecía haber dejado huellas de su paso en aquella parte de la isla, como en el Bosque de las Trampas. Y, sin embargo, no cabía duda de que lo había explorado, ya que en su mapa indicaba exactamente el curso del río del Este hasta la Bahía de la Decepción.

Poco antes del mediodía hicieron alto para almorzar, precisamente en el lugar en que se alzaban los pinos piñoneros. Cross cogió cierta cantidad de aquellos frutos, con los que se regalaron todos. Luego, en un espacio de dos millas más, tuvieron que meterse por aquellos matorrales tupidos y hasta abrirse paso con el hacha, para no alejarse del río.

A causa de esos retrasos no pasaron el extremo límite de la selva hasta las siete de la tarde. Al llegar la noche, Doniphan no pudo reconocer nada de la disposición del litoral. Y, si bien no vio más que una línea espumeante, oyó el largo y grave rugido del mar que rompía en la playa.

Decidieron detenerse en aquel lugar para dormir al raso, no dudando de que a la noche siguiente la costa les ofrecería mejor abrigo en alguna caverna, de las allá habidas, no lejos de la embocadura del río.

Instalado el campamento, la comida o, mejor dicho, la cena, por lo avanzado de la hora, se compuso de algunos urogallos asados a la llama de una hoguera de ramas muertas y de piñas recogidas entre los árboles.

Por prudencia decidieron conservar el fuego hasta el día siguiente y durante las primeras horas se encargó Doniphan de ese cuidado.

Wilcox, Cross y Webb, tendidos bajo las ramas de un enorme pino real, y muy cansados por todo aquel día de marchas fatigosas, durmiéronse inmediatamente.

Doniphan tuvo que luchar mucho contra el sueño, pero resistió; no obstante, al llegar el momento en que había de ser relevado por uno de sus compañeros, estaban todos sumidos en tan profundo sueño que no se decidió a despertar a ninguno.

Por lo demás, parecía tan tranquila la selva en las inmediaciones del campamento que no debía de haber allí menos seguridad que en la Cueva del Francés.

Por eso, después de echar unas cuantas brazadas de leña a la hoguera, Doniphan fue a tenderse al pie del árbol y allí cerró inmediatamente los ojos, para no tornar a abrirlos hasta que el sol subía por un amplio horizonte de mar que se dibujaba por donde asomaba el cielo.

CAPITULO VI

El primer cuidado de Doniphan, Wilcox, Webb y Cross fue seguir la orilla del río hasta su embocadura, y desde allí pasearon ávidamente las miradas por aquel mar que veían por primera vez y que estaba tan desierto como en el litoral opuesto.

—Y, sin embargo —dijo Doniphan—, si, como podemos creer, la isla Chairman no está muy lejos del continente americano, los buques que salen del Estrecho de Magallanes con rumbo a los puertos de Chile y del Perú tienen que pasar al Este. Razón de más para instalarse en la costa de la Bahía de la Decepción, y aunque Briant la haya llamado así, espero que no justificará mucho tiempo ese nombre de mal agüero.

Tal vez, al hacer esa observación, buscaba Doniphan disculpa o al menos pretexto para su ruptura con los compañeros de la Cueva del Francés. Por lo demás, meditado bien todo, en aquella parte del Pacífico al oriente de la isla isla Chairman, era, en efecto, donde podían aparecer barcos con destino a los puertos de América del Sur.

Después de reconocer el horizonte con el anteojo, Doniphan quiso visitar la embocadura del río del Este; y, como había hecho Briant, sus compañeros y él observaron que la Naturaleza había creado allí un pequeño puerto, resguardado del viento y la marejada. Si el *schooner* hubiese atracado en la isla Chairman por aquel sitio, no hubiera sido imposible evitar la varadura y conservarlo intacto para la repatriación de los jóvenes colonos.

Por detrás de las rocas que formaban el puerto, agrupábanse los primeros árboles de la selva, que se extendía no sólo hasta el Lago de la Familia, sino también por el Norte, en donde la vista no tropezaba más que con un horizonte de verdor. En cuanto a las excavaciones practicadas en las moles graníticas del litoral, no había exagerado nada Briant: Doniphan tenía dónde elegir. No obstante, parecióle conveniente no alejarse de las orillas del río del Este, y no tardó en encontrar una «chimenea» tapizada de fina arena, con salientes y rinconcillos, en la que tendrían tantas comodidades como en la Cueva del Francés. Es más, aquella caverna habría podido bastar para toda la colonia; porque comprendía una serie de cuevas anexas, con las que hubieran podido construirse otros tantos cuartos distintos en vez de contar solamente con el zaguán y el almacén.

Aquel día lo dedicaron a reconocer la costa en una extensión de dos millas. De vez en cuando, Doniphan y Cross mataban algunas martinetas, en tanto que Wilcox y Webb tendían un espinel por !as aguas del río del Este, a unos cien pasos arriba de la embocadura, y cogieron media docena de peces del género de los que subían el curso del río Zelanda, y entre otros, dos percas de muy buen tamaño. También abundaban las conchas en los innumerables huecos de los arrecifes que al Nordeste preservaban el puerto contra la marejada, y había muchos mejillones y de muy buena calidad. Así, pues, tenían al alcance de la mano aquellos moluscos, como también pescados de mar que se deslizaban entre las grandes algas hundidas al pie del banco, sin que tuvieran que ir a buscarlos a cuatro o cinco millas de distancia.

Como se recordará, en su exploración a la embocadura del río del Este, Briant subió a una elevada roca que semejaba un oso gigantesco. También chocó a Doniphan su extraña forma y por eso, y como toma de posesión, dio el nombre de Puerto de la Roca del Oso al portezuelo que aquella roca dominaba, y ése es el nombre con que ahora figura en el mapa de la isla Chairman.

Por la tarde, Doniphan y Wilcox subieron a la Roca del Oso, para gozar de una vista extensa de la bahía; pero no vieron al norte de la isla ninguna tierra ni barco alguno. Aquella mancha blanquecina que llamó la atención de Briant al Nordeste, ni siquiera la vieron, ya porque el sol se hallase demasiado bajo en el horizonte, ya porque no existiera dicha mancha y Briant hubiese sido víctima de una ilusión óptica. Llegada la noche, Doniphan y sus compañeros cenaron bajo un grupo de soberbios lotos cuyas ramas bajas se extendían por encima del río. Luego trataron de si convendría volver inmediatamente a la Cueva del Francés para recoger los objetos necesarios a una instalación definitiva en la caverna de la Roca del Oso.

—Creo —dijo Webb— que no debemos tardar: porque el repetir el trayecto por el sur del Lago de la Familia nos exigió varios días.

—Pero —dijo Wilcox— cuando volvamos aquí, ¿no será mejor cruzar el lago, para volver a bajar por el río del Este hasta su embocadura? Lo que ya ha hecho Briant con la canoa, ¿por qué no hemos de hacerlo nosotros?

—Eso sería ganar tiempo y nos ahorraríamos muchas fatigas —añadió Webb.

—¿Qué opinas tú, Doniphan? —preguntó Cross.

Doniphan reflexionaba sobre aquella proposición, que tenía verdaderas ventajas.

—Tienes razón, Wilcox —respondió—, y embarcándonos en la canoa, gobernada por Mokó...

—Si quiere Mokó —repuso con tono dubitativo Webb.

—¿Por qué no ha de querer? —repuso Doniphan—. ¿No tengo yo el mismo derecho que Briant para darle una orden? Además, sólo se trata de que nos sirva de piloto para cruzar el lago.

—Habrá de obedecer —exclamó Cross—. Si tuviéramos que traer por tierra todo nuestro material, sería el cuento de nunca acabar. Y añadiré que el carro tal vez no pueda pasar por la selva. Por lo tanto, emplearemos la canoa...

—¿Y si se niegan a darnos esa canoa? —objetó Webb, insistiendo.

—Si se niegan... —exclamó Doniphan—. ¿Quién se va a negar?

—Briant... ¿No es él el jefe ahora?

—¡Briant...! ¿Negarse? —repitió Doniphan—. ¿Acaso es más suya que nuestra la canoa...? Si Briant se permitiera negarse...

Doniphan no acabó la frase; pero notábase que ni en ese punto ni en ningún otro se sometería el imperioso muchacho a las órdenes de su rival.

Además, como dijo muy bien Wilcox, era inútil discutir acerca de ese extremo. En su opinión, Briant daría a sus compañeros toda clase de facilidades para instalarse en la Roca del Oso; por consiguiente, no había motivo para excitarse. Quedaba por decir si volverían inmediatametne a la Cueva del Francés.

—Yo creo que es indispensable —dijo Cross.

—¿Entonces, mañana mismo? —preguntó Webb.

—No —respondió Doniphan—. Antes de partir, quisiera dar una vuelta más allá de la bahía, para reconocer la parte norte de la isla. En cuarenta y ocho horas, podemos volver a la costa septentrional. ¿Quién sabe si no hay en esa dirección alguna tierra que el náufrago francés no pudo ver ni, por consiguiente, indicar en el mapa? Sería poco razonable fijarse aquí definitivamente sin saber a qué atenerse.

La observación era acertada. Así, aunque semejante proyecto tuviera que prolongar dos o tres días la ausencia, decidieron ponerlo en ejecución sin demora.

Al día siguiente, 14 de octubre, partieron con el alba Doniphan y sus tres amigos y se encaminaron al Norte.

En una longitud de tres millas, poco más o menos, extendíanse las masas rocosas entre la selva y el mar y no dejaban en su base más que un arenal de unos cien pies de ancho.

A las doce del día, después de haber pasado por la última roca, detuviéronse los jóvenes para comer.

Y en aquel lugar desembocaba en la bahía otro río; pero, por su dirección, que era Sudeste y Noroeste, podía suponerse que no salía del lago. Las aguas que vertía en una estrecha ensenada debían de ser las que recogía al cruzar la región superior de la isla. Doniphan le dio el nombre del Arroyo del Norte, pues, en realidad, no merecía el calificativo de río.

Algunos golpes de zagual bastaron para que lo pasase el bote de caucho, y no tuvieron más que costear la selva, cuyo límite lo formaba la orilla izquierda.

Durante el camino, Doniphan y Cross hicieron dos disparos en las circunstancias que vamos a explicar.

Serían aproximadamente las tres. Al seguir la corriente del Arroyo del Norte, Doniphan había ido más hacia el Noroeste de lo conveniente, ya que se trataba de llegar a la costa septentrional. Por lo tanto, habían de desviarse hacia la derecha, cuando Cross, deteniéndose, exclamó de pronto:

—¡Mira, Doniphan, mira!

E indicaba una masa rojiza que se agitaba muy visiblemente entre las altas hierbas y las cañas del arroyo, bajo la alameda.

Doniphan hizo una seña a Webb y a Wilcox, para que no se movieran, y acompañado de Cross, con la escopeta preparada para disparar, deslizóse silenciosamente hacia la mole en movimiento.

Era un animal de gran tamaño y que hubiera podido tomarse por un rinoceronte si hubiese tenido cuernos y si se hubiera alargado desmesuradamente el labio inferior.

En aquel instante salió un disparo, seguido inmediatamente de una segunda detonación. Doniphan y Cross habían tirado casi al mismo tiempo.

Sin duda, a aquella distancia de ciento cincuenta pies, la bala no produjo ningún efecto en la gruesa piel del animal; porque éste, saliendo del cañaveral, cruzó rápidamente la orilla y desapareció por la selva.

Doniphan tuvo tiempo de reconocerlo: era un animal del todo inofensivo, una de esas antas de pelaje pardo que suelen habitar en las cercanías de los ríos de América del Sur, y como no les hubiera servido de nada ese animal, no tuvieron que lamentar su desaparición, a no ser desde el punto de vista del amor propio cinegético.

Por aquella parte de la isla Chairman, extendíanse también, hasta perderse de vista, masas verdosas. Allí la vegetación era muy compacta y, como había hayas a millares, Doniphan le dio el nombre de Bosque de las Hayas, y lo marcó en el mapa, con las denominaciones de Roca del Oso y del Arroyo del Norte, admitidas anteriormente.

Al anochecer, habían recorrido ya nueve millas. Con otras tantas llegarían al norte de la isla los jóvenes exploradores, pero eso lo dejarían para el día siguiente.

Al salir el sol emprendieron de nuevo la marcha, pues tenían motivo para darse prisa. Parecía que iba a variar el tiempo, el viento propendía a refrescar y ya las nubes venían de alta mar, si bien se mantenían en una zona aún elevada, lo cual permitía esperar que no se desharían en lluvia. A mozos resueltos como ellos, no les asustaría desafiar el viento, aunque soplase tempestuoso; pero la borrasca, con su acostumbrado acompañamiento de chubascos torrenciales, les molestaría mucho y se verían forzados a suspender la expedición, para volver a resguardarse en la Roca del Oso. Así, pues, apretaron el paso, aunque tuvieron que luchar contra la borrasca, que los cogía de lado. El día fue sumamente penoso y presagiaba una noche muy mala. Y, efectivamente, asaltó la isla una terrible tempestad, y a las cinco de la tarde oyéronse fragorosos truenos en medio del fulgor de los relámpagos.

No retrocedieron Doniphan y sus compañeros, animados como estaban por la idea de que llegaban a su objeto. Por lo demás, como el Bosque de las Hayas se alargaba todavía en aquella dirección, siempre les quedaba el recurso de cobijarse entre los árboles. El viento se desencadenó con excesiva violencia, alejando la amenaza de lluvia; además, no debían de estar muy lejos de la costa.

A eso de las ocho oyóse el bramido de la resaca, lo que indicaba la presencia de un banco de arrecifes, cerca de la isla Chairman.

Entretanto, el cielo, velado ya por espesos vapores, oscurecíase poco a poco, e importaba mucho avivar la marcha, para que la mirada pudiese alcanzar muy lejos en el mar, mientras aún iluminaban el espacio los últimos resplandores del día. Más allá del límite de los árboles, extendíase una playa de un cuarto de milla de anchura, en la cual las olas, muy blancas de espuma, rompían después de chocar contra los rompientes del Norte.

Aunque muy fatigados, Doniphan, Webb, Cross y Wilcox tuvieron aún fuerzas para correr; porque querían ver cuando menos aquella parte del Pacífico, antes que desapareciera la luz del día. ¿Sería un mar sin límites o sólo un canal estrecho, lo que separaba aquella costa de un continente o de otra isla?

De pronto, Wilcox, que se había adelantado un poco, se detuvo, señalando con la mano una mole negruzca que se dibujaba al borde de la playa. ¿Había allí algún animal marino, uno de esos enormes cetáceos, tales como un ballenato o una ballena, encallado en la arena? ¿No sería más bien una embarcación varada, después de haber sido arrastrada al otro lado de los arrecifes?

Sí, era una embarcación, tumbada sobre su lado de estribor. Y, más acá, junto al cordón de algas enrolladas en el límite de la marea alta, Wilcox señaló dos cuerpos tendidos a pocos pasos de la barca.

Ante todo, Doniphan, Webb y Cross suspendieron la carrera y luego, sin reflexionar, corrieron al través de la playa y llegaron ante los dos cuerpos tendidos en la arena que tal vez fueran dos cadáveres.

Y entonces, espantados, sin pensar siquiera que aún podía quedar algo de vida en aquellos cuerpos, y que debían darles cuidados inmediatos, volvieron precipitadamente a refugiarse entre los árboles. La noche era ya oscura, si bien la iluminaban aún algunas luces que no tardarían en apagarse, y en medio de tan profundas tinieblas, hacíase más intenso el rugido de la borrasca, con el estruendo de un mar embravecido.

—¡Qué tempestad! Los árboles crujían por todas partes y no sin peligro para aquellos a quienes cobijaban; pero sería imposible acampar en la playa, cuya arena, levantada por el viento, fustigaba el aire como si fuese metralla.

Durante toda la noche permanecieron en aquel sitio Doniphan, Wilcox y Cross y no pudieron cerrar los ojos un solo instante. El frío les hizo padecer cruelmente; porque no pudieron encender fuego, pues se hubiera dispersado inmediatamente, con el peligro de incendiar las ramas muertas acumuladas en el suelo. Esto, aparte la emoción, les tenía despiertos. ¿De dónde procedía aquella lancha? ¿A qué nación pertenecían los náufragos? ¿Habría, por consiguiente, tierras en las proximidades, ya que había podido abordar a la isla una embarcación...? ¿Procedería de algún buque que acababa de zozobrar en aquellos parajes, en lo más fuerte de la borrasca?

Esas distintas hipótesis eran todas admisibles, y durante los escasos instantes de calma, Doniphan y Wilcox, apretados uno contra otro, se las comunicaron en voz baja.

Al mismo tiempo, preso su cerebro por alucinaciones, imaginábanse oír gritos lejanos, cuando aflojaba un poco el viento, y aplicando el oído, se preguntaban si errarían por la playa algunos náufragos. Mas no, eran víctimas de una ilusión de sus sentidos. No resonaba en medio de las violencias de la tempestad ningún llamamiento desesperado y empezaban a pensar que habían hecho mal en ceder a aquel primer movimiento de espanto... Querían correr a los arrecifes, a riesgo de ser derribados por las ráfagas... Y, sin embargo, en medio de aquella noche oscura, al través de una playa descubierta, barrida por la marea ascendente, ¿cómo hubieran podido encontrar el lugar en que había encallado la embarcación zozobrada y el sitio en que yacían en la arena aquellos cuerpos?

Además, les faltaba a la vez la fuerza moral y la fuerza física. Desde tan largo tiempo como se habían entregado a sí mismos, después de creerse tal vez hombres, advertían que volvían a ser niños ante los primeros seres humanos que encontraban desde el naufragio del «Sloughi» y que el mar había arrojado en estado de cadáveres a la isla.

Pero, al fin, venció su sangre fría y comprendieron lo que el deber les ordenaba hacer.

Al día siguiente, en cuanto amaneciera, volverían al borde de la playa, cavarían una fosa en la arena y enterrarían a los dos náufragos después de rezar una oración por el descanso de su alma.

171

¡Qué interminable les pareció aquella noche! Antojábaseles realmente que nunca llegaría la aurora a disipar sus horrores.

¡Y si aún hubieran podido percatarse del tiempo transcurrido, consultando el reloj! Pero les fue imposible encender una cerilla, ni aun abrigándola bajo las mantas, y Cross, que intentó encenderla, tuvo que renunciar a hacerlo.

Entonces se le ocurrió a Wilcox la idea de recurrir a otro medio para saber la hora. Para dar cuerda a su reloj tenía que dar por cada veinticuatro horas doce vueltas al mecanismo, o sea una vuelta por cada dos horas. Y como aquella noche se había dado cuerda a las ocho, bastábale el número de vueltas que daba para saber el número de horas transcurridas. Así lo hizo, y como no tuvo que dar más de cuatro vueltas, dedujo que debían de ser las cuatro de la madrugada. Por lo tanto, no tardaría en llegar el nuevo día.

En efecto, poco después dibujáronse en el Este las primeras luces del alba; pero la borrasca no había amainado y como las nubes bajaban hacia el mar era de temer que lloviese antes de que Doniphan y sus compañeros llegaran al cobijo del puerto de la Roca del Oso.

Pero, ante todo, tenían que rendir el último tributo a los náufragos, y en cuanto penetró la aurora por las nieblas acumuladas en alta mar, fueron a la playa, luchando, no sin trabajo, contra el empuje de las ráfagas y varias veces tuvieron que sostenerse mutuamente para no ser derribados.

La embarcación estaba encallada junto a un montículo de arena; pero los dos cuerpos habían desaparecido...

Doniphan y Wilcox se adelantaron unos veinte pasos por la playa... No vieron nada... Ni siquiera huellas que, por lo demás, el reflujo hubiera borrado.

—¿Luego esos desdichados —exclamó Wilcox— estaban vivos, puesto que han podido levantarse?

—¿Y en dónde están? —repitió Doniphan mostrando el mar, cuyas olas rompían con furia—. Pues estarán donde los haya llevado la marca al bajar.

Entonces se encaramó Doniphan hasta las lindes del banco de arrecifes y miró con el anteojo la superficie del mar.

No había ningún muerto. ¿Habrían sido arrastrados mar adentro los cadáveres?

Doniphan se reunió a Wilcox, a Cross y a Webb, que se habían quedado junto a la embarcación.

¿Habría, acaso, allí algún superviviente de la catástrofe...? No; la embarcación estaba vacía.

Era una chalupa de barco mercante, cuya quilla medía unos treinta pies. Ya no estaba en condiciones de navegar, pues la tabla del forro exterior estaba rota en la línea de flotación por los choques contra los arrecifes. Un pedazo de mástil, quebrado en la carlinga, algunos jirones de vela enganchados en los tacos de la regala y unos pedazos de cuerda era todo lo que quedaba de su aparejo En cuanto a provisiones, utensilios y armas no había nada en los cofres ni en el castillete de proa.

A popa, dos nombres indicaban a qué buque había pertenecido la chalupa y el puerto de matrícula:

Severn — San Francisco.

¡San Francisco! Uno de los puertos del litoral californiano. El buque era de nacionalidad norteamericana.

En cuanto a aquella parte de la costa adonde los náufragos del «Severn» habían sido arrojados por la tempestad, el mar limitaba su horizonte.

CAPITULO VII

No se habrán olvidado las condiciones en que Doniphan, Wilcox, Webb y Cross se marcharon de la Cueva del Francés. Desde su partida, volvióse muy triste la vida de los jóvenes colonos. ¡Con qué profunda pena vieron todos aquella separación cuyas consecuencias podían ser tan lastimosas en lo futuro...! Verdad es que Briant no tenía nada que reprocharse, y, no obstante, tal vez estuviera más afectado que los demás, puesto que por él se había producido la escisión.

En vano intentaba consolarle Gordon con estas palabras:

—Ya volverán, Briant, y mucho antes de lo que creen. Por testarudo que sea Doniphan, las circunstancias podrán más que él, y estoy seguro de que antes del invierno habrán regresado a la Cueva del Francés.

Briant no se atrevía a responder y limitábase a menear la cabeza. Sí, tal vez las circunstancias trajeran de nuevo a los ausentes. ¡Pero eso sería señal de que tales circunstancias revestirían mucha gravedad!

«Antes del invierno», había dicho Gordon. ¿Estarían, pues, condenados los jóvenes colonos a pasar un tercer invierno en la isla Chairman? De aquí a entonces, ¿no les llegaría ningún socorro? ¿No frecuentarían durante el verano aquellos parajes algunos buques mercantes y no verían por fin el globo de señalizado en la cumbre de la Montaña de Auckland? Cierto es que aquel globo que se alzaba nada más que a doscientos pies sobre el nivel de la isla, sólo podía ser visible en un radio bastante reducido. Por eso, después de haber intentado inútilmente trazar con Baxter el plano de una embarcación que pudiera navegar, Briant se decidió a buscar el medio de poner alguna señal a una altura mucho mayor. Hablaba de ello a menudo, y un día dijo a Baxter que no le parecía imposible emplear con ese objeto una cometa.

—No nos faltan ni tela ni cuerda —añadió—, y dando a ese aparato dimensiones suficientes, se cerniría en una zona elevada, por ejemplo, a mil pies.

—Menos los días en que no haya viento —dijo Baxter.

—Esos días son muy pocos —respondió Briant—, y cuando no lo hubiera, todo se reduciría a dejar en el suelo nuestra máquina; pero salvo en esos casos, después de atarla en el suelo por el extremo de la cuerda, seguiría por sí sola las variaciones de la brisa y no tendríamos que preocuparnos de su dirección.

—Se puede probar —dijo Baxter.

—Además —añadió Briant—, si ese cometa es visible de día a gran distancia, quizá sesenta millas, también podría serlo de noche, si le agregásemos a la cola o a la armazón uno de nuestros faroles.

En resumen, la idea de Brint no dejaba de ser práctica; en cuanto a su ejecución, no había de preocupar a muchachos que muchas veces habían elevado cometas en las praderas de Nueva Zelanda.

Así, en cuanto se hubo conocido el proyecto de Briant, produjo general alegría. Particularmente los pequeños, Jenkins, Iverson, Dole y Costar, tomaron la cosa por su parte recreativa y se divirtieron ante la idea de una cometa que excediera de todo cuanto hasta entonces habían visto. ¡Qué gusto tirar de la cuerda bien tensa mientras se columpiara en las alturas!

—¡Le pondremos una cola muy larga! —decía uno.

—¡Y pintaremos encima un magnífico polichinela, que pateará lindamente en las alturas!

Aquello era una verdadera alegría. Y después de todo, allí donde los niños no veían más que una distracción, había una idea muy seria, y era de esperar que produjese felices resultados.

Por lo tanto, Baxter y Briant pusieron manos a la obra al día siguiente del que Doniphan y sus compañeros salieron de la Cueva del Francés.

—¿Qué cara pondrán —exclamó Service— cuando vean semejante aparato? ¡Qué lástima que mis Robinsones no tuvieran nunca la idea de lanzar por el espacio una cometa!

—¿Podrá verse de todos los puntos de la isla? —preguntó Garnett con interés.

—No sólo de la isla —respondió Briant—, sino también a gran distancia, desde los parajes circundantes.

—¿Lo verán desde Auckland? —preguntó Dole.

—Desgraciadamente, no —repuso Briant, sonriendo ante aquella reflexión—. Después de todo, cuando la vean Doniphan y sus amigos, tal vez se decidan a venir...

Como se ve, aquel buen muchacho no pensaba más que en los ausentes y sólo ansiaba que terminase cuanto antes tan funesta separación.

Aquel día y los sucesivos los dedicaron a la construcción de la cometa, a la que Baxter propuso dar forma octogonal. La armadura, ligera y resistente, la hicieron con una especie de cañas muy fuertes que crecían a las orillas del Lago de la Familia, y era lo bastante sólida para soportar el esfuerzo de una brisa ordinaria. En esa armadura, mandó Briant tender una de las telas ligeras untadas de goma, que servían para tapar las claraboyas del *schooner* (telas tan impermeables, que a través de su tejido no podría filtrarse el viento). En cuanto a la cuerda, emplearían un sedal de dos mil pies de largo por lo menos, con ramales muy apretados, que se usaban para poner la corredera a remolque y que podría soportar una tensión considerable.

Excusado es decir que adornarían al aparato con una cola magnífica destinada a guardar el equilibrio cuando se inclinase en el aire. La construyeron tan sólidamente que, sin gran peligro hubiera podido levantar por los aires a cualquiera de los jóvenes colonos. Pero no se trataba de eso y bastaba que fuese lo bastante sólida para resistir a brisas frescas, suficientemente vasta para llegar a cierta altura, y sobrado grande para ser vista en un radio de cincuenta o sesenta millas.

Claro está que esa cometa no había de sujetarse con la mano; porque, al impulso del viento, se hubiera llevado a todo el personal de la colonia, y más de prisa de lo que se pudiera creer. Así, pues, la cuerda había le enrollarse en una de las cornamusas del *schooner*. Por lo tanto llevaron este pequeño torno horizontal en medio de la Terraza del deporte y fue fijado sólidamente en el suelo, para que resistiese a la atracción del Gigante de los Aires, que es el nombre que los pequeños le dieron de común acuerdo.

Terminada la obra en la tarde del 15, Briant aplazó para la del día siguiente el lanzamiento, al cual asistirían todos sus compañeros.

Pero al día siguiente fue imposible proceder al experimento por haberse desencadenado una tempestad que destrozaría el aparato si éste daba presa al viento.

Era la misma tempestad que había asaltado a Doniphan y a sus compañeros en la parte septentrional de la isla al mismo tiempo que arrastraba la chalupa y los náufragos norteamericanos contra los arrecifes del Norte, a los que dieron el nombre de Playas del Severn.

Dos días después, el 16 de octubre, a pesar de que se produjo cierta calma, aún era bastante violenta la brisa para que Briant lanzase su aparato aéreo; pero como el tiempo cambió por la tarde, gracias a la dirección del viento, que aflojó sensiblemente al pasar al Sudoeste, aplazaron el experimento para otro día.

Era el 17 de octubre, fecha que iba a ocupar un lugar importante en los anales de la isla Chairman.

Aunque aquel día era viernes, no creyó Briant tener que aguardar, por superstición, veinticuatro horas. Por lo demás, el tiempo era propicio, con una brisa suave, regular y constante, muy adecuada para sostener bien la cometa. Gracias a la inclinación que le aseguraba el balancín, se elevaría a gran altura y llegada la noche, la volverían a bajar, para atarle un farol cuya luz fuese visible toda la noche. Dedicaron la mañana a los últimos preparativos, que duraron hasta una hora después de la comida, tras lo cual se fueron todos a la Terraza del Deporte.

—¡Qué buena idea ha tenido Briant de construir este aparato! —repetían Iverson y los demás, aplaudiendo.

Era la una y media. El aparato, tendido en el suelo y con su larga cola desplegada, iba a ser encomendado a la acción de la brisa y sólo se esperaba ya la señal de Briant, cuando éste suspendió la maniobra.

Y es que en aquel momento acababa de llamarle la atención *Phann*, que se lanzaba precipitadamente hacia la selva, dejando oír ladridos tan lastimeros, tan extraños, que había motivo para sorprenderse.

—Pero ¿qué tiene *Phann*? —preguntó Briant.

—Habrá olfateado algún animal entre los árboles —respondió Gordon.

—No... Ladraría de otro modo.

—¡Vamos a ver! —exclamó Service.

—Pero no sin armarnos —añadió Briant.

Service y Santiago corrieron a la Cueva del Francés, de donde regresaron con sendas escopetas cargadas.

—¡Venid! —dijo Briant.

Y los tres, acompañados de Gordon, llegáronse al lindero del Bosque de las Trampas, donde ya había entrado *Phann*, al que no veían, aunque seguían oyéndole.

Apenas hubieron dado Briant y sus compañeros cincuenta pasos, cuando vieron al perro parado ante un árbol, a cuyo pie yacía una forma humana.

Allí había una mujer tendida, inmóvil, como muerta, una mujer cuyos vestidos (falda de tela gruesa, corpiño igual y mantón de lana parda anudado a la cintura) parecían hallarse aún en buen estado. Tenía en la cara huellas de excesivos dolores, aunque era de constitución robusta y sólo tendría de cuarenta a cuarenta y cinco años. Extenuada de cansancio y quizá de hambre, había perdido el conocimiento, pero sus labios exhalaron un ligero soplo.

Júzguese la emoción de los jóvenes colonos ante la primera criatura humana que encontraban desde su llegada a la isla Chairman.

—¡Respira...! ¡Respira! —exclamó Gordon—. Sin duda, el hambre, la sed...

Inmediatamente corrió Santiago a la Cueva del Francés y trajo de allí un poco de galleta y una cantimplora de brandy.

Y entonces Briant, inclinado sobre aquella mujer, le entreabrió los labios, estrechamente apretados, y logró introducir en ellos algunas gotas del confortante licor.

La mujer hizo un movimiento y alzó los párpados. Ante todo, animósele la mirada al ver aquellos niños reunidos en torno suyo... Luego, se llevó ávidamente a la boca el trozo de galleta que le ofrecía Santiago. Veíase que la desdichada, más que de fatiga, se moría de necesidad.

Pero, ¿quién era aquella mujer? ¿Les sería posible hablar con ella unas palabras y entenderse?

Al punto supo Briant a qué atenerse en cuanto a eso.

La desconocida incorporóse, pronunciando estas palabras en inglés:

—¡Gracias... hijos míos... gracias!

Media hora después, Briant y Baxter la dejaban en el zaguán y allí, ayudados por Gordon, le prodigaron cuantos cuidados reclamaba su estado.

Así que se repuso un poco apresuróse la mujer a contar su historia.

He aquí lo que dijo, y se verá lo mucho que había de interesar a los jóvenes colonos el relato de sus aventuras.

Era de origen americano y había vivido mucho tiempo en los territorios del Far-West, en los Estados Unidos. Se llamaba Catalina Deady o, más sencillamente, Kate. Llevaba más de veinte años desempeñando las funciones de confianza al servicio de la familia de William R. Penfield, que vivía en Albany, capital del Estado de Nueva York.

Hacía un mes que los señores de Penfield, que deseaban ir a Chile, en donde residía un pariente suyo, fueron a San Francisco, que es el principal puerto de California, para embarcarse en el buque mercante «Severn» mandado por el capitán John F. Turner, y que iba con destino a Valparaíso. Embarcaron en él el señor y la señora de Penfield, con Kate, que formaba parte de la familia, por decirlo así.

El «Severn» era un buen barco y sin duda hubieran hecho una excelente travesía, de no haber sido porque los ocho hombres que lo tripulaban, recién reclutados, eran miserables de la peor calaña. A los nueve días de zarpar, uno de ellos, Walston, ayudado por sus compañeros Brandt, Rock, Henley, Brook, Forbes, Cope y Pike provocó una rebelión en la que murieron el capitán Turner y el segundo de a bordo, al mismo tiempo que el señor y la señora Penfield.

El objeto de los asesinatos, después de apoderarse del buque era destinarlo a la trata de esclavos que aún se efectuaba en algunas provincias de la América del Sur.

Sólo perdonaron a dos personas de a bordo: Kate, en cuyo favor había abogado el marinero Forbes (no tan cruel como sus cómplices) y el contramaestre del «Severn», hombre de treinta años, llamado Evans, a quien tenían que encomendarse para la dirección del barco.

Aquellas horribles escenas se produjeron en la noche del 7 al 8 de octubre, cuando el «Severn» se hallaba a unas doscientas millas de la costa chilena.

Bajo pena de muerte, Evans fue obligado a maniobrar en forma que doblasen el Cabo de Hornos, para llegar a los parajes situados al oeste de Africa.

Pero, pocos días después, y nunca se supo a qué atribuirlo, se declaró a bordo un incendio y adquirió en pocos instantes tal violencia, que en vano intentaron Walston y sus compañeros salvar de una destrucción completa al «Severn». Uno de ellos, Henley, pereció al arrojarse al mar para librarse de las llamas. Hubo que abandonar el buque, echar a toda prisa a la chalupa provisiones, municiones y armamento y alejarse en el momento en que el «Severn» se hundía en medio de las llamas.

La situación de los náufragos fue extremadamente crítica, puesto que les separaban doscientas millas de las tierras más próximas. Y en verdad, hubiese sido justo que la chalupa hubiera perecido con los bandidos que conducía si no se hallasen a bordo Kate y el contramaestre Evans.

Dos días después, desencadenóse una violenta tempestad, que hizo la situación más terrible todavía; pero como el viento soplaba del mar, la embarcación, con el mástil roto y la vela hecha jirones, fue impelida hacia la isla Chairman. Y ya sabemos cómo, en la noche del 15 al 16, después de haber sido arrastrada por la superficie de los escollos, encalló en la playa, con las cuadernas destrozadas en parte y abierto su forro exterior. Walston y sus compañeros, agotados por una larga lucha contra la tempestad, consumidas en parte sus provisiones, ya no pudieron resistir el frío y la fatiga. Por eso quedaron casi inanimados cuando encalló la chalupa en los arrecifes. Entonces un golpe de mar se llevó a cinco de ellos, antes de varar la embarcación y, momentos después, los otros dos fueron proyectados a la arena, en tanto que Kate caía por el lado opuesto de la embarcación.

Los dos hombres permanecieron largo rato desmayados, como también lo estaba Kate. Pero, recobrando pronto el conocimiento, Kate tuvo el cuidado de permanecer inmóvil, aunque debió de pensar que Walston y los demás habían perecido. Esperaba el día para ir en busca de socorro en aquellas tierras desconocidas, cuando, a eso de las tres de la mañana, unos pasos hicieron crujir la arena cerca de la chalupa.

Eran Walston, Brandt y Rock, que, no sin trabajo, pudieron salvarse del golpe de mar antes de que varase la embarcación. Cruzando el banco de arrecifes llegaron al lugar en que yacían sus compañeros Forbes y Pike, y se apresuraron a volverlos a la vida, tras lo cual deliberaron, mientras el contramaestre Evans les esperaba a unos centenares de pasos de allí custodiado por Cope y Rock.

Y he aquí la conversación que sostuvieron y que Kate oyó muy claramente:

—¿En dónde estamos? —preguntó Rock.

—No lo sé —respondió Walston—. Ni me importa. No permanezcamos aquí y bajemos hacia el Este. Ya veremos de arreglarnos, en cuanto amanezca.

—¿Y las armas? —preguntó Forbes.

—Aquí las tienes, con las municiones, que están intactas —respondió Walston.

Y sacó del cofre de la chalupa cinco escopetas y varios paquetes de cartuchos.

—Poco es —añadió Rock— para salir de apuros en este país de salvajes.

—¿Y Evans? —preguntó Brandt.

—Está ahí —respondió Walston—, vigilado por Cope y Rock. Tendrá que acompañarnos de buen o mal grado y, si se resiste, ya me encargaré yo de hacerle entrar en razón.

—¿Qué habrá sido de Kate? —dijo Rock—. ¿Habrá conseguido salvarse?

—¿Kate? —repitió Walston—. Ya no hemos de temer nada de ella. La he visto saltar por la borda y debe de hallarse de seguro en el fondo del mar.

—Después de todo, nos convenía librarnos de esa mujer —dijo Rock—; pues sabía demasiadas cosas de nosotros que pueden perjudicarnos.

—No las hubiera sabido mucho tiempo —añadió Walston, acerca de cuyas intenciones no se podía uno engañar.

Kate, que lo había oído todo, decidió huir en cuanto se marchasen los marineros del «Severn».

Apenas transcurridos algunos instantes, Walston y sus compañeros, que sostenían a Forbes y a Pike, cuyas piernas no eran muy sólidas, lleváronse las armas, las municiones, el resto de las provisiones que había en los cofres de la chalupa, es decir, de cinco a seis libras de carne en salmuera, un poco de tabaco, y dos o tres cantimploras de ginebra, y se marcharon en el momento en que más violenta era la borrasca.

Así que estuvieron a buena distancia, levantóse Kate y lo hizo a tiempo, porque ya la marea alta llegaba a la playa y no hubiera tardado ella en ser arrastrada por el agua.

Ahora se comprenderá por qué cuando volvieron Doniphan, Wilcox, Webb y Cross para cumplir los últimos deberes con los náufragos, hallaron la playa vacía. Walston y su banda habían bajado ya en la dirección del Este, en tanto que Kate, tomando por el sitio contrario, encaminábase, sin saberlo, a la punta septentrional del Lago de la Familia.

Allí llegó en la tarde del 16, extenuada de fatiga y de hambre. Todo cuanto había tomado para confortarse eran algunas frutas silvestres. Siguió entonces la orilla izquierda, caminó toda la noche y toda la mañana del 17 y fue a caer al lugar en donde Briant la había levantado medio muerta.

Esos fueron los acontecimientos relatados por Kate y que revestían extraordinaria gravedad: porque, en la isla Chairman, en donde hasta entonces habían vivido en completa seguridad los jóvenes colonos, acababan de poner pie siete hombres capaces de todos los crímenes. Si éstos descubrían la Cueva del Francés, no vacilarían en atacarla. No. Tenían demasiado interés en apoderarse de su material, en coger sus provisiones y, sobre todo, sus herramientas, sin las cuales les sería imposible poner la chalupa del «Severn» en condiciones de hacerse a la mar. Y en este caso, ¿qué resistencia podrían oponer Briant y sus compañeros, los mayores de los cuales contaban entonces quince años a lo sumo y diez apenas los más pequeños? ¿No eran ésas, espantosas eventualidades? Si Walston permanecía en la isla era indudable que habría que esperar alguna agresión por su parte.

Fácilmente se comprenderá la emoción con que todos escuchaban el relato de Kate.

Y, al oírlo, Briant sólo pensó en que si el porvenir ofrecía semejantes peligros, los primeros amenazados serían Doniphan, Wilcox, Webb y Cross. En efecto, ¿cómo podían ponerse en guardia, si ignoraban la presencia de los náufragos del «Severn» en la isla Chairman y precisamente en la parte del litoral que exploraban en aquellos momentos? ¿No bastaría un disparo de escopeta, hecho por cualquiera de ellos, para revelar a Walston su situación? Y en ese caso los cuatro caerían en manos de los bandidos, de los cuales no podían esperar piedad alguna.

—Hay que ir en su auxilio —dijo Briant—, y tienen que estar prevenidos para mañana...

—Y hay que traerles a la Cueva del Francés —añadió Gordon—. Importa más que nunca que estemos reunidos para tomar medidas contra un ataque de esos malhechores.

—Sí —dijo Briant—, y puesto que es necesario que vuelvan nuestros compañeros, volverán. Yo iré por ellos.

—¿Tú, Briant?

—Yo, Gordon.

—¿Y cómo?

—Me embarcaré en la canoa con Mokó, y en pocas horas cruzaremos el lago y bajaremos el río del Este, como ya hicimos otra vez. Tenemos muchas probabilidades de encontrar a Doniphan en la embocadura...

—¿Cuándo piensas marchar?

—Esta misma tarde —respondió Briant—, cuando la oscuridad permita cruzar el lago sin ser vistos.

—¿Iré contigo, hermano? —preguntó Santiago.

—No —repuso Briant—. Es indispensable que podamos volver todos en la canoa, y difícilmente encontraríamos sitio para seis.

—¿Así es cosa decidida? —preguntó Gordon.

—Sí —le contestó Briant.

En realidad, era lo mejor que podían hacer, no sólo en interés de Doniphan, Wilcox, Cross y Webb, sino también en interés de la pequeña colonia. En caso de agresión, no era de desdeñar ese auxilio de cuatro muchachos más y no de los menos vigorosos. Esto aparte, no había que perder un momento, si querían estar todos reunidos en la Cueva del Francés antes de veinticuatro horas.

Ya se comprenderá que no podían tratar de alzar en los aires la cometa; pues hubiera sido una gran imprudencia; porque ésta no hubiera señalado la presencia de los jóvenes colonos a los buques (si llegaban a pasar cerca de la isla), sino a Walston y a sus cómplices. Y, sobre esto, Briant juzgó conveniente incluso quitar el mástil de señales alzado en la cresta de la Montaña de Auckland.

Hasta la tarde todos permanecieron encerrados en el zaguán. Kate había oído la narración de las aventuras de los niños, y la excelente mujer dejó de pensar en sí misma para pensar sólo en ellos. Si habían de permanecer juntos en la isla Chairman, ella sería su sirvienta leal, los cuidaría y los amaría como una madre, ya daba a los pequeños, a Dole y a Costar, el cariñoso nombre de *papooses* con que se designa en los territorios del Fart West a los niños ingleses.

Y ya también, en recuerdo de sus novelas predilectas, Service había propuesto llamarla Viernesina —como lo hizo Robinson Crusoe

180

con su compañero de imperecedera memoria—; puesto que fue precisamente un viernes cuando llegó Kate a la Cueva del Francés.

Y añadió:

—Esos malhechores son, como si dijéramos, los salvajes de Robinson. Siempre hay un momento en que llegan los salvajes y otro en que se consigue vencerlos.

A las ocho estaban terminados los preparativos de marcha. Mokó, cuya lealtad no retrocedía ante ningún peligro, alegrábase de acompañar a Briant en aquella expedición.

—Los dos embarcaron, llevando algunas provisiones y armados de sendos revólveres y cuchillos. Después de despedirse de sus compañeros, a quienes se les encogió el corazón al verles partir, no tardaron en desaparecer en medio de las sombras del Lago de la Familia. Al ponerse el sol, levantóse una ligera brisa que soplaba del Norte, que si se mantenía, serviría a la canoa tanto a la ida como a la vuelta.

Lo cierto es que dicha brisa siguió siendo favorable para la travesía del Oeste al Este. La noche era oscurísima, circunstancia feliz para Briant, que quería pasar inadvertido. Gobernándose con la brújula, tenía la certeza de llegar a la orilla opuesta, que bastaría subir o bajar de nuevo, según que la ligera embarcación abordase a ella por encima o por debajo de la corriente del río. Toda la atención de Briant y de Mokó se concentraba en aquella dirección, en donde temían ver alguna hoguera, lo que probablemente hubiera indicado la presencia de Walston y sus compañeros; porque Doniphan debía de estar acampado más bien en el litoral, en la embocadura del río del Este.

Salvaron seis millas en dos horas. La canoa no se había resentido mucho de la brisa aunque ésta era algo fresca. La embarcación atracó cerca del lugar en donde abordó la primera vez y tuvo que ir a lo largo de la orilla más de media milla, para llegar a la estrecha caleta por donde desaguaban al río las aguas del lago. Eso requirió cierto tiempo, y como entonces el viento era contrario, tuvieron que recurrir al remo. Todo parecía tranquilo entre los árboles que se inclinaban por encima del agua. No se oía un grito ni un rugido en las profundidades de la selva ni se veía un fuego sospechoso en los negros macizos del follaje.

Sin embargo, a eso de las diez y media, Briant, que estaba sentado en la popa de la canoa, detuvo el brazo de Mokó. A pocos cientos de pies del río del Este, en la orilla derecha, una hoguera medio apagada lanzaba, un resplandor mortecino a través de las tinieblas. ¿Quién acamparía allí...? ¿Walston o Doniphan...? Importaba saberlo antes de internarse en la corriente del río.

—¡Desembárcame, Mokó! —dijo Briant.

—¿No quiere que lo acompañe, señor Briant? —le dijo en voz baja el grumete.

—No. Vale más que esté yo solo. Así me expondré menos a que me vean al acercarme.

La canoa se acercó a la orilla y Briant saltó a tierra, después de recomendar a Mokó que le esperase. Llevaba en la mano el cuchillo y en la cintura el revólver, del que estaba decidido a no servirse más que en último extremo, a fin de proceder sin ruido.

Después de subir por la playa, el valeroso muchacho se metió entre los árboles.

De pronto se detuvo. A veinte pasos, en la semioscuridad que aún esparcía la hoguera, parecióle vislumbrar una sombra que se arrastraba por entre los árboles, como él también lo había hecho. En aquel momento, oyóse un rugido formidable, y al punto dio un salto adelante un bulto enorme.

Era un jaguár de gran tamaño. Inmediatamente oyéronse estos gritos:

—¡A mí! ¡Socorro!

Briant reconoció la voz de Doniphan, y era él, en efecto. Sus compañeros se habían quedado en el campamento instalado a la orilla del río.

Doniphan, derribado por el jaguar, luchaba sin poder hacer uso de sus armas.

Acudió Wilcox, despertado por los gritos, y apuntó con la escopeta, dispuesto a hacer fuego.

—¡No tires...! ¡No tires! —gritó Briant.

Y antes de que Wilcox pudiese verle arrojóse Briant sobre la fiera, que se volvió contra él, en tanto que Doniphan se levantaba rápidamente.

Por fortuna, Briant pudo hacerse a un lado, después de herir con el cuchillo al jaguar. Eso se efectuó con tal celeridad, que ni Wilcox ni Doniphan tuvieron tiempo de intervenir. El animal, herido mortalmente, cayó en el instante en que Webb y Cross acudían en auxilio de Doniphan.

Pero la victoria estuvo a punto de costar cara a Briant, cuyo hombro sangraba desgarrado por un zarpazo.

—¿Cómo estás aquí? —exclamó Wilcox.

—Luego lo sabréis —respondió Briant—. ¡Venid...! ¡Venid! No os retraséis.

—¡No antes de que te haya dado las gracias, Briant! —dijo Doniphan—. ¡Me has salvado la vida...!

—He hecho lo que harías tú en mi lugar —respondió Briant—. No hablemos más de eso y acompañadme...

Entretanto, aunque la herida de Briant no fuese grave, hubo que vendársela fuertemente con un pañuelo y mientras Wilcox le curaba, el valeroso muchacho pudo poner a sus compañeros al corriente de la situación.

¡Así aquellos hombres que Doniphan creía que la marea se había llevado en estado de cadáveres estaban libres, erraban por la isla! ¡Eran malhechores, manchados de sangre! ¿Una mujer había naufragado con ellos en la chalupa del «Severn», y esa mujer estaba en la Cueva del Francés...? Ya no había ninguna seguridad en la isla Chairman.

Por eso Briant había gritado a Wilcox que no disparase contra el jaguar, por temor de que se oyera la detonación, y por eso mismo, Briant no quiso herir al jaguar más que con el cuchillo.

—¡Ah, Briant! ¡Vales más que yo! —exclamó Doniphan con viva emoción y en un arrebato de agradecimiento que vencía su altivo carácter.

—No, Doniphan, no, compañero —respondió Briant—; ¡y ya que tengo tu mano, no la soltaré hasta que consientas en volver con nosotros allí!

—Sí, Briant, es preciso —respondió Doniphan—. Cuenta conmigo. Desde ahora seré el primero en obedecerte. Mañana... al amanecer... partiremos.

—No, ahora mismo —dijo Briant—, para llegar sin ser vistos.

—¿Y cómo? —preguntó Cross.

—Ahí está Mokó, que nos espera con la canoa. Íbamos a entrar en el río del Este, cuando vi el resplandor de vuestra hoguera.

—¡Y has llegado a tiempo de salvarme! —repitió Doniphan.

—Y también para llevarte a la Cueva del Francés.

Después de dejar las costas del Severn, los cuatro volvieron al puerto de la Roca del Oso en la noche del 16. A la mañana siguiente, como habían convenido, subieron la orilla izquierda del río del Este hasta el lago, en donde se instalaron, esperando a que amaneciera para volver a la Cueva del Francés.

Al despuntar la aurora, Briant y sus compañeros ocuparon la canoa, y como era demasiado estrecha para seis, hubo que maniobrar con precaución.

Pero la brisa era favorable y Mokó gobernó tan diestramente la embarcación, que la travesía se efectuó bien.

¡Con qué alegría recibieron Gordon y los demás a los ausentes, cuando, a eso de las cuatro de la mañana, desembarcaron en el dique del río Zelanda! Aunque les amenazaban grandes peligros, cuando menos estaban juntos en la Cueva del Francés.

Ya estaba, pues, completa la colonia y aun aumentada con un nuevo miembro, aquella buena de Kate, arrojada a las playas de la isla de Chairman, después de un horrible drama en el mar. Además, iba a reinar verdadera armonía en la Cueva del Francés, armonía que no había de volver nunca a turbarse. Aunque Doniphan sentía aún cierto pesar por no ser el jefe de los jóvenes colonos, cuando menos sus sentimientos eran mejores. Sí, aquella separación de dos o tres días había producido su fruto. Más de una vez, sin decir nada a sus compañeros, sin querer confesar sus culpas cuando el amor propio podía más en él que el interés, no dejó de comprender las necias consecuencias de su obstinación. Además, Wilcox, Cross y Webb no dejaban de experimentar la misma impresión. Por eso, después de la lealtad de que había dado pruebas Briant, Doniphan se entregó a sus buenos sentimientos, de los cuales no había de volver a separarse.

Graves peligros amenazaban a la Cueva del Francés. Sin duda interesaba a Walston procurar salir cuanto antes de la isla Chairman; pero, si llegaba a sospechar la existencia de una pequeña colonia bien provista de todo lo que a él le faltaba, no retrocedería ante una agresión en la que él llevaría la mejor parte. Los jóvenes colonos hubieron de limitarse a tomar minuciosas precauciones, a no alejarse del río Zelanda y a no aventurarse por los alrededores del Lago de la Familia sin necesidad, en tanto que Walston y su cuadrilla no salieran de la isla.

Ante todo, había de saber si, durante su regreso de las Costas del Severn a la Roca del Oso, habían observado Doniphan, Cross, Webb y Wilcox algo que pudiera inducirles a sospechar la presencia de los marineros del «Severn».

—¡Nada! —respondió Doniphan—. En verdad, para volver a la embocadura del río del Este, no seguimos el camino que tomamos al subir hacia el Norte.

—Y, sin embargo, es seguro que Walston ha ido en la dirección Este —dijo Gordon.

—Conforme —respondió Doniphan—, pero debió de caminar a lo largo de la costa, mientras nosotros volvimos directamente por el bosque de hayas. Tomad el mapa y veréis que la isla forma una curva muy acentuada por encima de la bahía de la Decepción. Hay allí una vasta comarca en que esos malhechores se han podido refugiar sin apartarse mucho del lugar en donde dejaron la chalupa... En fin, tal vez Kate pueda decirnos, poco más o menos, en qué paraje está situada la isla Chairman.

Pero Kate, interrogada ya sobre eso por Gordon y Briant, no había podido contestarles. Después del incendio del «Severn», cuando tomó el contramaestre Evans el timón de la chalupa, maniobró en forma de acercarse lo antes posible al continente americano, del que no podía estar muy lejos la isla Chairman. Y nunca pronunció el nombre de la isla a la que los había arrojado la tempestad. Pero, como los muchos archipiélagos de la costa no podían estar sino a una distancia relativamente corta, había muy plausibles motivos para que Walston quisiera intentar llegar a ellos y para que tuviese interés en permanecer en el litoral del Este, porque, en caso de que consiguiera poner a su embarcación en estado de navegar, no le costaría gran trabajo hacer rumbo hacia alguna tierra de la América del Sur.

—Al menos —dijo Briant—, que al llegar Walston a la embocadura del río del Este y ver allí huellas de tu paso, Doniphan, se le haya ocurrido llevar más lejos sus investigaciones.

—¿Qué huellas? —respondió Doniphan—. ¿Un montón de cenizas apagadas? ¿Y qué se puede deducir de eso? ¿Qué está habitada la isla? Pues bien, en ese caso, esos miserables no pensarían más que en esconderse...

—Desde luego —dijo Briant—. A no ser que descubran que la población de la isla se reduce a un puñado de niños. Por lo tanto, no hagamos nada que pueda demostrarles lo que somos... Y eso me induce a preguntarte, Doniphan, si has tenido ocasión de hacer algunos disparos durante tu regreso a la Bahía de la Decepción. ¿Fuiste de caza en algún momento?

—No, y es raro —respondió Doniphan, sonriendo—; porque me gusta con exceso quemar pólvora. Cuando dejamos la costa, teníamos bastantes provisiones de caza; así que ninguna detonación ha podido revelar nuestra presencia. Anoche Wilcox estuvo a punto de tirar contra el jaguar; pero, por fortuna, llegaste tú a tiempo de impedírselo, Briant, y de salvarme la vida, con terrible peligro de la tuya.

—Te repito, Doniphan, que no he hecho sino lo que hubieras hecho tú en mi lugar. Y, en adelante, nada de tiros. Y hasta debemos dejar de ir al Bosque de las Trampas y viviremos de nuestras reservas.

Excusado es decir que Briant, desde que llegó a la Cueva del Francés, recibió todos los cuidados que necesitaba su herida, cuya cicatrización no tardó en completarse. No le quedaba más que cierta molestia en el brazo, molestia que pronto desapareció.

Entretanto, acababa de terminar el mes de octubre y aún no habían visto a Walston en las inmediaciones del río Zelanda. ¿Se habría marchado, después de reparar la chalupa? No era imposible porque debía de tener un hacha, según recordaba Kate, y también podía servirse de esas sólidas navajas que llevan siempre en el bolsillo los marineros, ya que no faltaba madera en los alrededores de las Costas del Severn.

Pero, dada la ignorancia en que se hallaban a este respecto, hubo de modificarse la vida ordinaria. Acabáronse las excursiones a lo lejos, salvo el día en que Baxter y Doniphan fueron a la cúspide de la Montaña de Auckland.

Desde allí Doniphan miró con el anteojo a las masas de verdura que se redondeaban a levante. Aunque su mirada no pudo llegar hasta el litoral oculto detrás de la cortina del Bosque de Hayas, si se hubiera elevado por el aire alguna columna de humo, la habría visto con seguridad, lo cual indicaría que Walston y los suyos estaban acampados en aquella parte de la isla; pero nada vio Doniphan en aquella dirección, ni tampoco en la lejanía de la bahía de Sloughi, cuyos parajes continuaban desiertos.

Desde que estaban prohibidas las excursiones y tenían que dejar en reposo las escopetas, los cazadores de la colonia viéronse obligados a renunciar a sus ejercicios predilectos. Por fortuna, los lazos y trampas tendidos en las inmediaciones de la Cueva del Francés suministraban caza en cantidad suficiente. Además, en el corral se habían multiplicado de tal manera las martinetas y avutardas, que Service y Garnett tuvieron que sacrificar buen número de ellas. Como habían hecho una gran cosecha de hojas del árbol del té y también de aquella savia de arce, que tan fácilmente se transformaba en azúcar, no tuvieron que volver a subir al río del Dique para renovar esas provisiones. Es más, aunque llegara el invierno antes de que los jóvenes colonos recobraran su libertad, estarían abundantemente provistos de aceite para los faroles y de conservas y de caza para la cocina. Sólo tendrían que reponer las existencias de combustible, acarreando leña cortada en los macizos del bosque pantanoso, o marjal, y sin exponerse gran cosa, siguiendo la orilla del río Zelanda.

En aquella época se hizo un nuevo descubrimiento, que no fue debido a Gordon, aunque éste entendía mucho de botánica, sino a Kate.

Había en el límite del Marjal cierto número de árboles que medían de cincuenta a sesenta pies de altura, y si el hacha los había perdonado hasta entonces, era porque su madera, demasiado fibrosa, no hubiera alimentado muy bien los hogares del zaguán y del cercado. Tenían hojas de forma oblonga que se alternaban en los nudos de sus ramas, y cuyo extremo iba armado de una punta acerada.

La primera vez que Kate vio uno de esos árboles —el 25 de octubre— exclamó:

—¡Hombre...! Este es el árbol vaca.

Dole y Costar, que la acompañaban, prorrumpieron en una franca carcajada.

—¿Cómo, el árbol vaca? —preguntó uno de ellos.

—¿Acaso lo comen las vacas? —dijo el otro.

—No, muchachos, no —respondió Kate—. Le llaman así porque da leche, y leche mejor que la de las vicuñas.

Al volver a la Cueva del Francés, Kate comunicó a Gordon su descubrimiento. Gordon llamó inmediatamente a Service y ambos volvieron con Kate al lindero del Marjal. Después de examinar el referido árbol, Gordon pensó que debía de ser uno de esos árboles de la leche, por los cuales se escapa un jugo de aspecto lechoso que tiene el sabor y las propiedades nutritivas de la leche de vaca. Además, si se deja coagular esa leche, forma una especie de queso excelente, al mismo tiempo que produce una cera purísima, comparable a la de las abejas, y con la cual se pueden fabricar bujías de buena calidad.

—¡Pues bien —exclamó Service—, si es un árbol vaca, habrá que ordeñarlo!

Y, sin sospecharlo, el niño acababa de emplear la expresión que usan los indios; puesto que corrientemente dicen: «Vamos a ordeñar nuestro árbol.»

Gordon practicó una incisión en la corteza del árbol de la leche y sacó de ella un jugo, del cual recogió Kate dos pintas en un jarro que llevaba.

Era un bonito líquido blanquecino de aspecto muy apetitoso y que contenía los mismos elementos que la leche de vaca. Y hasta era más nutritivo, más consistente y también de sabor más agradable. El jarro se vació en un instante en la Cueva del Francés, y Costar se embadurnó la boca como un gatito. Al pensar en todo lo que haría con esa nueva sustancia, Mokó no ocultó su satisfacción. Además, no tenía necesidad de escatimarla, pues no estaba lejos el «rebaño» de árboles de la leche que les suministrarían en abundancia.

En realidad, y no nos cansaremos de repetirlo, la isla Chairman podría bastar a las necesidades de una colonia numerosa. Allí los muchachos tenían asegurada la existencia por mucho tiempo. Además, la llegada de Kate entre ellos, los cuidados que podían esperar de aquella mujer leal, a la que inspiraban un cariño maternal, todo contribuía a hacerles más agradable la vida.

¿Por qué tuvo que turbarse la seguridad que antes había en la isla Chairman? ¡Cuántos descubrimientos hubieran hecho, seguramente, Briant y sus compañeros, organizando exploraciones a las partes desconocidas del Este, y a las que tenían que renunciar ahora! ¿Podrían reanudar alguna vez aquellas excursiones, temiendo sólo el encuentro de algunas fieras, menos peligrosas, indudablemente, que aquellas otras fieras de rostro humano contra las cuales habían de preservarse noche y día?

Sin embargo, estaban ya a primeros de noviembre, y aún no se había advertido en las inmediaciones de la Cueva del Francés ninguna señal sospechosa, y Briant se preguntaba si continuarían en la isla los marineros del «Severn». No obstante, ¿no había observado Doniphan, por sus propios ojos, el mal estado en que se hallaba la chalupa, con el mástil roto, el velamen hecho jirones, y el forro desfondado por las puntas del arrecife? Verdad es, y el contramaestre Evans no podía ignorarlo, que si la isla Chairman estaba próxima a un continente o a un archipiélago, tal vez la chalupa, arreglada más o menos bien, pudo emprender la travesía, realmente corta. ¿Sería, pues, posible, que Walston hubiese decidido abandonar la isla...? Sí, y eso es lo que había de saberse, antes de volver a la vida habitual.

Briant pensó muchas veces ir de exploración a la región situada al este del Lago de la Familia. Doniphan, Baxter y Wilcox no podían más que acompañarlo; pero, correr el riesgo de caer en manos de Walston, y, por consiguiente, hacerle ver con cuán poco temibles adversarios tendría que habérselas, hubiera tenido las más enojosas consecuencias. Gordon, cuyos consejos eran siempre escuchados, disuadió a Briant de aventurarse por las profundidades del Bosque de Hayas.

Entonces hizo Kate una proposición que no ofrecía ninguno de esos peligros.

—Señor Briant —dijo una noche, cuando todos los jóvenes estaban reunidos en el zaguán—, ¿me permite usted que les deje mañana, en cuanto amanezca el día?

—¿Dejarnos, Kate? —repuso Briant.

—Sí. No pueden ustedes seguir más tiempo en la incertidumbre; y, para saber si Walston continúa en la isla, yo me ofrezco a ir al lugar adonde nos echó la tempestad. Si la chalupa está todavía allí, es señal de que Walston no ha podido marcharse... Si no sigue allí la chalupa, es que por fortuna ya nada tienen ustedes que temer de él.

—Lo que usted quiere hacer, Kate —dijo Doniphan—, es absolutamente lo que nos habíamos propuesto Briant, Baxter, Wilcox y yo mismo.

—Indudablemente, señor Doniphan —contestó Kate—. Pero lo que es peligroso para ustedes, no puede serlo para mí.

—Sin embargo, Kate —dijo Gordon—, si vuelve usted a caer en manos de Walston...

—Pues me encontraré otra vez en la situación en que estaba antes de huir, y nada más —replicó Kate.

—¿Y si ese miserable quiere deshacerse de usted, que es lo más probable? —dijo Briant.

—Puesto que ya me he escapado una vez —respondió Kate—, ¿por qué no he de escaparme otra, sobre todo ahora que conzco el camino de la Cueva del Francés? Es más, si consiguiera yo huir en compañía de Evans, a quien comunicaré todo lo que a ustedes se refiere, ¡cuán útil podría serles el auxilio del bueno del contramaestre!

—Si Evans hubiera tenido posibilidad de escapar —replicó Doniphan—, ya lo hubiese hecho... Pues ha de tener gran interés en huir.

—Tiene razón Doniphan —replicó Gordon—. Evans sabe el secreto de Walston y de sus cómplices, que no vacilarán en matarlo, cuando no lo necesiten ya para dirigir la chalupa hacia el continente americano. Así pues, si no se ha escapado ya, es porque lo tienen muy bien vigilado.

—O porque tal vez haya pagado ya con la vida una tentativa de evasión —añadió Doniphan—. Así, Kate, en caso de que vuelvan a apresarla a usted...

—Créame que haré todo lo posible por no dejarme prender —respondió Kate.

—Desde luego —dijo Briant—; pero nunca le permitiremos correr semejante peligro. No, vale más buscar un medio menos peligroso para saber si Walston continúa en la isla Chairman.

Rechazaba la proposición de Kate, no quedaba más recurso que ocultarse y no cometer ninguna imprudencia. Evidentemente, si Walston se hallaba en condiciones de salir de la isla, partiría antes del invierno para llegar a algunas tierras en donde él y los suyos fueran recibidos como se recibe siempre a los náufragos, vengan de donde vinieren.

Por lo demás, aun suponiendo que Walston estuviera todavía allí, no parecía que tuviese el propósito de explorar el interior. Muchas veces, en noches oscuras, Briant, Doniphan y Mokó recorrieron con la canoa el Lago de la Familia, y nunca sorprendieron la luz de una hoguera sospechosa, ni en la orilla opuesta ni entre los árboles que se agrupaban cerca del río Este. Pero era muy triste vivir en aquellas condiciones, sin salir del espacio comprendido entre el río Zelanda, el lago, el acantilado y la selva. Por eso, Briant pensaba constantemente en el medio de cerciorarse de la presencia de Walston y en descubrir al mismo tiempo en qué lugar había instalado su campamento. Para averiguarlo, quizá bastase subir de noche a alguna altura.

En eso pensaba Briant y ese pensamiento llegó a ser en él una verdadera obsesión. Por desgracia, salvo el acantilado, cuya cresta más elevada no pasaba de doscientos pies de altura, la isla Chairman no contenía ninguna otra colina de importancia. Muchas veces, Doniphan y otros dos o tres habían subido a la cumbre de la Montaña de Auckland; pero desde ese punto, no veían siquiera la otra orilla del Lago de la Familia. Así, pues, al Este, por encima del horizonte, no hubiera podido mostrarse ninguna luz ni humareda alguna. Hubiera sido preciso elevarse unos cuantos cientos de pies más arriba, para que el radio visual pudiese extenderse y llegar por lo menos hasta las primeras rocas de la Bahía de la Decepción.

Y entonces cruzó por la imaginación de Briant una idea tan atrevida, y hasta pudiéramos decir insensata, que empezó por rechazarla;

pero le acosaba con tal obstinación, que acabó por incrustársele en el cerebro.

Se recordará que había sido suspendido el lanzamiento de la cometa. Después de llegar Kate con la noticia de que los náufragos del «Severn» erraban por la costa oriental, tuvieron que renunciar al proyecto de elevar por los aires un aparato que se hubiera visto de todos los puntos de la isla.

Pero, ya que la cometa no podía emplearse como señal, ¿no sería posible utilizarla para proceder a aquel reconocimiento, tan necesario para la seguridad de la colonia?

Sí. Y en eso se obstinaba la imaginación de Briant. Acordábase de haber leído en un viaje, en un periódico inglés que a fines del siglo pasado, una mujer tuvo la audacia de elevarse por los aires, colgada de una cometa construida especialmente para tan peligrosa ascensión (1).

¿Y no iba a atreverse un joven a hacer lo que había hecho una mujer? Poco importaba que su tentativa ofreciera algunos peligros; pues éstos no eran nada comparados con los resultados que sin duda se obtendrían. Tomando todas las precauciones que ordenaba la prudencia, había muchas probabilidades de que la operación saliera bien. Por eso, Briant, aunque no se hallase en condiciones de calcular matemáticamente la fuerza ascensional que necesitaría un aparato de esa índole, se repetía que el aparato existía y que bastaba darle dimensiones mayores y hacerlo más sólido. Y entonces, en medio de la noche, elevándose por los aires a algunos cientos de pies, tal vez consiguieran descubrir la luz de una hoguera en la parte de la isla comprendida entre el lago y la Bahía de la Decepción.

No os mostréis indiferentes ante la idea de aquel valeroso y audaz muchacho. Dominado por esa sola obsesión llegó a creer que su proyecto no sólo era practicable, que indudablemente lo era, sino que ofrecía menos peligro de lo que parecía a primera vista. Por lo tanto, sólo se trataba de que lo aceptasen sus compañeros. Y en la noche del día 4, después de rogar a Gordon, Doniphan, Wilcox, Webb y Baxter que fuesen a conferenciar con él, les dio a conocer su propósito de utilizar la cometa.

—¿Utilizarla? —repitió Wilcox—. ¿Y qué vas a hacer? ¿Lanzarla por los aires?

—Desde luego —respondió Briant.

—¿De día? —preguntó Baxter.

—No, Baxter; porque no me libraría de las miradas de Walston y eso nos acarrearía graves peligros.

—Pero si cuelgas de ella un farol —repuso Doniphan—, llamarás lo mismo la atención.

—Por eso no pienso ponerle ninguno.

—¿Entonces, de qué servirá? —preguntó Gordon.

—Servirá para poder ver si los tripulantes del «Severn» están todavía en la isla.

(1) El proyecto de Briant iba a realizarse en Francia. Pocos años después, una cometa de 24 pies de ancho por 27 de largo, de forma octogonal y cuyo peso era 68 kilos de armazón y 45 de cola y de cuerda, o sea, 113 kilogramos en total, levantó un saco de tierra de más de 70 kilos.

No pensaron sus compañeros en reír, pues no tenían ganas de hacerlo, y, a excepción de Gordon, que dudaba de que Briant hablara en serio, los demás parecieron muy dispuestos a darle su aprobación. Y es que aquellos jóvenes estaban ya tan acostumbrados al peligro, que una ascensión nocturna, intentada en tales condiciones, les pareció fácil de ejecutar.

—Pero —objetó Doniphan—, ¿no será excesivo el peso de uno de nosotros para la cometa que hemos construido?

—Evidentemente —respondio Briant—. Por esa razón habrá que agrandarla y, al mismo tiempo, consolidarla.

—Falta saber —dijo Wilcox— si una cometa podrá resistir...

—¡Qué duda cabe! —afirmó Baxter.

—Además, eso ya se ha hecho —añadió Briant.

Y citó el caso de aquella mujer que, unos cien años antes, había realizado con éxito el experimento.

Y añadió:

—Todo depende de las dimensiones del aparato y de la fuerza del viento en el momento de la partida.

—Briant —preguntó Baxter—, ¿a qué altura convendría llegar?

—Creo que subiendo a seiscientos o setecientos pies —contestó Briant— se vería una hoguera que se encendiera en cualquier punto de la isla.

—Pues bien, debe hacerse —exclamó Service—, y sin esperar más. ¡Yo empiezo a estar harto de no poder ir y venir a mi capricho!

—¡Y nosotros, de no ver nuestras trampas! —añadió Wilcox.

—¡Y yo, de no atreverme a tirar un solo tiro! —dijo Doniphan.

—Hasta mañana, pues —dijo Briant.

Y, así que estuvo a solas con Gordon, le preguntó éste:

—Por lo menos, voy a probarla.

—Es una operación peligrosa.

—Tal vez no lo sea tanto como parece.

—¿Y quién de nosotros consentirá en exponer la vida en esta tentativa?

—Tú el primero, Gordon —respondió Briant—. Sí, tú mismo, si te designa la suerte.

—Así, ¿lo echarías a suertes, Briant?

—No, Gordon. Es menester que el que se sacrifique, lo haga muy a gusto.

—¿Y has hecho la elección, Briant?

—Quizá.

Y Briant estrechó la mano de Gordon.

CAPITULO IX

En la mañana del 25 de noviembre, Briant y Baxter pusieron manos a la obra, y antes de dar al aparato mayores dimensiones pareció conveniente saber qué podría levantar tal como estaba, lo cual permitiría llegar por tanteos, a falta de fórmulas científicas, a darle tal superficie suficiente para soportar, sin comprender el suyo propio, un peso que no había de ser inferior a cien o ciento treinta libras.

No hubo necesidad de aguardar a la noche para hacer ese primer experimento. En aquel instante, la brisa soplaba del Sudoeste, y Briant pensó que no habría inconveniente en aprovecharla, con tal de mantener la cometa a escasa altura, de modo que no pudieran verla desde la orilla del lago.

La operación salió admirablemente y se comprobó que el aparato, por la acción del viento ordinario, levantaba un saco de veinte libras. Un dinamómetro procedente del material del «Sloughi» permitió obtener muy exactamente ese peso. Bajaron luego a tierra la cometa y la tendieron en el suelo de la Terraza del Deporte.

En primer lugar Baxter reforzó extraordinariamente la armazón, por medio de cuerdas enlazadas a un nudo central, como las ballenas de un paraguas, a la anilla que resbala por el mango. Luego, acrecentó su superficie con un suplemento de armazón y con la añadidura de nuevas telas. Para ese ajuste mostróse muy útil Kate, ya que entendía de labores de costura y en la Cueva del Francés no faltaban hilos y agujas.

Si Briant o Baxter hubieran sido más entendidos en mecánica, habrían tenido en consideración, al construir el aparato, los principales elementos, que son el peso, la superficie plana, el centro de gravedad, el de presión del viento, el cual se confunde con el centro de la figura, y, por último, el punto de unión de la cuerda. Luego, efectuados estos cálculos, hubieran deducido el poder ascensional de la cometa y la altura a que podría llegar. Asimismo, el cálculo les hubiese enseñado la fuerza que debería tener la cuerda para resistir la tensión, condición de las más importantes para la seguridad del observador.

Afortunadamente, el sedal suministrado por la corredera del *schooner*, que medía por lo menos dos mil pies de largo, era muy a propósito. Por lo demás, aun con brisa muy fresca, una cometa no «tira», sino moderadamente, cuando el punto de unión de balancín está prudentemente escogido. Por lo tanto, había que regular con cuidado ese punto de unión, del que dependía la inclinación del aparato sobre la dirección del viento y del cual resulta su estabilidad.

Para ese nuevo destino, la cometa no debía llevar cola en su apéndice inferior, lo cual causó gran decepción a Costar y a Dole. No hacía falta, pues el peso que había de levantar bastaría para impedirle caer de cabeza.

Después de varios tanteos, Briant y Baxter observaron que convenía atar aquel peso a la tercera parte de la armadura, fijándolo a una de las traviesas que tendían la tela en el sentido de la anchura. Dos cuerdas amarradas a esa traviesa, lo sostendrían de manera que se hallase suspendido a unos veinte pies por debajo.

En cuanto la cuerda, se preparó una de mil doscientos pies de largo, que, deducida la curva, permitiría elevarse a setecientos u ochocientos pies.

Por último, para evitar en lo posible los peligros de una caída, en caso de que ésta se produjera por ruptura de la cuerda o de la armadura, se convino que la ascensión se efectuase sobre el lago. La distancia horizontal a que ocurriese esa caída, nunca sería lo bastante conderable para que un buen nadador no pudiese llegar a la orilla del Oeste.

Terminado el aparato, tenía una superficie de setenta metros cuadrados, de forma octogonal, cuyo radio medía cerca de quince pies y unos cuatro pies cada uno de los lados. Con sus sólidas armaduras y su tela impermeable al viento, fácilmente podría levantar un peso de cien a ciento veinte libras.

En cuanto a la barquilla que había de ocupar el observador, fue simplemente uno de esos cestos de mimbre que sirven para diversos usos a bordo de los yates. Era lo bastante profundo para que un muchacho de estatura regular pudiese meterse en él hasta los sobacos, y lo bastante ancho para dejarle en libertad de movimientos, como también lo bastante abierto para que le fuese posible salir rápidamente de él en caso necesario.

Como es de suponer, ese trabajo no se efectuó en un día, ni aun en dos. Empezando en la mañana del 5, no se terminó hasta la tarde del 7. Aplazaron pues, para la noche, el experimento preparatorio, que serviría para reconocer el poder ascensional del aparato y su grado de estabilidad en el aire.

Durante los últimos días, nada vino a modificar la situación. Muchas veces, unos u otros habían permanecido largas horas en observación sobre el acantilado, sin ver nada sospechoso, ni al Norte, entre los límites del Bosque de las Trampas y la Cueva del Francés, ni al Sur, al otro lado del río, ni al Oeste, por la parte de la Bahía de Sloughi, ni el Lago de la Familia, que Walston hubiera podido visitar antes de dejar la isla. Tampoco se oyó ninguna detonación en las inmediaciones de la Montaña de Auckland, ni se elevó por el horizonte humo de ninguna clase que sirviese para orientarlos.

¿Así, pues, Briant y sus compañeros tenían derecho a esperar que aquellos malhechores hubieran abandonado definitivamente la isla Chairman? ¿Les sería, al fin, posible volver con toda seguridad a sus costumbres de antes?

Eso es lo que sin duda verían gracias al experimento proyectado.

Ahora, una última cuestión: ¿cómo el que ocupase la barquilla conseguiría hacer la señal de que le volvieran a tierra cuando lo creyera necesario?

He aquí lo que expuso Briant, cuando Doniphan y Gordon le interrogaron sobre eso:

—Una señal luminosa es imposible porque podría verla Walston. Por eso, Baxter y yo hemos recurrido al procedimiento siguiente: Un bramante de igual largo que la cuerda de la cometa, después de enhebrado en una bala de plomo perforada por el centro, se atará a la barquilla por un extremo, y el otro extremo quedará en tierra, en manos de uno de nosotros. Bastará dejar resbalar la bala a lo largo del bramante, para dar la señal de bajar la cometa.

—¡Bien ideado! —respondió Doniphan.

Convenido todo en esa forma, ya no quedaba más que proceder a una prueba preliminar. La luna no saldría hasta las dos de la mañana y corría una suave brisa que soplaba del Suroeste. Eran, pues, condiciones particularmente favorables para operar aquella misma noche.

A las nueve, reinaba profunda oscuridad. Algunas nubes bastante densas corrían al través del espacio en un cielo sin estrellas. A cualquier altura que se elevase el aparato, no podría ser visto ni siquiera en los alrededores de la Cueva del Francés.

Grandes y pequeños debían presenciar el experimento, y como no se trataba más que de una operación «en blanco», como suele decirse, todos seguirían con más placer que emoción sus diversas peripecias.

Habían instalado en el centro de la Terraza del Deporte la cornamusa del «Sloughi», fijándola sólidamente en el suelo, para que resistiese a la tracción del aparato. El largo sedal enroscado cuidadosamente, fue dispuesto de manera que se desenrollase sin esfuerzo al mismo tiempo que el cordel destinado a dar la señal. En la barquilla colocó Briant un saco de tierra que pesaba exactamente ciento treinta libras, peso superior al del más pesado de sus compañeros.

Doniphan, Baxter, Wilcox y Webb fueron a apostarse cerca de la cometa tendida en tierra a cien pasos de la cornamusa. A la voz de mando de Briant, tenían que levantarla poco a poco por medio de cuerdas enlazadas a las traviesas de la armadura y así que el aparato hubiera dado presa al viento, siguiendo su inclinación, determinada por la disposición del balancín, Briant, Gordon, Service, Cross y Garnett, encargados de la maniobra de la cornamusa desenrollarían la cuerda a medida que fuese elevándose por el aire.

—¡Atención! —gritó Briant.

—Estamos preparados —respondió Doniphan.

—¡Adelante!

El aparato se elevó poco a poco, estremeciéndose por la brisa y se inclinó contra la línea del viento.

—¡Soltad la cuerda...! ¡Soltad- —gritó Wilcox.

Y al punto, la cornamusa empezó a desenrollarse por la tensión del sedal, mientras cometa y barquilla subían lentamente por el espacio.

Aunque era una imprudencia, estallaron hurras cuando el «Gigante de los Aires» se despegó del suelo. Pero casi al mismo tiempo, desapareció en las tinieblas, con gran decepción de Iverson, Jenkins, Dole y Costar, que no hubieran querido perderlo de vista mientras se columpiaban por encima del Lago de la Familia, lo cual movió a Kate a decirles:

—No os apuréis, hijos míos. Otra vez, cuando ya no haya peligro, elevaremos en pleno día el «Gigante» y os permitirán contemplarlo, si sois buenos.

Aunque ya no se le veía, advertíase que la cometa subía regularmente, prueba de que en las zonas elevadas soplaba una brisa uniforme y de que la tracción era moderada, y prueba también de que el balancín estaba dispuesto en forma conveniente.

Briant, que deseaba que la demostración fuera todo lo convincente que las circunstancias permitían, dejó desenrollarse la cuerda hasta su extremo, y así pudo apreciar su grado de tensión, que no tenía nada de anormal. La cornamusa había desenrollado mil doscientos pies y el aparato debió de elevarse a una altura de setecientos u ochocientos. Esa maniobra no requirió arriba de diez minutos.

Realizado el experimento, releváronse en los manubrios, para volver a enrollar la cuerda; pero esta segunda parte de la operación fue mucho más larga, pues tardaron una hora en enroscar los mil doscientos pies de sedal.

Lo mismo que para un globo aerostático, el aterrizaje de la cometa es siempre la maniobra más delicada, si se quiere que aterrice sin choque; pero la brisa era entonces tan constante, que la operación se efectuó con completo éxito. Pronto reapareció en la oscuridad el octógono y vino a abatirse suavemente en el suelo, casi en el mismo punto de donde había salido. Su llegada fue recibida con los mismos hurras que se habían dado a la salida.

Sólo faltaba mantenerla en el suelo, para que no diese presa al viento. Y para ello, Baxter y Wilcox se ofrecieron a vigilar hasta el amanecer.

Al día siguiente, 8 de noviembre, a la misma hora, se realizaría la operación definitiva.

Ya no se esperaba más que la orden de Briant para volver a la Cueva del Francés, pero Briant no decía nada y parecía muy absorto en sus reflexiones.

¿En qué pensaba? ¿En los peligros que ofrecía la ascensión intentada en tan excepcionales condiciones? ¿Pensaba acaso en la responsabilidad que asumía, al dejar a uno de sus compañeros aventurarse en aquella barquilla?

—¡Volvamos —dijo Gordon—, que es tarde!

—¡Un momento! —repuso Briant—. ¡Gordon, Doniphan, esperad...! Tengo que hacer una proposición.

—Habla —dijo Doniphan.

—Acabamos de hacer las pruebas de la cometa —siguió diciendo Briant— y han dado buen resultado; porque las circunstancias eran favorables, con viento regular, ni muy flojo ni muy fuerte. Pero, ¿sabemos qué tiempo hará mañana, y si el viento permitirá mantener el aparato por encima del lago? Por eso me parece prudente no aplazar la operación.

Nada más razonable, en efecto, desde el momento en que había resuelto intentarlo.

Y, no obstante, nadie contestó a esa proposición. En el momento de correr semejante peligro, era natural titubear, aun por parte de los más intrépidos.

No obstante, así que añadió Briant:

—¿Quién quiere subir?

—¡Yo! —dijo vivamente Santiago.

Y casi inmediatamente, Doniphan, Bater, Wilcox, Cross y Service exclamaron:

—¡Yo!

Hubo luego un silencio, que Briant no se dio prisa en interrumpir. Santiago fue el primero en hablar, y dijo:

—¡Hermano, a mí me toca sacrificarme! ¡Sí, a mí...! Te lo suplico... Déjame partir...

—¿Y por qué has de ser tú en vez de ser yo... u otro cualquiera? —preguntó Doniphan.

—Sí; ¿por qué? —preguntó Baxter.

—¡Porque yo debo hacerlo! —respondió Santiago.

—¿Que debes hacerlo? —preguntó Gordon.

—Sí.

Gordon cogió la mano de Briant como para preguntarle lo que Santiago quería decir, y la sintió temblar en la suya; si la noche no hubiera sido tan oscura, hasta hubiera visto palidecer las mejillas de su compañero y cerrarse sus párpados con los ojos húmedos.

—¿Qué dices, hermano? —repuso Santiago, con tono resuelto y que sorprendía en un niño de su edad.

—¡Responde, Briant! —dijo Doniphan—. Santiago dice que tiene derecho a sacrificarse... Pero, ¿no tenemos nosotros, tanto como él, ese derecho...? ¿Qué ha hecho Santiago para reclamarlo?

—Lo que he hecho —respondió Santiago—, lo que he hecho... voy a decíroslo.

—¡Santiago! —exclamó Briant, que quería impedir que hablase su hermano.

—¡No! —replicó Santiago con voz cortada por la emoción—. Déjame confesar... ¡Me pesa demasiado este secreto...! Gordon, Doniphan, si estáis aquí... todos... lejos de vuestros padres... en esta isla... yo solo tengo la culpa... El «Sloughi» fue arrastrado a alta mar porque, imprudentemente... no... en broma... solté la amarra que le retenía... y luego, cuando vi que el yate iba a la deriva, perdí la cabeza... No avisé cuando aún estaba a tiempo... ¡Y una hora después... en medio de la noche...! ¡En plena mar...! ¡Ah! ¡Perdón, compañeros, perdón!

Y el pobre niño sollozaba, a pesar de que Kate intentaba en vano consolarlo.

—¡Bien, Santiago! —dijo entonces Briant—. Has confesado tu culpa, y ahora quieres exponer la vida para repararla... o cuando menos para reparar en parte el mal que has hecho.

—¿No lo ha reparado ya? —exclamó Doniphan, que se dejaba llevar por su generosidad natural—. ¿No se ha expuesto veinte veces por servirnos...? ¡Ah, Briant...! ¡Ahora comprendo por qué ponías a tu hermano por delante cuando había que correr algún peligro, y por qué estaba siempre pronto a sacrificarse! He aquí por qué se lanzó en busca de Cross y de mí en medio de la niebla... con peligro de su vida... ¡Sí, amigo Santiago, te perdonamos de muy buen grado y ya no necesitas reparar tu falta!

Todos rodearon a Santiago, le cogieron las manos y no obstante los sollozos no cesaban de hincharle el pecho. ¡Ya se sabía por qué aquel niño, el más alegre de todo el colegio Chairman y también uno de los más traviesos, se había vuelto tan triste, por qué procuraba mantenerse siempre aparte...! Luego, por orden de su hermano, y sobre todo por voluntad propia, se había expuesto siempre que se presentó algún peligro. ¡Y no creía haber hecho aún lo bastante...! ¡Todavía deseaba sacrificarse por los demás...!

Así que pudo hablar dijo:

—Ya veis que a mí... a mí solo me corresponde partir... ¿No es verdad, hermano?

—¡Bien, hermano, bien! —repitió Briant abrazando a su hermano.

Ante la confesión que acababa de hacer Santiago, ante aquel derecho que reclamaba, en vano intentaron intervenir Doniphan y los demás. No había otro remedio que dejarle entregarse a la brisa, que manifestaba cierta inclinación a refrescar.

Santiago estrechó la mano de sus compañeros y, pronto a tomar puesto en la barquilla, de la que acababan de quitar el saco de tierra, se volvió a Briant, que permanecía inmóvil a pocos pasos detrás de la cornamusa.

—Deja que te abrace, hermano —dijo Santiago.

—Sí... Abrázame —respondió Briant, dominando su emoción—, o mejor dicho... yo soy quien te abrazará... porque haré yo la exploración.

—¿Tú...? —exclamó Santiago.

—¿Tú...? ¿Tú...? repitieron Doniphan y Service.

—Sí... yo... Que la falta de Santiago sea reparada por él o por su hermano, poco importa. Además, yo he tenido la idea de esta tentativa, ¿y suponéis que pensaba dejar que la acometiera otro?

—¡Hermano... —exclamó Santiago—, por favor!

—Entonces —dijo Doniphan—, yo reclamo a mi vez.

—No, Doniphan —respondió Briant con tono que no admitía réplica—. Partiré yo... Así lo quiero.

—Yo lo había adivinado, Briant —dijo Gordon, estrechando la mano a su compañero.

Tras estas palabras, introdújose Briant en la barquilla, y así que estuvo convenientemente instalado, dio orden de elevar la cometa.

El aparato, inclinado por la brisa, subió lentamente al principio; luego, Baxter, Wilcox, Cross y Service, apostados en la cornamusa, le fueron largando cuerda, al mismo tiempo que Garnett, que tenía el bramante de sedal, lo iba deslizando entre sus dedos.

En diez segundos, el Gigante de los Aires desapareció en la oscuridad, no entre los hurras que le habían acompañado al partir en las pruebas, sino en medio de un profundo silencio. El intrépido jefe de aquella gente menuda, el generoso Briant, había desaparecido con la cometa.

Entretanto, el aparato ascendía con regular lentitud. La constancia de la brisa le aseguraba una estabilidad perfecta y apenas se balanceaba de un lado a otro. Briant no sentía ninguna de aquellas oscilaciones que hubieran hecho peligrosa su situación. Permaneció inmóvil, con ambas manos fijas en las cuerdas de suspensión de la barquilla, que apenas se columpiaba ligeramente.

¡Qué extraña impresión sintió al principio Briant, al verse suspendido en el espacio, en aquel ancho plano inclinado que temblaba al impulso de la corriente aérea! Parecíale que era levantado por alguna fantástica ave de rapiña o, más bien, que iba colgado de las alas de un enorme murciélago negro; pero, gracias a la energía de su carácter, pudo conservar la sangre fría que requería el experimento.

A los diez minutos de haber dejado la cometa el suelo de la Terraza del Deporte, una ligera sacudida indicó que había llegado al límite su movimiento ascensional. Llegada al extremo de su cuerda, siguió subiendo aún, no sin algunas sacudidas. La altitud alcanzada verticalmente, debía de ser de seiscientos a setecientos pies.

Briant, más dueño de sí, tendió primeramente el cordel enhebrado en la bala; luego empezó a observar el espacio. Sujeto con una mano a una de las cuerdas de suspensión, tenía en la otra el anteojo.

Por debajo de él, la oscuridad era profunda. El lago, la selva y el acantilado formaban una masa confusa, de la que no podía distinguir ningún detalle.

En cuanto a la periferia de la isla, se recortaba sobre el mar que la circunscribía; y, desde el punto por él ocupado, podía abarcar Briant todo su conjunto.

De haberse efectuado la ascensión en pleno día, acaso hubiese divisado otras islas, quizás un continente, si existían en un radio de cuarenta o cincuenta millas, que era el alcance a que debía de llegar su vista.

Al Oeste, al Norte, y al Sur, estaba entonces el cielo demasiado brumoso para que él pudiera distinguir cosa alguna, pero en la dirección Este, en un pequeño rincón del firmamento, libre momentáneamente de nubes, se veían brillar algunas estrellas.

Y precisamente por ese lado, llamó la atención a Briant un resplandor bastante intenso, que se reflejaba hasta las bajas espirales de la niebla.

«¡Ese resplandor es una hoguera! —pensó—. ¿Habrá instalado allí su campamento Walston...? ¡No! Ese fuego está mucho más lejos, seguramente mucho más allá de la isla. ¿Será un volcán en erupción y habrá alguna tierra en los parajes del Este?»

Acudió a la memoria de Briant que en su primera expedición a la Bahía de la Decepción, se le presentó en el campo visual del anteojo una mancha blanquecina.

—Sí —dijo para sus adentros—, era por ese lado... ¿Sería esa mancha, la reverberación de un ventisquero? ¡Debe de haber al Este una tierra bastante próxima a la isla Chairman!

Briant miró con el anteojo aquella luz que la oscuridad contribuía a hacer aún más aparente. No cabía duda de que había allí una montaña ignívoma, próxima a un glaciar, y de que pertenecía ya a un continente, ya a un archipiéélago, cuya distancia no excedería de unas treinta millas.

En aquel momento, sintió Briant una nueva impresión luminosa. Mucho más cerca de él, a cinco o seis millas, poco más o menos, y, por consiguiente, en la superficie de la isla, brillaba otra luz entre los árboles, al oeste del Lago de la Familia.

«¡Esa luz está en la selva! —pensó—, en el mismo lindero, por la parte del litoral!»

Pero aquella luz no hizo sino aparecer y desaparecer; porque, a pesar de una detenida observación, Briant no consiguió volver a verla.

¡Con qué violencia le palpitó el corazón y cómo tembló su mano; tanto, que le fue imposible sostener con presión suficiente el catalejo!

¡Había allí un fuego de campamento, no lejos del río del Este! Briant lo había visto, y pronto advirtió que su resplandor seguía reverberándose en el macizo de los árboles.

¿Es decir, que Walston y su banda acampaban en aquel lugar, cerca del portezuelo de la Roca del Oso? ¿Luego los asesinos del «Severn» no habían dejado la isla Chairman? ¡Los jóvenes colonos seguían expuestos a sus agresiones, y no había ya seguridad alguna en la Cueva del Francés!

¡Qué decepción se llevó Briant! Indudablemente, en la imposibilidad de carenar la chalupa, Walston debió de renunciar a embarcarse con rumbo a una de las tierras próximas. ¡Y, por lo tanto, se hallaba en aquellos parajes! ¡De eso no cabía la menor duda!

Terminadas sus observaciones, Briant consideró inútil prolongar aquella exploración aérea, por lo cual se preparó a descender. El viento refrescaba sensiblemente y las oscilaciones, que se habían vuelto más fuertes, imprimían a la barquilla un balanceo que iba a dificultar el aterrizaje.

Después de asegurarse de que el bramante que servía de señal estaba convenientemente tenso, Briant dejó deslizarse la bala, que en pocos segundos llegó a la mano de Garnett.

Y, al punto, la cuerda de la cornamusa empezó a traer hacia el suelo el aparato.

Pero al mismo tiempo que la cometa bajaba, Briant seguía mirando las luces que había descubierto. Veía la de la erupción, y, más cerca, en el litoral, la hoguera del campamento.

Como se comprenderá, Gordon y los demás compañeros esperaron con suma impaciencia la señal del descenso. ¡Cuán largos se les antojaron los veinte minutos que acababa de pasar Briant en el espacio!

Doniphan, Baxter, Wilcox, Service y Webb maniobraban entretanto vigorosamente los manubrios de la cornamusa.

También ellos observaron que el viento adquiría fuerza y soplaba con menos regularidad. Notábase en las sacudidas que sufría la cuerda; y, no sin viva angustia, pensaban en Briant, que debía de sentirlo de rechazo.

La cornamusa funcionó, pues, rápidamente para enrollar los mil doscientos pies de sedal que habían sido desenrollados. El viento continuaba refrescando y, tres cuartos de hora después de la señal dada por Briant, soplaba con gran intensidad. En aquel momento, el aparato debía de hallarse aún a más de cien pies sobre el lago.

De pronto, produjose una violenta sacudida, y Wilcox, Doniphan, Service, Webb y Baxter, a quienes faltó el punto de apoyo, estuvieron a punto de ser precipitados por el suelo. Acababa de romperse la cuerda de la cometa.

Y entre gritos de terror, repitiose veinte veces este nombre:

—¡Briant...! ¡Briant...!

Minutos después, Briant saltaba a la playa y llamaba con voz fuerte:

—¡Hermano! ¡Hermano! —exclamó Santiago, que fue el primero en estrecharle en sus brazos.

—¡Walston continúa aquí!

Eso es lo primero que dijo Briant en cuanto se le hubieron reunido todos.

En el momento de romperse la cuerda, Briant se vio arrastrado, no por una caída vertical, sino oblicua, y relativamente lenta. Porque la cometa formaba una especie de paracaídas por encima de él. Lo que le importaba en aquel momento era salir de la barquilla antes de que ésta llegase a la superficie del lago. En el momento en que iba a sumergirse, Briant se tiró de cabeza y como buen nadador no le costó mucho llegar a la orilla, que se hallaba a cuatrocientos o quinientos pies a lo sumo.

Entretanto, la cometa, aligerada del peso de Briant, desapareció por al Nordeste, arrastrada por la brisa, como resto gigante de un naufragio en el aire.

CAPITULO X

Al día siguiente, después de una noche en que Mokó estuvo de guardia en la Cueva del Francés, los jóvenes colonos, fatigados por las emociones de la víspera, se despertaron muy tarde. Así que se levantaron, Gordon, Doniphan, Briant y Baxter pasaron al almacén donde Kate se dedicaba a sus habituales quehaceres.

Allí hablaron de la situación, que no dejaba de ser inquietante.

En efecto, como hizo observar Gordon, hacía más de quince días que Walston y sus compañeros estaban en la isla. Por lo tanto, si no estaban hechas aún las reparaciones de la chalupa, era porque carecían de las herramientas indispensables para trabajos de esa clase.

—Así debe de ser —dijo Doniphan—; porque, después de todo, no estaba muy averiada la embarcación. Si no hubiese tenido más averías nuestro «Sloughi» después de encallar, hubiéramos conseguido ponerlo en condiciones de navegar.

Pero si Walston no se había ido, no era probable que se propusiese establecerse en la isla Chairman; porque ya hubiera hecho algunas excursiones por el interior y la Cueva del Francés hubiera recibido su visita, seguramente.

A propósito de esto, Briant, habló de lo que observó durante su ascensión respecto de las tierras que debían de existir relativamente cerca, en dirección al Este.

—No habréis olvidado —dijo— que cuando nuestra expedición a la embocadura del río del Este, divisé una mancha blanquecina, algo por encima del horizonte, y cuya presencia no sabía cómo explicarme...

—Sin embargo, Wilcox y yo no descubrimos nada parecido —repuso Doniphan—, por más que intentamos ver esa mancha.

—Mokó la vio tan claramente como yo —dijo Briant.

—Bien, puede ser —replicó Doniphan—. Pero, ¿qué es lo que te hace creer, Briant, que estamos cerca de un continente o de un grupo de islas?

—Que ayer —dijo Briant—, mientras observaba el horizonte en aquella dirección, percibí un resplandor muy visible fuera de los límites de la costa y que sólo podía proceder de un volcán en actividad. De ahí deduje que existe una tierra cerca de estos parajes. Y los marineros del «Severn» no deben de ignorarlo y harán lo posible por llegar a ella...

—No cabe duda... ¿Qué sacarían con quedarse aquí? Indudablemente, si no nos hemos librado aún de su presencia, débese a que todavía no habrán podido arreglar la chalupa.

Lo que Briant acababa de comunicar a sus compañeros tenía suma importancia; pues les daba la certeza de que la isla Chairman no estaba aislada, como ellos creían, en aquella parte del Pacífico, pero lo que agravaba las cosas es que, según la posición del fuego de su campamento, Walston se hallaba a la sazón en los alrededores de la embocadura del río del Este. Después de dejar las Costas del Severn, acercóse unas doce millas y, por consiguiente, le bastaría subir por el río del Este para llegar a la vista del lago y contornearlo por el Sur, para descubrir la Cueva del Francés.

Por consiguiente, Briant tuvo que tomar las más rigurosas medidas con miras a esa eventualidad. A partir de entonces, las excursiones quedaron reducidas a lo estrictamente necesario, sin siquiera extenderse, por la orilla izquierda del río, a los macizos del Marjal. Al mismo tiempo, Baxter disimuló las empalizadas del cercado tras una cortina de maleza y de hierbas, como también las dos entradas del zaguán y del almacén. Por último, se prohibió mostrarse en la parte comprendida entre el lago y la Montaña de Auckland. Realmente, sujetarse a tan minuciosas precauciones, era añadir contrariedades a lo difícil de la situación.

También hubo en aquella época otros motivos de inquietud. Costar fue atacado por unas fiebres que pusieron su vida en peligro. Gordon tuvo que recurrir al botiquín del *schooner*, no sin miedo de cometer algún error. Menos mal que Kate hizo por aquel niño lo que por él hubiera hecho su madre. Le cuidó con ese cariño juicioso que es en las mujeres como un instinto y no dejó de velarle noche y día. Gracias a su abnegación, la fiebre siguió con regularidad su curso. ¿Había estado Costar en peligro de muerte? Difícil sería asegurarlo; pero, a falta de tan inteligentes cuidados, tal vez la fiebre hubiera provocado el agotamiento del enfermito.

¡Sí!, si no hubiera estado allí Kate, no se sabe lo que hubiera acaecido. No nos cansaremos de decir que la excelente criatura había dado a los más pequeños de la colonia toda la ternura maternal que había en su corazón, sin regatearles nunca las caricias.

De lo que más se preocupaba Kate era de conservar en el mejor estado posible la ropa blanca de la Cueva del Francés. Con gran disgusto suyo, estaba muy gastada aquella ropa, que llevaba ya veinte meses de uso. ¿Cómo la sustituiría cuando estuviera fuera de servicio? Y el calzado, aunque lo trataban con el mayor miramiento posible e iban descalzos cuando el tiempo lo permitía, estaba en pésimo estado.

Todo eso no podía menos de preocupar a la previsora mujer.

La primera quincena de noviembre se señaló con frecuentes chubascos. Luego, a partir del 17, el barómetro marcó buen tiempo fijo y aseguróse regularmente el período de los calores. Árboles, arbustos, toda la vegetación echaron pronto hojas y flores. Los habituales habitantes del Pantano del Sur habían vuelto en gran número. ¡Qué pena tan grande para Doniphan verse privado de cazar por los pantanos, y para Wilcox no poder tender sus redes, por temor de que las descubrieran desde las orillas inferiores del Lago de la Familia! Y no sólo hormigueaban los volátiles en aquella parte de la isla, sino que otros se dejaron coger en las trampas en las inmediaciones de la Cueva del Francés.

Entre estos últimos, encontró Wilcox un día uno de los emigrantes que el invierno había llevado a los países desconocidos del Norte. Era una golondrina, que aún tenía la bolsita atada bajo el ala. ¿Contendría la bolsita alguna nota dirigida a los jóvenes náufragos del «Sloughi»...? No, por desgracia... El mensajero había vuelto sin traer respuesta.

Durante aquellos largos días, sin ocupación alguna, ¡cuántas horas pasaban en el zaguán! Baxter, encargado de llevar al día el diario no tenía ningún incidente que relatar en él. ¡Y antes de cuatro meses iba a comenzar un tercer invierno para los jóvenes colonos de la isla Chairman! Advertíase, no sin profunda ansiedad, el desaliento que se apoderaba de los más enérgicos a excepción de Gordon, absorto siempre en lós detalles de la administración. También Briant se sentía a veces atribulado, aunque hacía todo los esfuerzos posibles para no dejarlo ver. Intentaba reaccionar, excitando a sus compañeros a proseguir los estudios, a dar conferencias, a leer en voz alta. Los conducía sin pesar al recuerdo de su país, de sus familias, afirmando que algún día los volverían a ver. Finalmente, ingeniábase por levantar su moral, aunque sin conseguirlo del todo, y con el gran temor de que les abatiera la desesperación. Mas no sucedió nada. Por lo demás, acontecimientos bastante graves obligaron bien pronto a todos a no hurtar el cuerpo.

El 21 de noviembre, a eso de las dos de la tarde, estaba Doniphan pescando en las orillas del Lago de la Familia, cuando le llamaron vivamente la atención los gritos discordantes de unas veinte aves que se cernían por encima de la orilla izquierda del río. Si no eran cuervos, a los cuales se parecían un poco, merecían pertenecer a esa especie voraz y graznadora.

Doniphan no hubiera parado mientes en la chillona bandada, si su aspecto no hubiese dejado de sorprenderle. En efecto, aquellos pájaros describieron anchos círculos, cuyo radio disminuyó a medida que se acercaron a tierra; y luego, reunidos en compacto grupo, precipitáronse hacia el suelo.

Allí redoblaron sus graznidos; pero en vano intentó Doniphan verlos en medio de las altas hierbas, entre las cuales habían desaparecido.

Entonces pensó que en aquel lugar debía de haber algún cadáver de animal y, por la curiosidad de averiguarlo, volvió a la Cueva del Francés y suplicó a Mokó que le trasladase al otro lado del río Zelanda. Embarcáronse ambos, y diez minutos después, deslizáronse por entre las matas de hierbas de la playa, y al punto echaron a volar las aves, protestando con sus graznidos contra los importunos que se tomaban la libertad de turbarles la comida.

En aquel sitio yacía el cuerpo de un joven guanaco, muerto pocas horas antes, pues aún no había perdido todo el calor vital.

Doniphan y Mokó, poco deseosos de utilizar para la comida los restos de la cena de los carnívoros, disponíanse a abandonarlos, cuando se les ocurrió una pregunta: ¿Cómo y por qué había ido a caer el guanaco al borde del pantano, lejos de las selvas del Este, de donde no solían salir sus congéneres?

Doniphan examinó el animal. Tenía en el costado una herida que aún manaba sangre, herida que no procedía de los dientes de un jaguar o de cualquier otro carnicero.

—Seguramente, este guanaco ha recibido un balazo —dijo Doniphan.

—¡He aquí la prueba! —respondió el grumete que, después de hurgar la herida con la navaja, extrajo de ella una bala.

Esa bala era más bien del calibre de los fusiles de a bordo que del de las escopetas de caza. Por consiguiente, no pudo ser disparada más que por Walston o alguno de sus compañeros.

Dejando el cuerpo del guanaco a los volátiles, Doniphan y Mokó volvieron a la Cueva del Francés, en donde conferenciaron con sus compañeros. Era del todo evidente que el guanaco había sido herido por uno de los marineros del «Severn», puesto que ni Doniphan ni nadie había hecho un solo disparo desde hacía más de un mes; pero lo que hubiera importado saber era el momento y el lugar en que el guanaco había recibido el balazo.

Examinadas todas las hipótesis, admitieron que el hecho no se remontaba a más de cinco o seis horas, lapso de tiempo necesario para que el animal, después de recorrer las Tierras Bajas, pudiera llegar a algún paso del río. De ahí inferíase que, por la mañana, alguno de los hombres de Walston debió de cazar, acercándose a la punta meridional del Lago de la Familia, y que la banda, después de cruzar el río Este, se acercaba poco a poco a la parte de la Cueva del Francés.

De este modo se agravaba la situación, aunque el peligro no fuera tal vez inminente. En efecto, al sur de la isla, extendíase aquella vasta llanura, cortada por el arroyuelo, perforada por estanques, quebrada por dunas, en donde la caza no podía bastar para la alimentación cotidiana de la banda. Era, pues, probable que Walston no se hubiera aventurado al través de las Tierras Bajas. Por lo demás, no se había oído ninguna detonación sospechosa, que el viento hubiera podido llevar hasta la Terraza del Deporte, y era de esperar que aún no hubieran descubierto la posición de la Cueva del Francés.

No obstante, hubo que imponer medidas de prudencia con nuevo vigor. Si había probabilidades de rechazar una agresión, era a condición de que los jóvenes colonos no fuesen en modo alguno sorprendidos fuera del zaguán. Tres días después, un hecho más significativo aumentó aún más los temores y hubieron de admitir que estaba más comprometida que nunca la seguridad de la pequeña colonia.

El 24, al filo de las nueve de la mañana, Briant y Gordon fueron al otro lado del río Zelanda para ver si convenía poner una especie de espadón al través del estrecho sendero que circulaba entre el lago y el pantano. Al abrigo de este espaldón, sería fácil a Doniphan y a los mejores tiradores embozarse rápidamente, en caso de que les indicasen a tiempo la llegada de Walston.

Hallábanse entrambos a trescientos pasos a lo sumo, más allá del río, cuando Briant pisó un objeto y lo aplastó. No había hecho caso, creyendo que era uno de esos miles de conchas llevadas por las grandes mareas cuando invaden las llanuras del Pantano del Sur, pero Gordon, que caminaba detrás de él, se detuvo y dijo:

—¡Espera, Briant, espera!

—¿Qué sucede?

Gordon se agachó y recogió el objeto aplastado.

—¡Mira! —dijo.

—Esto no es una concha —respondió Briant—, es...

—¡Es una pipa!

En efecto, Gordon tenía en la mano una pipa negruzca, cuyo tubo acababa de ser quebrado a ras de la cazoleta.

—Puesto que ninguno de nosotros fuma —objetó Gordon—, esta pipa ha debido de perderla...

—Uno de los hombres de la cuadrilla —respondió Briant—, a menos que perteneciera al náufrago francés que nos precedió en la isla Chairman.

¡No! La cazoleta, cuya rotura era reciente, no pudo haber estado en posesión del francés Baudoin, muerto veinte años atrás.

Debió de caer recientemente en aquel lugar, y el poco tabaco a ella adherido lo demostraba de un modo indiscutible. Por lo tanto, días antes, y acaso sólo algunas horas, alguno de los compañeros de Walston, o el mismo Walston, se habían adelantado hasta aquella orilla del Lago de la Familia.

Gordon y Briant volvieron inmediatamente a la Cueva del Francés. Allí Kate, a quien presentó Briant la cazoleta de la pipa, pudo afirmar que la había visto en manos de Walston.

Así, pues, era indudable que los malhechores habían contorneado la punta extrema del lago. Y acaso durante la noche llegaron a adelantarse hasta el borde del río Zelanda. Y si habían descubierto la Cueva del Francés, si Walston sabía lo que era el personal de la pequeña colonia, ¿no debía de habérsele ocurrido que allí habría herramientas, instrumentos, municiones, provisiones, todo aquello de que él estaba privado o poco menos, y que siete hombres vigorosos vencerían fácilmente a una quincena de muchachos, sobre todo si llegaban a sorprenderles?

Fuera de ello lo que fuere, de lo que no se podía dudar es de que la banda se acercaba más y más. Ante aquellas amenazadoras eventualidades, Briant, de acuerdo con sus compañeros, se ingenió para organizar una vigilancia más activa. De día, instalóse un puesto permanente de observación en la cresta de la Montaña de Auckland, para que se pudiera avisar inmediatamente todo movimiento sospechoso, ya por la parte del pantano, ya por el bosque Traps, ya por el lago. Durante la noche, los mayores tuvieron que permanecer de guardia a la entrada del zaguán y del almacén, para espiar los ruidos exteriores. Consolidáronse las dos puertas por medio de puntales y, en un instante, podrían poner en ellas barricadas con enormes piedras amontonadas dentro de la Cueva del Francés. En cuanto a las estrechas ventanas practicadas en la pared y que servían de troneras para los pequeños cañones, una defendería la fachada que daba al río Zelanda, y la otra, la fachada que daba al Lago de la Familia. Además, los revólveres y escopetas estaban prontos a disparar a la menor alarma. No necesitamos decir que Kate aprobaba todas estas medidas. Aquella mujer enérgica guardábase bien de dejar entrever sus temores, por desgracia demasiado justificados, cuando pensaba en las inciertas ventajas de una lucha con los marineros del «Severn». Los conocía, a ellos y a su jefe. Si estaban suficientemente armados, ¿no podrían proceder por sorpresa, a pesar de la más severa vigilancia? Y, para combatirlos, sólo había unos cuantos jóvenes, el mayor de los cuales no había cumplido aún los dieciséis años. La partida era desigual de veras. ¿Por qué el valeroso Evans no estaba con ellos? ¿Por qué no había seguido a Kate en su fuga? Tal vez hubiera podido organizar mejor la defensa, y poner la Cueva del Francés en condiciones de resistir los ataques de Walston.

Desdichadamente, Evans debía de estar bien guardado, si es que sus compañeros no se habían deshecho de él como de un testigo peligroso y a quien ya no necesitaban para gobernar la chalupa hasta las tierras vecinas.

Tales eran las reflexiones de Kate. Y no temía por ella, sino por aquellos niños, por los que velaba sin cesar, bien secundada por Mokó, cuya lealtad igualaba a la suya.

Corría el 27 de noviembre. Hacía ya dos días que el calor era sofocante: grandes nubes pasaban pesadamente por la isla y algunos truenos lejanos anunciaban tempestad. El *stormglass* indicaba una próxima lucha de los elementos.

Aquella tarde, Briant y sus compañeros regresaron más pronto que de costumbre al zaguán, no sin tomar la precaución, como hacían de algún tiempo a esta parte, de llevar la canoa al interior del almacén. Luego, con las puertas bien cerradas, esperaron todos la hora del descanso, después de hacer la oración en común y dedicar un recuerdo a su familia.

A eso de las nueve y media, estaba en todo su furor la tempestad. El zaguán se iluminaba con la intensa reverberación de los relámpagos que penetraban a través de las troneras. Los truenos retumbaban sin cesar: parecía que la montaña de Auckland temblase al repercutir tan ensordecedor estruendo. Era uno de esos meteoros sin lluvia ni viento, que son aún más terribles; porque las nubes, inmóviles, descargan el fluido eléctrido acumulado en ellas, y a veces no basta toda una noche para agotarlo.

Costar, Dole, Iverson y Jenkins, acurrucados en sus camitas, sobresaltábanse ante tan formidables crujidos, semejantes al de una tela al desgarrarse, que indicaban la proximidad de las descargas. Y, no obstante, nada había que temer en aquella inexpugnable caverna. Ya podía el rayo atacar veinte veces y hasta cien las crestas del acantilado, que no atravesaría las espesas paredes de la Cueva del Francés, tan refractarias al fluido eléctrico como inaccesibles a las borrascas. De vez en cuando, Briant, Doniphan o Baxter se levantaban, entreabrían la puerta y volvían inmediatamente medio cegados por los relámpagos, después de echar un rápido vistazo afuera. El espacio estaba en llamas, y el lago, reverberando las fulguraciones del cielo, parecía arrastrar una inmensa sábana de fuego. De las diez a las once, no cesaron un instante los relámpagos y truenos. Hasta poco antes de las doce, no empezó a iniciarse la calma. Los truenos, cuya violencia disminuía con la distancia, iban espaciándose más y más. Entonces se levantó viento que alejó las nubes que se habían acercado al suelo, y no tardó en llover torrencialmente.

Los pequeños empezaron, por lo tanto, a tranquilizarse. Dos o tres cabecitas hundidas en las mantas, aventuráronse a reaparecer, aunque era la hora de que todos durmiesen. Por eso, Briant y los demás, después de tomar las precauciones de costumbre, iban a acostarse, cuando *Phann* dio manifiestas muestras de una agitación inexplicable. Enderezábase sobre sus patas, corría hacia la puerta del zaguán y lanzaba sordos y continuos gruñidos.

—¿Habrá olfateado algo *Phann*? —dijo Doniphan, intentando calmar al perro.

—Ya le hemos visto así en muchas circunstancias —dijo Baxter—, y el inteligente animal no se ha equivocado nunca.

—Pues, antes de acostarse, hay que saber lo que significa eso —añadió Gordon.

—Muy bien —dijo Briant—, pero que no salga nadie y estemos apercibidos para defendernos.

Cada cual tomó la escopeta y el revólver. Doniphan se acercó a la puerta del zaguán y Mokó a la del almacén. Ambos, con el oído pegado a la hoja de la puerta, no sorprendieron ningún ruido exterior, aunque continuaba la agitación de *Phann*. Es más, el perro no tardó en ladrar con tal violencia que Gordon no consiguió calmarlo. Era una circunstancia muy enfadosa. En los momentos de calma, si hubiera sido posible oír el ruido de un paso por la playa, con mayor razón habríanse oído desde fuera los ladridos de *Phann*.

De pronto, sonó una detonación que no se podía confundir con los estampidos del rayo. Era, efectivamente, un disparo que acababa de hacerse a menos de doscientos pasos de la Cueva del Francés. Todos se pusieron a la defensiva. Doniphan, Baxter, Wilcox y Cross, armados de escopetas y apostados en ambas puertas, estaban prontos a hacer fuego sobre todo el que intentase forzarlas. Los demás empezaron a afianzarlas con piedras preparadas a ese objeto, cuando una voz gritó desde fuera:

—¡A mí...! ¡A mí!

Había allí un ser humano en peligro de muerte, sin duda, y que pedía auxilio.

—¡A mí! —repitió la voz, ya sólo a algunos pasos.

Kate escuchaba junto a la puerta.

—¡Él es! —exclamó.

—¿Él? —dijo Briant.

—¡Abrid, abrid! —repitió Kate.

Se abrió la puerta y entró en el zaguán un hombre chorreando agua. Era Evans, el contramaestre del «Severn».

CAPITULO XI

Al principio, Gordon, Briant y Doniphan quedáronse inmóviles ante la inesperada aparición de Evans. Luego, con un movimiento instintivo, acercáronse al contramaestre como a un salvador.

Era un hombre de veinticinco a treinta años, ancho de hombros, de torso vigoroso, mirada viva, frente despejada, fisonomía inteligente y simpática, andar firme y resuelto y rostro oculto en parte por una barba inculta que no se la había recortado desde el naufragio del «Severn». Apenas hubo entrado, Evans se volvió y aplicó el oído contra la puerta, que había cerrado rápidamente. Al no oír nada por fuera adelantóse al centro del zaguán y allí, a la luz del farol, suspendido de la bóveda, miró a aquella gente menuda que le rodeaba y susurró estas palabras:

—¡Sí...! ¡Niños...! ¡Nada más que niños!

De pronto, animáronsele los ojos, brilló de alegría su rostro y abrió los brazos.

Kate acababa de acercársele.

—¡Kate! —exclamó Evans—. ¡Kate, viva!

Y le cogió las manos, como para cerciorarse bien de que no eran las de una muerta.

—¡Sí, viva como usted! —respondió Kate—. ¡Dios me ha salvado, como le ha salvado a usted, y Él le envía en auxilio de estos niños!

El contramaestre contó con la mirada los niños reunidos en derredor de la mesa del zaguán.

—¡Quince! —dijo—. ¡Y apenas hay cinco o seis que se hallen en condiciones de defenderse! No importa...

—¿Corremos peligro de ser atacados, señor Evans? —preguntó Briant.

—No, muchacho; no, a lo menos por ahora —respondió Evans.

Se comprende que todos ansiaran conocer la historia del contramaestre y, principalmente, lo que había sucedido desde que la chalupa fue arrojada a las Costas de Severn. Ni grandes ni pequeños hubieran podido entregarse al sueño sin antes oír aquella narración, que era para ellos de tan grande importancia. Pero primeramente convenía que Evans se quitase los vestidos mojados y tomara algún alimento. Sus ropas chorreaban porque tuvo que cruzar a nado el río Zelanda, y estaba extenuado de hambre y de fatiga, porque llevaba doce horas sin comer y porque, desde la mañana, no pudo descansar un solo instante.

Briant le hizo pasar al momento al almacén, en donde Gordon le sirvió caza, fiambre, galleta, algunas tazas de té hirviendo y una buena copa de *brandy*.

Un cuarto de hora después, Evans, sentado ante la mesa del zaguán, relató los acontecimientos acaecidos desde que llegaron a la isla los marineros del «Severn».

—Momentos antes de que la chalupa embarrancara en la playa —dijo—, seis hombres (incluyéndome a mí) fuimos arrojados a las primeras rocas de los arrecifes. Ninguno de nosotros quedó gravemente herido; sólo teníamos contusiones, pero no heridas. Mas no fue cosa fácil salir de la resaca, en medio de la oscuridad y con una mar furiosa, azotada por el viento.

»Sin embargo, tras largos esfuerzos, llegamos sanos y salvos fuera del alcance de las olas, Walston, Brandt, Rock, Brook Cope y yo. Faltaban dos, Forbes y Pike. ¿Se los habría llevado algún golpe de mar, o se habrían salvado al llegar la chalupa a la playa? No lo sabíamos. En lo que a Kate se refiere, yo creía que había sido arrastrada por las olas y no pensaba volver a verla nunca más.

Y al decir esto, Evans no procuraba ocultar su emoción ni la alegría que experimentaba por haber vuelto a hallar a la valerosa mujer, escapada como él de las matanzas del «Severn». Después de haber estado los dos a merced de aquellos asesinos, hallábanse fuera de su poder, ya que no libres de sus ataques en lo sucesivo.

Evans siguió diciendo:

—Cuando llegamos a la playa, necesitamos algún tiempo para buscar la chalupa. Debió de llegar a eso de las siete de la tarde y eran cerca de las doce de la noche cuando la vimos volcada en la arena. Y es que primero bajamos a lo largo de la costa de... ¿Cómo la llamáis?

—De Severn —dijo Briant—. Ese es el nombre que le han dado algunos de nuestros compañeros que descubrieron la embarcación del «Severn» aun antes que Kate nos refiriese su naufragio.

—¿Antes? —respondió bastante sorprendido Evans.

—Sí, contramaestre Evans —dijo Doniphan—. Nosotros llegamos a aquel lugar en la misma noche del naufragio, cuando sus dos compañeros estaban aún tendidos en la arena... Pero, al amanecer, cuando fuimos a rendirles el último tributo, habían desaparecido.

—En efecto —dijo Evans—, y ahora veo cómo se encadena todo. Forbes y Pike, a los que creíamos ahogados (y ojalá lo hubieran estado, pues habría dos bribones menos de los siete), habían sido arrojados a poca distancia de la chalupa, y allí los encontraron Walston y los demás, que los reanimaron a base de ginebra.

»Por fortuna para ellos, ya que es una desgracia para nosotros, el cofre de la embarcación no fue roto en la varadura ni atacado por el agua del mar. Las municiones, las armas, cinco fusiles de a bordo, lo que quedaba de las provisiones embarcadas precipitadamente durante el incendio del «Severn», todo eso fue retirado de la chalupa, por temor de que la primera marea lo destruyese. Hecho esto, abandonamos el lugar del naufragio y seguimos la costa hacia el Este.

»En aquel momento, uno de los miserables, creo que era Rock, dijo que no se había encontrado a Kate. A lo cual respondió Walston: "Se la ha llevado una ola... ¡Menos mal que nos hemos deshecho de ella!" Lo cual me indujo a pensar que, si la banda se alegraba de haberse desembarazado de Kate, ya que no la necesitaban, ocurriría lo mismo con el contramaestre Evans, cuando ya no les hiciera falta... ¿Dónde estaba, pues, Kate?

—Yo estaba junto a la chalupa, del lado del mar —respondió Kate—, en el mismo sitio donde había sido arrojada después de encallar la embarcación... No podían verme y oí todo lo que dijeron Walston y los otros... Pero, después de marcharse ellos, me levanté, Evans, y, para no volver a caer en manos de Walston, huí, encaminándome a la parte opuesta. Treinta y seis horas después, medio muerta de hambre, fui recogida por estos buenos muchachos, que me trajeron a la Cueva del Francés.

—¿La Cueva del Francés? —repitió Evans.

—Es el nombre que lleva nuestra morada —respondió Gordon—, en memoria de un náufrago francés que la habitó muchos años antes que nosotros.

—¿Cueva del Francés...? ¿Costas del Severn...? —dijo Evans—. Veo, muchachos, que han dado ustedes nombres a las distintas partes de la isla. Eso está muy bien.

—Sí, señor Evans, lindos nombres —replicó Service—, y hay otros muchos: Lago de la Familia, Tierras Bajas, Pantano del Sur, río Zelanda, Bosque de Traps o de las Trampas...

—Bien... bien... Me enseñarán ustedes todo eso más adelante... Mañana... Ahora, prosigo mi historia. ¿No se oye nada fuera?

—¡Nada! —respondió Mokó, que estaba de guardia junto a la puerta del zaguán.

—¡Enhorabuena! —dijo Evans—. Continúo: Una hora después de haber abandonado la embarcación, llegamos a una espesura de árboles, en donde establecimos el campamento. Al día siguiente y en los sucesivos, volvimos al lugar en que había embarrancado la chalupa, e intentamos repararla, pero como no teníamos más herramientas que unas simples hachas, fue imposible reemplazar las planchas del forro exterior, destrozado, y ponerla en estado de navegar, aun para una pequeña travesía. Además, el lugar era harto incómodo para un trabajo de esa clase.

»Partimos, pues, en busca de otro campamento, a una región menos árida, en donde tuviéramos agua dulce, porque se había agotado por completo nuestra provisión. Después de seguir la costa por espacio de una docena de millas, llegamos a un riachuelo...

—¡El río del Este! —dijo Service.

—El río del Este, ¡sea! —respondió Evans—. Allí, en el fondo de una vasta bahía...

—¡Bahía de la Decepción! —dijo Jenkins.

—¡Bahía de la Decepción, conforme! —dijo Evans, sonriendo—. Allí había un puerto en medio de las rocas...

—¡Roca del Oso! —exclamó a su vez Costar.

—¡Vaya por la Roca del Oso, hijo mío! —respondió Evans, que aprobó con una señal de cabeza—. Nada había más fácil que instalarse en aquel lugar y de poderse llevar allí la chalupa, pues en donde estaba la hubiera acabado de destrozar la primera tempestad, y no sería fácil repararla.

»Volvieron, pues, por ella y, cuando la hubieron aligerado todo lo posible tornaron a ponerla a flote. Luego, aunque se llenaba de agua hasta la regala, conseguimos halarla a lo largo de la orilla y conducirla al puerto donde ahora se halla segura.

—¿Está en la Roca del Oso la chalupa? —preguntó Briant.

—Sí, muchacho, y creo que no sería imposible repararla, si se tuviesen las herramientas necesarias...

—Pues esas herramientas las tenemos nosotros, contramaestre Evans —repuso vivamente Doniphan.

—Eso es lo que ha supuesto Walston, cuando la casualidad le ha revelado que la isla estaba habitada y quiénes eran los que la habitaban.

—¿Cómo ha podido saberlo? —preguntó Gordon.

—Del modo siguiente: hace ocho días, Walston, sus compañeros y yo, pues nunca me dejaban solo, fuimos de exploración por la selva y al cabo de tres o cuatro horas de marcha, al subir el curso del río del Este, llegamos a las orillas de un vasto lago, de donde sale aquel riachuelo, y allí juzguen ustedes nuestra sorpresa al encontrar un aparato singular caído en la orilla... Era una especie de armazón de cañas forrado de tela...

—¡Nuestra cometa! —exclamó Doniphan.

—Nuestra cometa, que cayó al lago —añadió Briant—, y que el viento habría llevado hasta allí.

—¡Ah! ¿Era una cometa? —dijo Evans—. Pues, la verdad, no lo adivinábamos, y esa máquina nos intrigó mucho. Pero el caso es que no se había construido sola... Había sido fabricada en la isla... De eso no podía dudarse... ¡Luego la isla debía estar habitada...! ¿Por quién?

»Eso es lo que le convenía saber a Walston. En cuanto a mí, desde aquel día, decidí fugarme. Fueren cuales fueran los habitantes de esta isla, aunque fuesen salvajes, no podían ser peores que los asesinos del «Severn». Por lo demás, desde aquel momento, me vigilaron día y noche...

—¿Y cómo ha sido descubierta la Cueva del Francés? —preguntó Baxter.

—Ahora llego —respondió Evans—; pero antes de proseguir mi relato, díganme, muchachos, para qué les ha servido esa enorme cometa. ¿Era alguna señal?

Gordon contó a Evans lo que habían hecho, con qué objeto lo habían intentado y cómo había expuesto Briant la vida por la salvación de todos, y de qué manera pudo observar que Walston continuaba en la isla.

—Es usted un joven arriesgado —respondió Evans, que estrechó muy amistosamente la mano a Briant.

Siguió diciendo:

—Ya comprenderán que Walston no tuvo entonces más preocupación que saber quiénes eran los habitantes de la isla, que nos era desconocida. Si fuesen indígenas, tal vez pudiera entenderse con ellos. Si eran náufragos, acaso poseyeran las herramientas que a él le faltaban. Y en ese caso, no le negarían su concurso para poner la chalupa en condiciones de volver a navegar.

»Empezaron, pues, las indagaciones con mucha prudencia, puedo decirlo. Avanzábamos poco a poco, explorando las selvas de la orilla izquierda del lago, para acercarnos a su punta Sur; pero no vimos ningún ser humano ni oímos ninguna detonación en aquella parte de la isla.

—Eso se debía —dijo Briant— a que ninguno de nosotros se alejó ya de la Cueva del Francés, y a que habíamos prohibido hacer un solo disparo.

—Sin embargo, fueron ustedes descubiertos —siguió diciendo Evans—. ¿Y cómo podía ser de otro modo? En la noche del 23 al 24 de noviembre, uno de los compañeros de Walston llegó a la vista de la Cueva del Francés por la orilla meridional del lago. Quiso la mala suerte que, en cierto momento, vislumbrase una luz que se filtraba por las paredes del acantilado, sin duda la luz de este farol que la puerta, entreabierta un instante, debió de dejar pasar. Al día siguiente, llegóse hacia aquí el mismo Walston, y permaneció parte de la noche escondido entre las altas hierbas, a pocos pasos del río...

—Lo sabíamos —dijo Briant.

—¿Que lo sabían?

—Sí; porque en ese lugar Gordon y yo encontramos trozos de una pipa que Kate reconoció como la pipa de Walston.

—Es verdad —exclamó Evans—. Walston la perdió durante la excursión, lo cual pareció contrariarle vivamente a su regreso. Pero entonces ya conocía él la existencia de la pequeña colonia, pues mientras estaba agazapado en la hierba, vio a la mayoría de ustedes ir y venir por la orilla derecha del río... No había allí más que muchachos jóvenes, de los que fácilmente podrían apoderarse siete hombres. Walston volvió a comunicar a sus compañeros lo que había visto, y una conversación que yo sorprendí entre él y Brandt me enteró de lo que se preparaba contra la Cueva del Francés.

—¡Qué monstruos! —exclamó Kate—. ¿No se hubieran apiadado de estos niños?

—No, Kate —respondió Evans—, como no se apiadaron tampoco del capitán ni de los dos pasajeros del «Severn». ¡Monstruos...! Bien los ha denominado usted. Y están mandados por el más cruel de todos ellos, que es ese Walston, que espero que no se libre del castigo de sus crímenes.

—Pero, al fin, Evans, ha conseguido usted fugarse, gracias a Dios —dijo Kate.

—Sí, Kate. Hace unas doce horas pude aprovechar una ausencia de Walston y de los demás, que me dejaron bajo la vigilancia de Forbes y de Rock. El momento me pareció muy oportuno para escaparme. En cuanto a despistar a esos dos bribones, o cuando menos distanciarme de ellos, no me preocupaba, si conseguía yo tomarles alguna delantera.

»Serían las diez de la mañana cuando me interné por la selva... Casi al mismo tiempo, Forbes y Rock lo advirtieron y se pusieron a perseguirme. Llevaban fusiles; yo no tenía más que mi navaja de marinero para defenderme, y mis piernas para correr como un ciervo.

»La persecución duró todo el día. Atajando oblicuamente por el bosque, llegué a la orilla izquierda del lago, y aún tenía que dar la vuelta a su punta; porque, por la conversación que había oído, sabía que estaban ustedes instalados a las orillas de un río que corría hacia el Oeste.

»A decir verdad, en mi vida he corrido tanto ni durante tanto tiempo. ¡Cerca de quince millas, recorridas en un día! Pero, ¡demonio!, los miserables corrían tanto como yo, y sus balas volaban aún con más celeridad. Muchas veces, silbaron en mis oídos. ¡Figúrense! Yo conocía su secreto. Si me escapaba de ellos, podría denunciarlos. Así, pues, tenían que detenerme a toda costa. Si no hubieran tenido armas de fuego, yo les hubiera esperado a pie firme, navaja en mano. Los hubiera matado o ellos me hubiesen matado a mí. ¡Sí, Kate! Yo prefería morir a volver al campamento con esos bandidos. Esperaba que aquella maldita persecución cesaría por la noche... pero no fue así. Ya había pasado la punta del lago y subía hacia la otra parte y aún continuaba sintiendo detrás de mí a Forbes y a Rock. La tempestad, que hacía ya horas que amenazaba, estalló entonces e hizo más difícil mi fuga; porque a la luz de los relámpagos, los bandidos podían verme entre los cañaverales de la playa. Al fin, llegué a unos cien pasos del río... Si conseguía ponerlo entre aquellos granujas y yo, me consideraba a salvo. Nunca se aventurarían a pasarlo; pues sabían muy bien que estaban en las inmediaciones de la Cueva del Francés.

»Corrí, pues, e iba a llegar a la orilla izquierda del río, cuando su último relámpago iluminó el espacio y al punto sonó un tiro

—El que hemos oído nosotros —dijo Doniphan.

—Indudablemente —respondió Evans—. Una bala me rozó el hombro. Di un salto y me precipité al río. Con algunas brazadas me encontré en la otra orilla, escondido entre las hierbas, en tanto que Rock y Forbes, que habían llegado a la orilla opuesta, decían «¿Crees haberlo herido?» «Estoy seguro.» «¿Entonces estará en el fondo del agua?» «¡Seguramente, a estas horas está muerto y bien muerto!» «¡Bien, nos hemos librado de él.» Y se fueron.

»Sí, bien se han librado... de mí, como de Kate! ¡Ah, miserables! ¡Ya veréis si estoy muerto...! Momentos después, salí de la hierba y me llegué al ángulo del acantilado... Llegaron hasta mí unos ladridos... Llamé... abrióse la puerta de la Cueva del Francés... y ahora —añadió Evans, tendiendo la mano en direción al lago—, a nosotros nos toca acabar con esos miserables y librar de ellos la isla.

Y pronunció con tal energía estas palabras, que todos se levantaron, dispuestos a seguirle.

Entonces hubo que contar a Evans lo sucedido durante los veinte meses, explicarle las condiciones en que el «Sloughi» salió de Nueva Zelanda, la larga travesía del Pacífico hasta la isla, el descubrimiento de los restos del náufrago francés, la instalación de la pequeña colonia en la Cueva del Francés, las excursiones durante el verano, los trabajos en invierno, y cómo, por fin, tenían ya asegurada la vida relativamente y exenta de peligros, antes de la llegada de Walston y sus cómplices.

—¿Y en veinte meses no ha pasado a la vista de la isla ningún barco? —preguntó Evans.

—Por lo menos, no hemos visto ninguno —respondió Briant.

—¿Han puesto ustedes señales?

—Sí, un mástil elevado en el pico más alto del acantilado.

—¿Y no lo han reconocido?

—No, señor Evans —respondió Doniphan—. Pero debo decirle que hace seis semanas quitamos el mástil para no llamar la atención de Walston.

—¡Y han hecho ustedes muy bien, muchachos!

—Ahora ya sabe a qué atenerse ese bandido. Por eso habremos de estar en guardia día y noche.

—¿Por qué tendremos que habérnoslas con semejantes miserables, en vez de personas honradas, a las que tanto nos hubiera gustado socorrer? —exclamó Gordon—. Con eso hubiera sido más fuerte nuestra pequeña colonia. Ahora nos espera la lucha, tendremos que defender nuestra vida, será un combate continuo, y ¡quién sabe cuál será el fin!

—Dios, que os ha protegido hasta ahora, hijos míos —dijo Kate—, no os abandonará. Os ha enviado al bueno de Evans, y con él...

—¡Evans...! ¡Hurra por Evans! —exclamaron a una todos los jóvenes colonos.

—Cuenten conmigo, muchachos —dijo el contramaestre—, y, como yo cuento también con ustedes, les prometo que nos defenderemos bien.

—Sin embargo —repuso Gordon—, si fuera posible evitar esa lucha, si Walston consintiera en marcharse de la isla...

—¿Qué quieres decir, Gordon? —preguntó Briant.

—Quiero decir que ya se hubieran ido él y sus compañeros si hubieran podido servirse de la chalupa... ¿No es cierto, contramaestre Evans?

—Seguramente.

—Pues bien, si entrásemos en tratos con ellos, si les suministrásemos las herramientas que necesitan, tal vez aceptasen... Bien sé que ha de repugnaros entablar relaciones con los asesinos del «Severn»; pero, por librarnos de ellos, por impedir un ataque, que tal vez cueste mucha sangre... En fin, ¿qué piensa usted de eso, señor Evans?

Evans había escuchado atentamente a Gordon. Su proposición denotaba un espíritu práctico que no se dejaba llevar por arrebatos irreflexivos y un carácter que le inducía a considerar toda situación con calma. Pensó, y no se equivocaba, que debía de ser el más formal de todos, y su observación le pareció digna de ser discutida.

—En efecto, señor Gordon —dijo—, todo medio será bueno para librarse de la presencia de esos malhechores. Por eso, si ellos consintieran en marcharse, después de ponerse en condiciones de reparar la chalupa, sería preferible a entablar una lucha cuyo resultado puede ser dudoso; pero, ¿puede uno fiarse de Walston? Una vez que entre usted en comunicación con él, ¿no lo aprovechará para intentar sorprenderles a ustedes y apoderarse de lo que les pertenece? ¿No puede imaginarse él que habrán salvado ustedes algún dinero del naufragio? Créame, esos miserables sólo intentarán hacerles daño, a cambio de sus servicios. En esas almas no hay lugar para el agradecimiento. Entenderse con ellos es entregarse...

—¡No, no...! —exclamaron Baxter y Doniphan, a quienes se unieron sus compañeros con una energía que agradó al contramaestre.

—¡No! —añadió Briant—. ¡No tengamos nada en común con Walston y su cuadrilla!

—Además —siguió diciendo Evans—, no sólo necesitan herramientas, sino también municiones. No es muy seguro que tengan aún las bastantes para intentar un ataque... Pero, cuando se trate de recorrer otros parajes a mano armada, no les bastará lo que les queda de pólvora y balas... Se lo pedirán a ustedes... Les exigirán...

—¡No, por cierto! —respondió Gordon.

—Pues bien, intentarán cogerlo por la fuerza. No habrá conseguido usted más que aplazar el combate, que luego se efectuará en condiciones peores para ustedes.

—Tiene usted razón, señor Evans —respondió Gordon—. Mantengámonos a la defensiva y esperemos.

—Sí, es lo mejor que puede hacerse... Esperemos, señor Gordon. Por lo demás, para esperar hay una razón que me interesa más que todas las otras.

—¿Cuál?

—Escúchenme bien. Ya saben ustedes que Walston no puede salir de la isla más que con la chalupa del «Severn».

—Es evidente —respondió Briant.

—Y esa chalupa puede repararse perfectamente, yo lo aseguro y, si Walston ha renunciado a ponerla en condiciones de navegar, ha sido por falta de herramientas...

—A no ser por eso —dijo Baxter—, ya estarían lejos.

—Usted lo ha dicho, muchacho. Así, pues, si suministran ustedes a Walston los medios de reparar la embarcación (admito que abandone la idea de saquear la Cueva del Francés), se apresurará a partir, sin cuidarse de ustedes.

—¿Y por qué no lo habrán hecho? —respondió Evans.

—¿Cómo podríamos hacerlo nosotros, puesto que ya no estaría allí la chalupa del «Severn»?

—¿Cómo, contramaestre Evans? —preguntó Gordon—. ¿Cuenta usted con esa embarcación para salir de la isla?

—Naturalmente que cuento con ella, señor Gordon.

—¿Para volver a Nueva Zelanda? ¿Para cruzar el Pacífico? —añadió Doniphan.

—¿El Pacífico...? No, muchacho —respondió Evans—. Pero sí para ir a una estación un poco lejana, en donde aguardaremos la ocasión de volver a Auckland.

—¿Lo dice usted de veras, señor Evans? —exclamó Briant.

Y, al mismo tiempo, dos o tres de sus compañeros acosaron a preguntas al contramaestre.

—¿Cómo puede bastar esa chalupa para una travesía de muchos cientos de millas? —dijo Baxter.

—¿Muchos cientos de millas? —repitió Evans—. ¡Nada de eso! Unas treinta millas lo más.

—¿Luego no es el mar lo que se extiende alrededor de la isla? —preguntó Doniphan.

—Al Oeste, sí —contestó Evans—, pero al Sur, al Norte y al Este, no hay más que estrechos, que pueden pasarse fácilmente en sesenta horas.

—¿De manera que no nos equivocábamos al pensar que había tierras en las cercanías? —dijo Gordon.

—No se equivocaban en modo alguno —respondió Evans—; más aún, al Este se extienden grandes tierras.

—¡Sí...! ¡Al Este! —exclamó Briant—. Aquella mancha blanquecina... y aquel resplandor que vi en esa dirección...

—¿Una mancha blanquecina, dice usted? —exclamó Evans—. Es evidentemente algún ventisquero, y el resplandor es la llama de un volcán cuya situación debe de estar señalada en los mapas. Pero, ¿dónde creen estar ustedes, muchachos?

—En una de las islas aisladas del océano Pacífico —respondió Gordon.

—¿Una isla...? Sí... ¿Pero aislada? Tengan ustedes por seguro que pertenece a uno de los numerosos archipiélagos que cubren la costa de la América del Sur. Pero, ya que han dado ustedes nombres a los cabos, bahías y ríos de su isla, aún no me han dicho cómo llaman a ésta.

—La isla de Chairman.

—¡La isla de Chairman! —repitió Evans—. Pues bien, así tendrá dos nombres, puesto que ya se llama la isla del Hanovre.

El contramaestre Evans dejó para el día siguiente el completar sus explicaciones, indicándoles en el atlas la posición exacta de la isla de Hanovre, y mientras Briant y Mokó velaban, transcurrió tranquilamente la noche en la Cueva del Francés.

CAPITULO XII

Un canal de unas trescientas ochenta millas de largo, cuya curva se dibuja del Oeste al Este, desde el cabo Vírgenes (en el Atlántico) hasta el Pilares (en el Pacífico) rodeado de costas muy quebradas, dominado por montañas de tres mil pies sobre el nivel del mar, con bahías con cuyo fondo se multiplican los puertos de refugio, rico en aguadas en que los buques pueden renovar fácilmente su provisión de agua, orillado de espesas selvas, en las que abunda la caza, ruidoso por el estruendo de los saltos de agua que se precipitan a millares en sus innumerables ensenadas, y que ofrece a los barcos procedentes del Este o del Oeste un paso más corto que el de Lemaire (entre Tierra de los Estados y la Tierra de Fuego) y menos castigado por las tempestades que el cabo de Hornos, tal es el estrecho de Magallanes, que el ilustre navegante portugués descubrió en el año 1520.

Los españoles, que fueron los únicos que visitaron las tierras magallánicas durante medio siglo, fundaron en la península de Brunswick la colonia del Puerto del Hambre. Sucedieron a los españoles los ingleses, con Drake Cavendish, Shidler, Hawkins; luego los holandeses, con Weeat, de Cord, de Noort con Lemaire y Schouten, que descubrieron, en 1610, el estrecho de este nombre. Por último, 1661 a 1712, aparecieron allí los franceses, con Degennes, Beuchesne-Gouin, Frezier, y, a partir de fin de siglo, Anson, Cook, Byron, Bougainville y otros.

Desde entonces, el estrecho de Magallanes convirtióse en una vía animada para el paso de un océano a otro, sobre todo desde que la navegación a vapor, que no conoce ni los vientos desfavorables ni las corrientes contrarias, permitió cruzarlos en excepcionales condiciones de navegación.

Tal es el estrecho que, al día siguiente, 2 de noviembre, mostró Evans en el mapa del atlas de Stieler, a Briant, Gordon y sus compañeros.

La Patagonia (en la América del Sur), la Tierra del Rey Guillermo y la península de Brunswick, forman el límite septentrional del estrecho, que está orillado al Sur por ese archipiélago magallánico que comprenden vastas islas, la Tierra de Fuego, la Tierra de Desolación, las islas Clarence, Hoste, Gordon Navarina, Wollaston, Stevart y otras muchas de menor importancia, hasta el último grupo de las Hermites, la más avanzada de las cuales entre ambos océanos no es sino el último pico de la alta cordillera de los Andes, y que se llama cabo de Hornos.

Al Este, el estrecho de Magallanes se ensancha por una o dos entradas de puerto, entre el cabo Vírgenes de la Patagonia y el cabo Espíritu Santo de la Tierra de Fuego. Mas no sucede así al Oeste, como dijo Evans. Por ese lado, islas, islotes, archipiélagos, estrechos, canales, brazos de mar se mezclan hasta lo infinito. Por un paso situado entre el promontorio de Pilares y la punta meridional de la gran isla de la Reina Adelaida, desemboca el estrecho en el Pacífico.

Sobre él extiéndese toda una serie de islas agrupadas caprichosamente, desde el estrecho de Lord Nelson hasta el grupo de Cronos y de Chiloé, que confinan con la costa chilena.

—Y ahora —añadió Evans—, ¿ven ustedes al otro lado del estrecho de Magallanes una isla que unos simples canales separan de la de Cambridge al Sur y de las islas Madre de Dios y de Chatam al Norte? Pues bien, esta isla, que se halla a los cincuenta y un grados de latitud, es la isla de Hanovre, a la cual han dado ustedes el nombre de Chairman; la isla en donde residen ustedes desde hace más de veinte meses.

Inclinados sobre el atlas, Briant, Gordon y Doniphan miraron con curiosidad esa isla que habían creído lejos de toda tierra y que estaba tan próxima a la costa americana.

—¿Cómo? —dijo Gordon—. ¿Sólo estamos separados de Chile por un brazo de mar?

—Sí, muchachos —respondió Evans—; pero, entre la isla de Hanovre y el continente americano, no hay más que islas desiertas como ésta. Y una vez llegados a dicho continente, habría que andar cientos de millas para llegar a los establecimientos de Chile o de la República Argentina. ¡Y cuántas fatigas, sin contar los peligros; porque los indios Quelches, que erran al través de las Pampas, son muy poco hospitalarios! Creo, pues, que ha sido preferible que no hayan podido ustedes abandonar esta isla, ya que en ella estaba asegurada la existencia material y ya que, Dios mediante, espero que podamos salir juntos de ella!

¡Así los diversos canales que rodean la isla de Hanovre no medían, en ciertos lugares, sino de quince a veinte millas de ancho, y Mokó podría salvarlas sin dificultad con buen tiempo nada más que con la canoa! Briant, Gordon y Doniphan, en sus excursiones al Norte y al Este, no pudieron divisar esas tierras, porque son sumamente bajas. ¡En cuanto a la mancha blanquecina, era uno de los glaciares del interior, y la montaña en erupción uno de los volcanes de las regiones magallánicas!

Además (otra observación que hizo Briant al examinar atentamente el mapa), en sus excursiones, el azar les había conducido precisamente a los puntos del litoral que más se apartaba de las islas vecinas. Verdad es que cuando Doniphan llegó a las Costas del Severn, quizás hubiera podido ver la costa meridional de la isla de Chatam, si aquel día el horizonte, con las brumas de la borrasca, no hubiera sido visible más que en un reducido radio. En cuanto a la Bahía de la Decepción, que ahonda profundamente la isla de Hanovre, tanto desde la embocadura del río del Este como desde las alturas de la roca del Oso, no se puede ver nada del islote situado al Este, ni de la isla de la Esperanza, que se halla a unas veinte millas más atrás. Para distinguir las tierras circundantes, hubiera sido preciso trasladarse al cabo del Norte, desde donde hubieran visto, al otro lado del estrecho de la Concepción, la isla de Chatam y la de la Madre de Dios, o bien el cabo Reina Adelaida, o Cambridge, o bien el litoral extremo de las Tierras Bajas, dominado por las cumbres de la isla de Owen, o por los ventisqueros de las tierras del Sudoeste.

Pero los jóvenes colonos no habían llevado nunca su reconocimiento hasta puntos tan lejanos. En cuanto al mapa de Francisco Baudoin, Evans no pudo explicarse por qué no estaban indicadas en él aquellas islas y tierras. Puesto que el náufrago francés pudo determinar con bastante exactitud la configuración de la isla de Hanovre, es que la había recorrido toda. ¿Habría que suponer que la bruma acortase el alcance de su vista, reduciéndola sólo a unas millas? Después de todo, era cosa admisible.

Y ahora, en caso de que consiguieran apoderarse de la chalupa del «Severn» y repararla, ¿qué rumbo tomaría Evans?

—Muchachos —respondió Evans—, no pretenderé subir ni al Norte ni al Este. Cuanto más naveguemos, será mejor. Indudablemente, con una buena brisa, la chalupa podría llevarnos a algún puerto chileno, en donde seríamos bien recibidos; pero la mar es sumamente dura por estas costas, mientras que los canales del archipiélago siempre nos proporcionarán una travesía bastante buena.

—En efecto —dijo Briant—. Pero, ¿encontraremos colonias en esos parajes y, en ellas, medios de repatriarnos?

—No lo dudo —contestó Evans—. Mire usted. Vea el mapa. Después de salvar los pasos del archipiélago de la Reina Adelaida, ¿a dónde llegaremos por el canal de Smith? Al estrecho de Magallanes, ¿verdad? Pues bien, casi a la entrada del estrecho está situado el abra de Tamar, que pertenece a la Tierra de la Desolación, y allí estaremos ya en el camino de regreso.

—Y si allí no encontramos ningún buque —preguntó Briant—, ¿esperaremos que pase?

—No, señor Briant. Acompáñeme más allá, a través del estrecho de Magallanes ¿Ve usted esa gran península de Brunswick...? Ahí, al fondo de la bahía de Fortescue, en Port-Galant, suelen hacer escala los buques. ¿Habría que ir más allá y doblar el cabo de Forward al sur de la península? He aquí la bahía de San Nicolás o bahía de Bougainville, donde se detienen la mayoría de los barcos que pasan el estrecho. Finalmente, más allá aún, está el Puerto del Hambre y, más al Norte, Punta Arenas

Tenía razón el contramaestre. Una vez dentro del estrecho, la chalupa tendría muchos puntos de escala, y en esas condiciones estaba asegurada la repatriación, sin hablar del encuentro de buques que hicieran rumbo a Australia o a Nueva Zelanda. Si Puerto Tamar, Puerto Galante y Puerto del Hambre ofrecían pocos recursos, en cambio Punta Arenas estaba provista de todo lo necesario para la existencia. Esa gran colonia fundada por el Gobierno chileno forma una verdadera aldea construida en el litoral, con una linda iglesia, cuya aguja se alza entre los soberbios árboles de la península de Brunswick. Hállase en plena prosperidad, en tanto que la estación del Puerto del Hambre, que data de fines del siglo XVI, no es hoy sino un pueblo en ruinas.

Así, pues, sería seguro el salvamento de los jóvenes colonos, si conseguían llegar al estrecho. Verdad es que para ello había que carenar la chalupa del «Severn», y para carenarla era menester apoderarse de ella, lo cual no sería posible hasta haber reducido a la impotencia a Walston y sus cómplices.

Y si tan siquiera hubiese permanecido esa embarcación en el lugar en que la encontró Doniphan en las costas del Severn, quizás hubieran podido intentar tomar posesión de ella, pues Walston, instalado a quince millas de allí, al fondo de la Bahía de la Decepción, no se hubiera enterado de la tentativa. Lo que él había hecho, podía hacerlo también Evans, es decir llevarse la chalupa no a la embocadura del río del Este, sino a la embocadura del río Zelanda, e incluso, subiendo el río, hasta la altura de la Cueva del Francés. Allí se hubieran emprendido las reparaciones en condiciones mucho mejores, bajo la dirección del contramaestre, tras lo cual, la embarcación, aparejada, cargada de municiones, provisiones y algunos objetos que hubiera sido lástima abandonar, se habría alejado de la isla antes que los malhechores pudieran atacarla.

Por desgracia, no se podía ejecutar ese plan. La cuestión de la partida había de zanjarse por la fuerza, ora tomando la ofensiva, ora manteniéndose a la defensiva. Nada podía hacerse hasta no adueñarse de la tripulación del «Severn».

Por lo demás, Evans inspiraba absoluta confianza a los jóvenes colonos. ¡Les había hablado tanto de él Kate y en términos tan calurosos...! Desde que el contramaestre se pudo cortar los cabellos y la barba, fue muy tranquilizador ver aquel rostro franco, valeroso. Era enérgico e intrépido, también bueno, de carácter resuelto, capaz de todos los sacrificios.

En realidad, y como había dicho Kate, era efectivamente un enviado del cielo que acababa de presentarse en la Cueva del Francés. En fin un «hombre» en medio de aquellos niños.

Ante todo, el contramaestre quiso saber los recursos con que podía contar para la resistencia.

El almacén y el zaguán le parecieron convenientemente dispuestos para la defensa. Por sus fachadas, una dominaba la playa y el río y la otra la Terraza del Deporte hasta la orilla del lago.

Evans aprobó la precaución de amontonar por dentro las piedras necesarias para impedir que fueran derribadas las puertas. Si los defensores dentro de su mansión eran relativamente poderosos, fuera de ella serían débiles. No hay que olvidarse de que no había más que seis muchachos de trece a quince años, contra siete hombres vigorosos, acostumbrados al manejo de las armas y de una audacia que no retrocedería ante el crimen.

—¿Los tiene usted por temibles malhechores, contramaestre Evans? —preguntó Gordon.

—Sí, señor Gordon, muy temibles.

—Salvo uno de ellos, que tal vez no esté perdido del todo —dijo Kate—; ese Forbes que me salvó la vida.

—¿Forbes? —dijo Evans—. ¡Sí, sí! Ya fuese arrastrado por los malos consejos, ya por miedo a sus compañeros, lo cierto es que tomó gran parte en la matanza del «Severn». Además, él es quien me ha perseguido con Rock y el que ha disparado contra mí como contra una fiera, y el que se ha alegrado mucho al creerme ahogado en el río. No. Kate, no creo que valga mucho más que los otros. Si él le perdonó fue porque sabía que esos miserables necesitaban aún los servicios de usted, y no se quedará atrás cuando se trate de atacar la Cueva del Francés.

Entretanto pasaron varios días. Nada sospechoso señalaron los jóvenes colonos que, desde lo alto de la montaña de Auckland, vigilaban los alrededores. Y eso no dejó de sorprender a Evans.

Entonces pensó que, sin duda, Walston procuraría emplear la astucia en vez de la fuerza para penetrar en la Cueva del Francés, y comunicó esa idea a Briant, Gordon, Doniphan y Baxter, que eran con los que más a menudo conferenciaba.

—Mientras permanezcamos encerrados en la cueva —dijo—, Walston no podrá forzar ninguna de las dos puertas si no hay nadie que se las abra. Pero pueden penetrar aquí por la astucia.

—¿Cómo? —preguntó Gordon.

—Tal vez del modo que a mí se me ha ocurrido —respondió Evans—. Ya saben ustedes que sólo Kate y yo podríamos denunciar a Walston como jefe de una cuadrilla de bandidos cuyo ataque podía temer la pequeña colonia... Y Walston no duda de que Kate haya perecido en el naufragio. En cuanto a mí, creen que me he ahogado en el río, después de los disparos de Rock y de Forbes; y no ignoran ustedes que yo les oí aplaudir ese feliz desenlace. Así, pues, Walston debe creer que no están ustedes prevenidos de nada, ni siquiera de la prsencia de los marinos del «Severn» en la isla, y que, si uno de ellos se presentase aquí, le harían ustedes el recibimiento que se hace a todo náufrago; una vez dentro de la plaza a ese bribón le sería facilísimo introducir en ella a sus compañeros, lo cual haría imposible toda resistencia.

—¡Pues bien! —respondió Briant—, si Walston o cualquier otro de la banda vienen a pedirnos hospitalidad le recibiremos a tiros...

—A no ser que sea más astuto recibirle muy cortésmente —dijo Gordon.

—Tal vez, señor Gordon —replicó el contramaestre—. Eso sería preferible. Astucia contra astucia. Así, llegado el caso, veremos lo que se haya de hacer.

La mañana del día siguiente transcurrió sin novedad. El contramaestre, acompañado de Doniphan y de Baxter, subió por espacio de media milla en la dirección del bosque Traps ocultándose detrás de los árboles agrupados en la base de las montañas de Auckland. No vio nada anormal. *Phann*, que le seguía, no tuvo ocasión de hacerlo desconfiar. Pero, por la tarde, un poco antes de anochecer, hubo cierta alarma. Webb y Cross, de guardia en el acantilado, acababan de bajar precipitadamente, señalando la proximidad de dos hombres que venían por la playa meridional del lago, más allá del río Zelanda.

Kate y Evans, que no querían ser reconocidos, volvieron inmediatamente al almacén, y mirando luego por una de las troneras, observaron a los hombres anunciados. Eran dos de los compañeros de Walston: Rock y Forbes.

—Indudablemente —dijo el contramaestre—, quieren proceder con astucia y van a presentarse aquí como marineros que acaban de salvarse de un naufragio.

—¿Qué hacemos? —preguntó Briant.

—Recibirlos bien —contestó Evans.

—¿Recibir bien a estos miserables? —exclamó Briant—. Nunca podré yo...

—Yo me encargo de ello —dijo Gordon.

—Bien, señor Gordon —añadió el contramaestre—. Y, sobre todo, que no sospeche en modo alguno nuestra presencia. Kate y yo nos presentaremos en tiempo oportuno.

Evans y su compañera fueron a agazaparse al fonde de uno de los cuartuchos del pasillo, cuya puerta cerraron al momento.

Instantes después, Gordon, Briant, Doniphan y Baxter acudían a la orilla del río Zelanda. Al verlos, los hombres fingieron extraordinaria sorpresa, a la que respondió Gordon con otra no menos grande.

Rock y Forbes parecían abrumados de fatiga y así que llegaron al río, entre ellos y los otros se cruzaron estas palabras:

—¿Quiénes son ustedes?

—Náufragos que acaban de perderse al sur de la isla, con la chalupa del bergantín «Severn».

—¿Son ingleses?

—No, norteamericanos.

—¿Y sus compañeros?

—Han perecido. Nosotros solos nos hemos librado del naufragio. Se nos acaban las fuerzas... ¿Con quién hablamos, si tienen la bondad de decírnoslo?

—Con los colonos de la isla de Chairman.

—Apiádense de nosotros los colonos, y tengan la bondad de acogernos, porque no tenemos recursos...

—Los náufragos siempre tienen derecho al auxilio de sus semejantes —respondió Gordon—. Sean ustedes bien venidos.

A una señal de Gordon, embarcó Mokó en la canoa, que estaba amarrada junto al pequeño dique, y remando un poco llevó a los dos marineros a la orilla derecha del río Zelanda.

Por lo visto, Walston no había podido elegir sus hombres, pues hemos de confesar que la cara de Rock no era muy a propósito para inspirar confianza, ni aun a niños, por poco habituados que estuvieran a descifrar una fisonomía humana. Aunque intentó poner cara de hombre honrado, ¡qué tipo de bandido el tal Rock, con la frente estrecha, la cabeza ensanchada por detrás y la mandíbula inferior muy pronunciada! Forbes (aquel en quien tal vez no se había apagado todo sentimiento de humanidad, según decía Kate) tenía mejor aspecto. Y tal vez fuera ésa la razón por la que Walston le dijo que acompañase al otro. Ambos representaban su papel de náufragos. Pero, por temor de inspirar sospechas si se dejaban dirigir preguntas demasiado precisas, dijeron hallarse abrumados de cansancio y de hambre y pidieron que les dejasen tomar algún descanso y hasta pernoctar en la Cueva del Francés. Allí los condujeron inmediatamente. A su entrada, lo cual no dejó de advertir Gordon, no pudieron menos de echar miradas demasiado investigadoras a la disposición del zaguán. Y hasta parecieron bastante sorprendidos al ver el material defensivo que poseía la pequeña colonia, sobre todo el cañoncito que apuntaba al través de la tronera.

Los jóvenes colonos, a quienes aquello repugnaba excesivamente, no tuvieron que continuar su papel, puesto que Rock y Forbes tenían prisa por acostarse, después de aplazar para el día siguiente la narración de sus aventuras

—Nos bastará un haz de hierbas —dijo Rock—; pero, como no quisiéramos molestarlos, si tuvieran ustedes otro cuarto que no fuera éste...

—Sí —respondió Gordon—, el que nos sirve de cocina, y no tienen ustedes más que instalarse allí hasta mañana.

Rock y su compañero pasaron al almacén, cuyo interior y examinaron de una ojeada, después de reconocer que la puerta daba al río.

Realmente no se podía ser más amable con aquellos náufragos. Los dos bandidos debían de pensar que para apoderarse de aquellos inocentes, no merecía la pena de lucir en grande el ingenio.

Así, pues, Rock y Forbes se tendieron en un rincón del almacén. Verdad es que no iban a estar solos; puesto que también Mokó se acostaba allí; pero no era para ellos ningún estorbo ese muchacho, decididos como estaban a estrangularlo, en caso de que los espiase.

A la hora convenida, Rock y Forbes tenían que abrir la puerta del almacén y Walston, que rondaría por la playa con sus cuatro compañeros, se apoderarían al momento de la cueva.

A eso de las nueve, cuando se suponía que Rock y Forbes dormían, entró Mokó y no tardó en acostarse, pronto a dar la alarma.

Briant y los demás se habían quedando en el vestíbulo. Luego, cerrada la puerta del pasillo, se les reunieron Evans y Kate. Las cosas habían pasado como lo previó el contramaestre, y no dudaba que Walston estuviera en las inmediaciones de la Cueva del Francés, aguardando el momento de penetrar allí.

—¡Estaremos en guardia! —dijo.

Transcurrieron dos horas y ya se preguntaba Mokó si Rock y Forbes habían aplazado para otra noche su maquinación, cuando llamóle la atención un ligero ruido que se producía dentro del almacén.

A la luz del farol colgado de la bóveda, vio entonces que Rock y Forbes salían del rincón en que se habían acostado y se arrastraban hacia la puerta.

Esa puerta estaba consolidada por un montón de piedras grandes, verdadera barricada que hubiera sido difícil derribar, por no decir imposible.

Los dos marineros empezaron a quitar las piedras, que iban dejando una por una contra la pared de la derecha. En pocos minutos, la puerta quedó completamente despejada. No faltaba más que retirar la barra que la sujetaba por dentro, para que quedase libre la entrada de la cueva.

Pero, en el momento en que Rock, después de retirar dicha barra, abría la puerta cayó sobre su hombro una mano. Volvióse y reconoció el contramaestre, a quien el farol alumbraba en pleno rostro.

—¡A nosotros, muchachos! —gritó el contramaestre.

Briant y sus compañeros se precipitaron al momento en el almacén. Y ante todos, Forbes, sujeto por los cuatro más vigorosos, Baxter, Wilcox, Doniphan y Briant, quedó en la imposibilidad de escaparse.

En cuanto a Rock, con un rápido movimiento, rechazó a Evans, dándole una puñalada que le rozó ligeramente el brazo izquierdo, tras lo cual salió a todo correr por la puerta abierta. No había dado diez pasos, cuando sonó una detonación.

El contramaestre acababa de tirar contra Rock y, al parecer, no fue herido el fugitivo, porque no oyó ningún grito:

—¡Demonios...! ¡He errado el tiro! —exclamó Evans—. En cuanto al otro... siempre será uno menos contra nosotros.

Y cuchillo en mano, alzó el brazo sobre Forbes.

—¡Perdón...! ¡Perdón...! —exclamó el miserable a quien los muchachos mantenían en tierra.

—¡Sí, perdón, Evans! —repitió Kate, que se arrojó sobre Forbes y el contramaestre—. Perdónale, ya que a mí me salvó la vida.

—¡Bueno! —respondió Evans—. Consiento en ello, Kate, al menos por ahora.

Y sólidamente atado, lo dejaron en uno de los cuartitos del pasillo.

Después de cerrada y atrincherada de nuevo la puerta del almacén, todos estuvieron alerta hasta el amanecer.

CAPITULO XIII

Al día siguiente, por fatigosa que fuese aquella noche sin sueño, a nadie se le ocurrió tomar una hora de descanso. Ya no cabía duda de que Walston apelaría a la fuerza, puesto que había fracasado la astucia. Rock, que se libró del disparo del contramaestre, había debido de reunirse con su jefe y enterarle de que, descubiertas sus maquinaciones, ya no podrían penetrar en la Cueva del Francés sin forzar las puertas.

En cuanto asomó el alba, Evans, Doniphan, Briant y Gordon salieron del zaguán, sin dejar de ponerse en guardia. Con la salida del sol, disipábase la bruma matutina poco a poco y descubría el lago que una ligera brisa del Este rizaba. Todo estaba tranquilo en las proximidades de la Cueva del Francés, tanto por el lado del río Zelanda, como por el bosque Traps. Dentro del cercado los animales domésticos iban y venían como de costumbre. *Phann*, que corría por la Terraza del Deporte, no daba ninguna muestra de inquietud.

Ante todo, preocupóse Evans de saber si había huellas de pasos en el suelo, y en efecto, descubrieron muchas sobre todo cerca de la cueva. Cruzábanse en diversos sentidos e indicaban claramente que Walston y sus compañeros se habían acercado de noche al río, esperando que les fuera abierta la puerta del almacén.

Pero no vieron en la arena ninguna mancha de sangre, prueba de que Rock no había sido herido por el disparo del contramaestre.

Una pregunta se le ocurría: ¿Habría ido allí Walston, como los supuestos náufragos, por el sur del Lago de la Familia, o habría llegado a la Cueva del Francés bajando más bien por el Norte? En ese caso, ¿Rock habría huido hacia el bosque Traps, para reunirse con él?

Y como importaba aclarar este hecho, decidieron interrogar a Forbes, para saber el camino que había seguido Walston. ¿Consentiría Forbes en hablar y, si hablaba, diría la verdad? ¿Se despertaría en el fondo de su corazón algún buen sentimiento, en señal de gratitud por haberle salvado Kate la vida? ¿Se olvidaría de que había pedido hospitalidad a los habitantes de la Cueva del Francés con la sola. intención de traicionarlos?

Evans, que quería interrogarle, por sí mismo, entró en el zaguán, abrió la puerta del escondrijo en que estaba encerrado Forbes, le aflojó las ligaduras y lo llevó al zaguán.

—Forbes —dijo Evans—, la treta que tú y Rock meditabais ha fracasado. Me importa saber los proyectos que Walston, que tú debes conocer. ¿Quieres contestar?

Forbes bajó la cabeza y no atreviéndose a mirar a Evans, ni a Kate ni a los jóvenes, ante quienes le había hecho comparecer el contramaestre, guardó silencio.

Intervino Kate diciéndole:

—Forbes, por primera vez mostró usted algo de piedad impidiendo a sus compañeros que me quitasen la vida durante la matanza del

222

«Severn». Pues bien, ¿no querría usted hacer algo para salvar de una matanza más horrible aún a estos niños?

Forbes no respondió.

—Forbes —siguió diciendo Kate—, le han dejado a usted la vida, cuando merecía la muerte. No puede haberse extinguido en usted toda humanidad. Después de haber hecho tanto mal, ¿podría usted volver al bien? Piense en el horrible crimen a que usted ayudaba.

Un suspiro medio ahogado salió penosamente del pecho de Forbes.

—¿Qué puedo hacer yo?

—Puedes decirnos —dijo Evans— lo que debía de hacerse anoche, lo que ha de hacerse más adelante. ¿Esperabas a Walston y a los demás, que tenían que introducirse aquí en cuanto se les abriese una de las puertas?

—Sí —dijo Forbes.

—¿Y hubierais dado muerte a estos niños con tan buen recibimiento que te habían hecho?

Forbes bajó aún más la cabeza y ya no tuvo fuerzas para contestar. Asintió sólo con un gesto.

—Y ahora, ¿por dónde han llegado aquí Walston y los demás? —preguntó el contramaestre.

—Por el norte del lago —respondió Forbes.

—Mientras tú y Rock veníais por el sur.

—Sí.

—¿Han reconocido la otra parte de la isla, al oeste?

—Todavía no.

—¿Dónde están ahora?

—No sé.

—¿No puedes decir nada más, Forbes?

—No... Evans... no...

—¿Y crees que volverá por aquí Walston?

—Sí.

Era evidente que Walston y los suyos, asustados por el disparo del contramaestre y comprendiendo que estaba descubierta su treta, creyeron prudente mantenerse aparte, en espera de alguna ocasión más favorable.

Evans, que no confiaba en averiguar más por medio de Forbes, lo llevó de nuevo al escondrijo y cerró por fuera la puerta.

La situación seguía siendo de las más graves. ¿Dónde estaba, en aquel momento, Walston? ¿Acampado en las oquedades del bosque Traps? Forbes no pudo o no quiso decirlo. Y, sin embargo, era muy de desear averiguarlo. Por eso se le ocurrió al contramaestre practicar un reconocimiento en aquella dirección, aunque no dejaba de ser peligrosa.

Hacia el mediodía Mokó llevó algún alimento al prisionero. Forbes apenas lo probó. ¿Qué pasaba en el alma de aquel desdichado? ¿Se habría abierto al remordimiento su conciencia?

Después de comer, Evans participó a los muchachos su proyecto de ir hasta el lindero del bosque Traps, pues anhelaba saber si los malhechores continuaban en las inmediaciones de la Cueva del Francés. Aceptaba sin discutir esa proposición, tomáronse medidas para prevenir toda eventualidad.

Walston y sus compañeros no eran más que seis, desde la captura de Forbes. En tanto que la pequeña colonia se componía de quince muchachos, sin contar con Kate y Evans (en total diecisiete). Pero, de este número había que eliminar a los más pequeños, que no podían tomar parte directa en una lucha. Por lo tanto, decidieron que, mientras el contramaestre procedía al reconocimiento, Iverson, Jenkins, Dole y Costar se quedasen en el zaguán con Kate, Mokó y Santiago, custodiados por Baxter. En cuanto a los mayores, Briant, Gordon, Doniphan, Cross, Service, Webb, Wilcox y Garnett acompañarían a Evans. ¡Ocho mozalbetes que oponer a seis hombres en todo el vigor de la edad! ¡Era una partida desigual!

Eran las dos de la tarde cuando la pequeña tropa se formó bajo la dirección de Evans. Baxter, Santiago, Mokó, Kate y los pequeños volvieron inmediatamente a la Cueva del Francés y cerraron las puertas, pero sin ponerles barricadas, para que, en caso necesario, el contramaestre y otros pudieran cobijarse allí rápidamente.

Por lo demás, no había nada que temer por la parte del Sur ni aun del Oeste; porque, para seguir esa dirección, Walston hubiera tenido que ir a la Bahía del Sluoghi, con objeto de volver a subir el valle del río Zelanda, lo que hubiera exigido mucho tiempo. Además, según la respuesta de Forbes, Walston había descendido por la orilla oeste y no conocía aquella parte de la isla. Evans no había de temer, pues, ser sorprendido por detrás, ya que el ataque sólo podía venir por la parte del Norte.

Los jóvenes y el contramaestre avanzaron prudentemente, caminando a lo largo de la base de la Montaña de Auckland. Más allá del cercado, los matorrales y los grupos de árboles les permitían llegar a la selva sin descubrirse demasiado.

Evans iba a la cabeza, después de tener que reprimir el ardor de Doniphan siempre dispuesto a ponerse por delante. Así que hubo pasado del montículo que guardaba los restos del náufrago francés, el contramaestre juzgó conveniente cortar en línea oblicua, para acercarse a la orilla del Lago de la Familia. *Phann*, al que Gordon intentó en vano retener, parecía acechar, con las orejas tiesas, olfateando el suelo, y pronto pareció que había dado con una pista.

—¡Atención! —dijo Briant.

—Sí —respondió Gordon—. No es el rastro de un animal. Ved el andar de *Phann*.

—Metámonos entre la hierba —contestó Evans—, y usted, señor Doniphan, que es buen tirador, en cuanto se ponga a su alcance uno de esos miserables, procure no fallar el tiro, que nunca empleará usted mejor una bala.

Momentos después, todos habían llegado a los primeros grupos de árboles, y allí, en el límite del bosque Traps, vieron señales de una reciente parada, ramas medio consumidas y cenizas apenas enfriadas.

—¡Seguramente aquí ha pasado Walston la noche última! —dijo Gordon.

—Y tal vez estuviera aún aquí hace unas horas —añadió Evans—. Creo que es mejor encaminarnos al acantilado.

No había terminado de pronunciar esas palabras, cuando se oyó una detonación por la derecha, y una bala, después de pasar rozando la cabeza de Briant, fue a incrustarse en el árbol contra el que se apoyaba.

Casi al mismo tiempo sonó otro disparo, seguido de un grito, en tanto que a cincuenta pasos de allí desplomóse bruscamente entre los árboles una masa. Doniphan acababa de disparar a tientas, guiándose por el humo producido por el primer disparo.

Pero como el perro no se detenía, Doniphan, impulsado por su ardor, salió corriendo detrás de él.

—¡Adelante! —gritó Evans—. ¡No podemos dejarle solo!

Un instante después, habiéndose reunido con Doniphan, todos formaban círculo alrededor de un cuerpo tendido en medio de la hierba y que no daba señales de vida.

—¡Éste es Pike! —dijo Evans—. ¡El bandido está bien muerto! Si el diablo ha salido hoy de caza, no volverá con las manos vacías. ¡Uno menos!

—¡No estarán muy lejos los otros! —dijo Baxter.

—No, muchacho, por eso no nos descubramos. ¡De rodillas...! ¡De rodillas...!

Tercera detonación, esta vez procedente de la izquierda. A Service, que no había bajado la cabeza con demasiada rapidez, le rozó la bala la frente.

—¿Estás herido? —le preguntó Gordon, corriendo a él.

—No es nada, Gordon, no es nada —respondió Service—. Un simple arañazo.

En aquellos momentos, importaba mucho no separarse. Muerto Pike, quedaban aún Walston y cuatro de los suyos, que debían de estar apostados a poca distancia detrás de los árboles; por eso Evans y los otros, agazapados entre las hierbas, formaban un grupo compacto, preparado para la defensa. Fuera cual fuere el lado por donde viniese el ataque, muy fácilmente podrían repelerlo.

De pronto exclamó Garnett:

—¿Dónde está Briant?

—Yo no le veo —respondió Wilcox.

En efecto, Briant había desaparecido, y como los ladridos de *Phann* seguían resonando con más violencia, temieron que el intrépido muchacho estuviese enzarzado con algunos hombres de la banda.

—¡Briant...! ¡Briant...! —gritó Doniphan.

Y todos, tal vez irreflexivamente, corrieron tras las huellas de *Phann*. Evans no pudo detenerlos. Iban de árbol en árbol ganando terreno.

—¡Cuidado, contramaestre, cuidado! —gritó de pronto Cross, que acababa de tumbarse boca abajo.

Instintivamente agachó el contramaestre la cabeza en el momento en que pasaba una bala a pocas pulgadas sobre él.

Luego, enderezándose de nuevo, vio a uno de los compañeros de Walston que huía por el bosque.

Era precisamente Rock, el que se le había escapado la víspera.

—¡Ahora verás, Rock! —gritó.

Hizo fuego, y Rock desapareció como si el suelo se hubiese abierto de repente a sus pies.

—¿No le habré dado tampoco esta vez? —exclamó Evans—. ¡Por vida de...! ¡Sería mala suerte!

Todo aquello se efectuó en pocos segundos.

Inmediatamente después estallaron muy cerca los ladridos del perro, y al punto se oyó la voz de Doniphan que gritaba:

—¡Resiste, Briant! ¡Aguarda!

Evans y los otros acudieron a aquel lado, y veinte pasos más allá vieron a Briant luchando con Cope. Ese miserable acababa de derribar al muchacho e iba a herirle con la navaja, cuando Doniphan, que había llegado a tiempo para desviar el golpe, se arrojó sobre Cope, sin tener tiempo de coger el revólver, y a él le alcanzó en pleno pecho el cuchillo y cayó sin proferir un grito.

Cope, viendo entonces que Evans, Garnett y Webb intentaban cortarle la retirada, huyó en dirección Norte. Le tiraron simultáneamente varios tiros, pero desapareció y *Phann* volvió sin haber podido alcanzarle. Así que Briant se hubo levantado, acercóse a Doniphan, le alzó la cabeza e intentó reanimarle... A ellos se habían reunido ya Evans y los demás, después de cargar otra vez las armas.

En realidad, la lucha había empezado con desventaja para Walston, puesto que Pike había muerto y Cope y Rock debían de estar fuera de combate.

Por desgracia, Doniphan había sido herido en el pecho y, al parecer, mortalmente. Con los ojos cerrados y el rostro blanco como la cera, no hacía el menor movimiento ni oía siquiera a Briant que le llamaba.

Entretanto, Evans se inclinó sobre el cuerpo del joven, le abrió la chaqueta y le rasgó la camisa, que estaba empapada de sangre. Una estrecha herida triangular sangraba a la altura de la cuarta costilla del lado izquierdo. ¿Habría llegado el cuchillo al corazón? No; puesto que Doniphan respiraba todavía. Pero era de temer que hubiese interesado al pulmón, porque la respiración del herido era sumamente débil.

—Llevémosle a la Cueva del Francés —dijo Gordon—. Sólo allí podremos cuidarlo...

—¡Y salvarlo! —exclamó Briant—. ¡Ah, pobre compañero mío...! Te has expuesto por mí.

Evans aprobó la idea de llevar a Doniphan a la Cueva del Francés, tanto más cuanto que en aquel momento parecía haber una tregua en la lucha. Probablemente, Walston, al ver que las cosas se le ponían mal, decidió retirarse a las profundidades del bosque Traps.

Sin embargo, y esto no dejaba de inquietar a Evans, éste no había visto a Walston, ni a Brandt, ni a Brook, y no eran éstos los menos temibles de la cuadrilla. ¿Dónde podían haberse escondido?

El estado de Doniphan exigía que fuese transportado sin sacudida alguna; por lo cual Baxter y Service se apresuraron a construir unas andas de ramas, en las cuales tendieron al muchacho, que no había recobrado el sentido. Luego, cuatro de sus compañeros levantaron suavemente las andas, en tanto que los otros las rodeaban con la escopeta armada y el revólver en la mano.

El cortejo llegó directamente a la base de la Montaña de Auckland, pues era preferible eso a seguir la orilla del lago. Caminando a lo largo del acantilado no tendrían que vigilar más que por la izquierda y por detrás. Pero nada turbó aquella penosa marcha. A veces, Doniphan exhalaba un suspiro tan doloroso, que Gordon hacía señas para que se detuvieran, con objeto de escuchar su respiración, y un instante después proseguían la marcha.

En estas condiciones, recorrieron las tres cuartas partes del camino. Ya no quedaban más que ochocientos o novecientos pasos para llegar a la Cueva del Francés, cuya puerta no se podía ver aún, oculta como estaba por un saliente del acantilado.

De pronto, oyéronse gritos por la parte del río Zelanda y *Phann* corrió en aquella dirección.

Indudablemente, la Cueva del Francés era atacada por Walston y sus dos compañeros.

En efecto, he aquí lo que había sucedido, según pudo comprobarse después.

En tanto que Rock, Cope y Pike, emboscados entre los árboles del bosque Traps, tenían ocupada a la pequeña tropa del contramaestre, Walston, Brandt y Brook llegaron a la Montaña de Auckland, subiendo por el lecho seco del río del Dique.

Después de recorrer rápidamente la meseta superior, bajaron por la garganta que llegaba al arenal, no lejos de la entrada del almacén. Una vez allí, consiguieron echar abajo la puerta, que no estaba atrincherada, y atropelladamente invadieron la Cueva del Francés.

Ahora bien, ¿llegaría Evans a tiempo de evitar una catástrofe?

Rápidamente comprendió el contramaestre lo que debía hacer. Mientras Cross, Webb y Garnett permanecían junto a Doniphan, al que no podían dejar solo, Gordon, Briant, Service, Wilcox y él lanzáronse en la dirección de la cueva, tomando por el camino más corto. Minutos después, así que pudieron extender la mirada hasta la Terraza del Deporte, lo que vieron era para quitarles toda esperanza.

En aquel momento, Walston salía de la puerta del zaguán, llevando consigo un niño al que arrastraba al río.

¡Ese niño era Santiago! En vano Kate, que acababa de abalanzarse contra Walston, intentaba arrebatárselo.

Un instante después, aparecía el segundo compañero de Walston, Brandt, que se había apoderado del pequeño Costar y se lo llevaba en la misma dirección.

Baxter, a su vez, se arrojó contra Brandt, pero, empujado violentamente, rodó por el suelo.

En cuanto a los demás niños, Dole, Jenkins e Iverson, no se les veía, como tampoco a Mokó. ¿Habrían sucumbido ya dentro de la Cueva del Francés?

Entretanto, Walston y Brandt avanzaban rápidamente hacia el río. ¿Tendrían posibilidad de pasarlo en otra forma que no fuera a nado? Sí, porque Brook estaba allí, cerca de la canoa, que había sacado del almacén.

Una vez en la orilla izquierda, los tres estarían fuera de todo alcance. Antes que pudieran cortarles la retirada habrían vuelto a su campamento de la Roca del Oso, con Santiago y Costar, convertidos en sus manos en rehenes.

Por eso Evans, Briant, Gordon, Cross y Wilcox corrían sin aliento, esperando llegar a la Terraza del Deporte antes que Walston, Brook y Brandt se hubiesen puesto en sitio seguro al otro lado del río. En cuanto a disparar contra ellos a la distancia a que se hallaban hubiera sido exponerse a herir al mismo tiempo, con toda seguridad, a Costar y a Santiago.

Pero *Phann* estaba allí. Acababa de saltarle a Brandt al cuello, y éste, para defenderse contra el perro, tuvo que soltar a Costar, mientras Walston se apresuraba a llevar a Santiago a la canoa... De pronto, un hombre salió corriendo del zaguán. Era Forbes. ¿Iría a reunirse con sus antiguos compañeros de crimen después de forzar la puerta de su retiro? Walston no lo puso en duda.

—¡A mí, Forbes...! ¡Ven...! ¡Ven! —le gritó.

Evans se había detenido e iba a hacer fuego, cuando vio a Forbes arrojarse contra Walston.

Walston, sorprendido por esa agresión que no se esperaba, tuvo que dejar a Santiago y, volviéndose, dio una tremenda cuchillada a Forbes. Éste cayó a los pies de Walston.

Había sido todo ello tan rápido, que en aquel momento Evans, Briant, Gordon, Service y Wilcox hallábanse aún a cien pasos de la Terraza del Deporte.

Walston quiso entonces coger otra vez a Santiago para llevárselo a la canoa, en donde le esperaban Brook y Brandt, que habían conseguido deshacerse del perro.

Mas no tuvo tiempo. Santiago, que iba armado de un revólver, se lo descargó en pleno pecho, y Walston, gravemente herido, apenas tuvo fuerzas para arrastrarse hacia sus dos compañeros, que le cogieron en brazos, le embarcaron y empujaron vigorosamente la canoa.

En aquel momento, resonó una violenta detonación y un torrente de metralla cortó las aguas del río.

Era el cañoncito que el grumete acababa de descargar por la tronera del almacén.

Y ya, a excepción de los dos miserables que habían desaparecido entre los macizos del bosque Traps, la isla Chairman quedó libre de los criminales del «Severn», arrastrados hacia el mar por la caudalosa corriente del río Zelanda.

CAPITULO XIV

Empezaba una nueva era para los jóvenes colonos de la isla Chairman. En cuanto a los héroes de la batalla, fueron felicitados como lo merecían: Mokó, por el cañonazo tirado tan oportunamente por la tronera del almacén; Santiago, por la sangre fría de que había dado pruebas al descargar el revólver contra Walston, y, por último, Costar, que, según decía, «hubiera hecho otro tanto, si hubiese tenido una pistola». ¡Pero no la tenía! Incluso correspondió un buen número de caricias a *Phann* sin contar un montón de huesos con tuétano con que le obsequió Mokó, por haber atacado a dentelladas a aquel bandido de Brandt, que se llevaba al niño.

Excusado es decir que Briant, después del cañonazo de Mokó, volvió a toda prisa al lugar en que sus compañeros guardaban las parihuelas. Minutos después fue depositado Doniphan, sin haber recobrado el conocimiento, en tanto que Forbes, a quien había levantado Evans, estaba tendido en una cama del almacén. Durante toda la noche velaron a los dos heridos Kate, Gordon, Briant, Wilcox y el contramaestre.

Veíase claramente que Doniphan estaba herido gravemente. Pero, como respiraba con bastante regularidad, no debió de haberle perforado el pulmón el cuchillo de Cope. Para curarle la herida, recurrió Kate a ciertas hojas que se usan comúnmente en el Far-West y que le suministraron algunos arbustos de las orillas del río Zelanda. Eran hojas de aliso que, machacadas y dispuestas en compresas, fueron muy eficaces para impedir la supuración interna, pues todo el peligro estaba en eso. Mas no sucedió lo mismo con Forbes, a quien Walston había herido en el vientre. Sabía que estaba herido de muerte, y, cuando volvió en sí, mientras Kate, inclinada sobre su lecho, le prodigaba sus cuidados balbuceó:

—¡Gracias, mi buena Kate! Es todo inútil... Estoy perdido...

Y de sus ojos brotaron lágrimas.

—¡Espera, Forbes! —le dijo Evans—. ¡Has rescatado tus crímenes! ¡Vivirás!

¡Mas no! ¡El infortunado tenía que morir! A pesar de los cuidados que le prodigaban, cada vez se agravaba más, y durante los pocos momentos que el dolor le dejaba, volvía los ojos a Kate y a Evans... El había derramado sangre, y su sangre se derramaba en expiación de su vida pasada...

Hacia las cuatro de la mañana se extinguió Forbes. Murió arrepentido, perdonado de los hombres, perdonado de Dios, que le evitó una larga agonía, y casi sin dolor rindió el último suspiro.

Enterráronle al día siguiente, en una fosa cavada junto al lugar en que reposaba el náufrago francés, y dos cruces indicaban ahora el emplazamiento de ambas tumbas.

A todo esto, la presencia de Rock y de Cope seguía constituyendo un peligro, y no sería completa la seguridad mientras no los dejasen en condiciones de no hacer daño.

Así, pues, Evans decidió acabar con ellos antes de ir al puerto de la Roca del Oso.

Gordon, Briant, Baxter, Wilcox y él partieron el mismo día, armados de la escopeta y con el revólver en el cinturón, acompañados de *Phann*, pues era justo contar con el instinto del perro para descubrir una pista.

No fueron ni largas ni difíciles las investigaciones, y hemos de añadir que tampoco fueron peligrosas. Ya no tenían nada que temer de los dos cómplices de Walston. Cope, cuyo paso pudieron seguir por las huellas de sangre en medio de la espesura del bosque Traps, fue hallado muerto a algunos cientos de pasos del lugar en que le había herido una bala. También descubrieron el cadáver de Pike, muerto al empezar la refriega. En cuanto a Rock, que tan inopinadamente había desaparecido, como si se lo hubiera tragado la tierra, pronto tuvo Evans la explicación de ese hecho: el miserable, después de haber sido herido mortalmente, cayóse a una de las fosas cavadas por Wilcox. Los tres cadáveres fueron enterrados en esta fosa, que convirtieron en tumba. Luego, el contramaestre y sus compañeros volvieron con la buena noticia de que ya nada tenía que temer la colonia.

La alegría hubiera sido, pues, completa en la Cueva del Francés si no hubiera estado tan gravemente herido Doniphan. Ya estaban abiertos los corazones a la esperanza. Al día siguiente, Evans, Gordon, Briant y Baxter sacaron a discusión los proyectos a cuya realización inmediata había que atender. Lo que importaba más que nada era entrar en posesión de la chalupa del «Severn». Esto requería un viaje y hasta una estancia en la Roca del Oso, en donde procederían a los trabajos de reparación que habían de poner en buen estado la chalupa.

Se convino, por lo tanto, en que Evans, Briant y Baxter fuesen allí por el lago y el río del Este, que era lo más seguro y lo más corto.

La canoa, encontrada en un remolino del río, no se resintió de la metralla, pues ésta pasó por encima de ella. Embarcaron las herramientas para las carenaduras, provisiones, municiones y armas, y con buen viento, partió en la mañana del 6 de diciembre dirigida por Evans.

La travesía del Lago de la Familia se efectuó con bastante rapidez y no hubo que arriar ni atiesar la escofeta, por lo muy regular y constante que era la brisa. Antes de las once y media, indicaba Briant al contramaestre la caleta por donde las aguas del lago desaguaban en el lecho del río del Este, y la canoa, ayudada por el reflujo, descendió entre ambas orillas del río.

No lejos de la embocadura, yacía la chalupa, en seco, en la arena de la Roca del Oso.

Después de un detallado examen de las reparaciones que debían hacerse, he aquí lo que dijo Evans:

—Muchachos, tenemos muchas herramientas; pero nos falta lo necesario para reparar las cuadernas y el forro. Ahora bien, casualmente hay en la Cueva del Francés tablas y cuadernas procedentes del casco del «Sloughi», y si pudiéramos llevar la embarcación al río Zelanda...

—Es lo que yo pensaba —respondió Briant—. ¿Sería imposible, contramaestre Evans?

—No lo creo —dijo Evans—. Puesto que la chalupa ha venido de las Costas del Severn hasta la Roca del Oso, bien puede ir de la Roca del Oso hasta el río Zelanda. Allí se efectuaría más fácilmente el trabajo y partiríamos de la Cueva del Francés para llegar a la Bahía de Sloughi, en donde nos haríamos a la mar.

Indiscutiblemente, si ese proyecto era realizable, no se podía imaginar otro mejor. Por eso decidieron aprovechar la marea del día siguiente, para subir el río del Este, remolcando la chalupa con la canoa. Ante todo, cuidóse Evans de cegar más o menos bien las vías de agua de la embarcación con tapones de estopa que había llevado de la Cueva del Francés, y ese primer trabajo no se terminó hasta muy avanzada la tarde y gracias a los esfuerzos de todos, grandes y chicos.

Pasaron la noche tranquilamente en el fondo de la gruta, en donde Doniphan y sus compañeros tuvieron su domicilio en su primera visita a la Bahía de la Decepción.

Al otro día, al amanecer, después de poner la chalupa a remolque de la canoa, Evans, Briant y Baxter partieron de nuevo con la marea alta. Manejando los remos, mientras se dejó sentir la marea, pudieron arrreglarse bien; pero así que adquirió fuerza el reflujo, la embarcación, cargada con el peso del agua que entraba en ella, no pudo ser remolcada sino con gran trabajo. Por eso eran ya las cinco de la tarde cuando la canoa llegó a la orilla derecha del Lago de la Familia.

El contramaestre no consideró prudente exponerse en esas condiciones a una travesía nocturna.

Por lo demás, el viento propendía a aflojar a la caída de la tarde y muy probablemente, como solía suceder en verano, la brisa refrescaría con los primeros rayos de sol.

Acamparon en aquel lugar, comieron con gran apetito, durmieron con sueño profundo, con la cabeza apoyada en el tronco de una enorme haya y los pies ante una hoguera chisporroteante que ardió hasta la aurora.

—¡Embarquemos!

Esa fue la primera palabra que pronunció el contramaestre, así que las luces matutinas hubieron iluminado las aguas del lago. Como se esperaba, al empezar el día sopló brisa del Noroeste. El contramaestre no podía pedir tiempo más favorable para bogar hacia la Cueva del Francés. Izaron la vela, y la canoa, arrastrando la pesada embarcación, que estaba sumergida hasta la regala, puso proa al Oeste.

No hubo novedad alguna en esa travesía del lago. Por prudencia, Evans se mantuvo siempre preparado para cortar el remolque, por si la chalupa se iba a pique, pues hubiera arrastrado consigo la canoa. Grave temor, indudablemente. Y es que si zozobrase la embarcación, quedaba aplazada indefinidamente la marcha y tal vez tuvieran que continuar aún mucho tiempo en la isla Chairman.

Por fin, a eso de las tres de la tarde, viéronse por el Oeste las alturas de Auckland, y a las cinco, canoa y chalupa entraron en el río Zelanda y fondeaban al abrigo de un pequeño dique. Hurras entuiastas recibieron a Evans y a sus compañeros, a quienes no esperaban hasta unos días después.

Durante esa ausencia, había mejorado algo el estado de Doniphan, y el valiente muchacho pudo corresponder a los apretones de mano de su compañero Briant. Respiraba más libremente, pues la herida no había interesado el pulmón. Aunque le tenían a dieta muy rigurosa, empezaba a recobrar las fuerzas y, bajo las compresas de hierbas, que Kate le renovaba cada dos horas, no tardaría mucho en cerrarse la herida. Claro está que la convalecencia sería de larga duración; pero era tanta la vitalidad de Doniphan, que su curación completa sólo sería cuestión de tiempo.

Al día siguiente comenzaron los trabajos de carenadura. Ante todo hubo que realizar un gran esfuerzo para poner la chalupa en tierra. Con una largura de treinta pies y un ancho de seis en el bao mayor, había de bastar para los diecisiete pasajeros que contaba entonces la pequeña colonia, comprendidos el contramaestre y Kate.

Terminada esa operación, los trabajos siguieron regularmente su curso. Evans, tan buen carpintero como excelente marino, sabía lo que se hacía, y pudo apreciar la destreza de Baxter. No faltaban materiales ni tampoco herramientas. Con los restos del casco del *schooner* pudieron rehacerse las cuadernas rotas, los forros desunidos, los barrotes destrozados. Por último, la estopa vieja, vuelta a empapar en la savia de un pino, permitió hacer perfectamente las costuras del casco.

La chalupa, que estaba dispuesta para llevar a proa la cubierta de carga, la habilitaron luego para que pudiera llevarla en las dos terceras partes de su superficie, lo cual aseguraba un abrigo contra el mal tiempo, aunque no era de temer en aquel segundo período de la estación estival. Los pasajeros podrían estar en aquella cubierta o por encima de ella, como quisieran. El mastelerillo de juanete de la popa del «Sloughi» sirvió de palo mayor, y Kate, siguiendo las indicaciones de Evans, consiguió cortar una mesana de la cangreja de repuesto del yate, como también un ala de cangreja para la popa y un foque para la proa. Con tal aparejo estaría mejor equilibrada la embarcación y utilizaría el viento a cualquier velocidad.

Esos trabajos, que duraron treinta días, no se terminaron hasta el 8 de enero, porque el contramaestre quiso dedicar concienzudamente todos sus cuidados a poner en buen estado la chalupa. Convenía que se hallara en condiciones de navegar por los canales del archipiélago magallánico y de recorrer, en caso necesario, algunos cientos de millas, si fuese preciso bajar hasta la colonia de Punta Arenas, en la costa oriental de la península de Brunswick.

Debemos mencionar que, en ese lapso de tiempo, se celebró con cierta pompa la Navidad y también el primero de enero de aquel año de 1882, que los jóvenes colonos esperaban no terminar en la isla Chairman.

En aquella época, la convalecencia de Doniphan estaba lo bastante avanzada para que él pudiera salir del zaguán, si bien se hallaba aún muy débil. El aire puro y un alimento más sustancioso le devolvieron visiblemente las fuerzas. Por lo demás, sus compañeros no pensaban partir hasta que él fuese capaz de soportar una travesía de algunas semanas, sin temor a una recaída.

Entretanto, la vida habitual volvió a seguir su curso en la Cueva del Francés. Descuidaron un poco las lecciones, los cursos y conferencias, pues Jenkins, Iverson, Dole y Costar se consideraban ya de vacaciones.

Como puede suponerse, Wilcox, Cross y Webb emprendieron de nuevo sus cacerías, ya a las orillas del Pantano del Sur, ya en las oquedades del bosque de Traps. Ya despreciando los lazos y las trampas, a pesar de los consejos de Gordon, siempre ahorrador de municiones. Y así sonaban por todas partes detonaciones y la despensa de Mokó se enriquecía con caza fresca, lo cual permitía guardar las conservas para el viaje.

Por fin, durante los diez últimos días de enero, Evans procedió al cargamento de la embarcación. Briant y los demás hubieran deseado llevarse todo cuanto salvaron del naufragio del «Sloughi»; pero era imposible, por falta de espacio, y hubo que hacer una selección.

En primer lugar, Gordon puso aparte el dinero que recogieron a bordo del yate y que tal vez necesitasen los jóvenes colonos para su repatriación. Mokó embarcó provisiones de boca en cantidad suficiente para el alimento de los diecisiete pasajeros, no sólo en previsión de una travesía que tal vez durase tres semanas, sino también por si algún accidente de mar los obligase a desembarcar en una de las islas del archipiélago antes de arribar a Punta Arenas, a Puerto Galante o a Puerto Tamar.

Después, las municiones que quedaban, las pusieron en el cofre de la chalupa, como también las escopetas y los revólveres que poseían. Y hasta pidió Doniphan que no se abandonasen los dos cañoncitos de viaje. Si cargaban con exceso la embarcación, siempre podrían deshacerse de ellos en el camino.

Briant tomó, asimismo, todo el surtido de ropas de repuesto, la mayor parte de los libros de la biblioteca, los principales utensilios que servirían para la cocina de a bordo, entre otros, una de las estufas del almacén, y, por último, los instrumentos necesarios para la navegación: relojes marinos, anteojos, brújulas, faroles, sin olvidarse de la lancha de caucho. Entre las cañas y redes, Wilcox escogió los útiles que pudieran servir para pescar durante la travesía.

En cuanto al agua dulce, después de sacarla del río Zelanda, Gordon mandó encerrarla en diez barriles, que fueron instalados regularmente a lo largo de la carlinga, en el fondo de la embarcación. No se olvidaron tampoco de lo que quedaba de brandy, ginebra y otros licores fabricados con los frutos de la trulca y el algarrobo.

Finalmente, el 3 de febrero estaba ya en su lugar el cargamento. No quedaba sino señalar la fecha de la partida, si Doniphan se sentía en estado de soportar el viaje.

¡Sí! El valiente muchacho respondía de sí mismo. Su herida estaba cicatrizada del todo y, como le había vuelto el apetito, sólo había de cuidarse de no comer demasiado. Apoyado en el brazo de Briant o de Kate, se paseaba todos los días por la Terraza del Deporte durante unas horas.

—¡Partamos...! ¡Partamos! —dijo—. ¡Ya tengo ganas de estar en camino! ¡El mar me repondrá por completo!

Señalóse la partida para el 5 de febrero.

La víspera, Gordon devolvió la libertad a los animales domésticos. Guanacos, vicuñas, avutardas y todos los animales de pluma, poco agradecidos a los cuidados que les habían dado, huyeron unos a todo correr y otros volando velozmente: el instinto de la libertad es irresistible.

—¡Ingratos! —exclamó Garnett—. ¡Después de las atenciones que hemos tenido con ellos!

—¡Así es el mundo! —respondió Service con un tono tan lastimero, que esa filosófica reflexión fue acogida con una carcajada general.

Al día siguiente embarcáronse los jóvenes pasajeros en la chalupa que llevaría a remolque la canoa, que Evans emplearía como bote.

Pero antes de largar la amarra, Briant y sus compañeros quisieron reunirse una vez más ante las tumbas de Francisco Baudoin y de Forbes. Fueron a ellas con recogimiento, y, al mismo tiempo que una postrera oración, dedicaron un último recuerdo a aquellos infortunados.

Doniphan se situó en la popa de la embarcación, al lado de Evans, encargado del timón. A proa, Briant y Mokó permanecían en las escotas de las velas, aunque, para bajar el río Zelanda, contaban más con la corriente que con la brisa, cuya dirección hacía muy incierta el macizo de Auckland.

Los demás, como también *Phann*, instaláronse a su capricho, en la parte anterior de la cubierta.

Soltaron la amarra y los remos hendieron el agua.

Tres hurras saludaron entonces a aquella hospitalaria mansión que durante meses había ofrecido seguro abrigo a los jóvenes colonos, y, no sin emoción, salvo Gordon, muy triste por abandonar su isla, vieron desaparecer la Montaña de Auckland por detrás de los árboles de la playa.

Al bajar el río Zelanda, la chalupa no podía ir más de prisa que la corriente, que no era muy rápida. Y, además, a eso del mediodía, a la altura del terreno pantanoso de Marjal, Evans tuvo que echar el ancla, porque en aquella parte del río el lecho era poco profundo, y la embarcación, muy cargada, se hubiera expuesto a encallar. Era preferible esperar el flujo y volver a partir luego con la marea descendente.

La parada duró unas seis horas, que los pasajeros aprovecharon para hacer una buena comida, tras la cual Wilcox y Cross fueron a tirar a algunas agachadizas, al borde del Pantano del Sur.

Y hasta el mismo Doniphan, desde la popa de la chalupa, pudo matar dos soberbias martinetas que volaban sobre la orilla derecha. Con eso, ya estaba curado.

Era muy tarde cuando llegó la embarcación a la embocadura del río. Y como la oscuridad casi no permitía meterse entre los pasos del arrecife, Evans, como marino, prudente, quiso esperar al día siguiente para entrar en el mar.

Noche apacible si la hubo. El viento cesó con la noche, y cuando las aves marinas, los petreles y gaviotas volvieron a los agujeros de las rocas, reinó en la Bahía de Sloughi un silencio absoluto.

Al día siguiente, como la brisa venía de tierra, la mar estaría bella hasta la punta extrema del Pantano del Sur. Había que aprovecharla para salvar una veintena de millas, durante las cuales la marejada hubiera sido recia, si el viento viniese de alta mar.

Al amanecer, Evans mandó izar la mesana, el ala de la cangreja y el foque. Entonces, la chalupa, gobernada con mano segura por el contramaestre, salió del río Zelanda.

En aquel momento, posáronse todas las miradas en la cresta de la Montaña de Auckland y luego en las últimas rocas de la Bahía de Sloughi, que desaparecieron en el recodo del cabo Americano. Y dispararon una salva, seguida de un triple hurra, mientras se agitaba en el asta de la embarcación la bandera del Reino Unido.

Ocho horas después entraba la chalupa en el canal orillado por las playas de la isla Cambridge, doblaba el cabo del Sur y seguía los contornos de la isla Adelaida.

La punta extrema de la isla Chairman acababa de borrarse en el horizonte del Norte.

CAPITULO XV

No vamos a exponer aquí los pormenores de aquel viaje por los canales del archipiélago magallánico, que no se señaló por ningún incidente de importancia. El tiempo fue constantemente bueno. Además, en aquellos pasos de seis o siete millas de ancho, el mar no tuvo tiempo de enfurecerse al soplo de una borrasca.

Todos los canales estaban desiertos, y valía más no tropezar con los naturales de aquellos parajes, que no siempre son de humor hospitalario. Una o dos veces, vieron, de noche, luces en el interior de las islas, pero no apareció en las playas ningún indígena.

El 11 de febrero, la chalupa, que había sido siempre ayudada por un viento favorable, desembocó en el estrecho de Magallanes por el canal de Smith, entre la costa de la Reina Adelaida y las alturas de la tierra del Rey Guillermo. A la derecha se alzaba el pico de Santa Ana, y a la izquierda, al fondo de la bahía de Beaufort, veíanse algunos de esos magníficos veleros de los que Briant había divisado uno de los más altos al Este de la isla de Hanovre, a la cual seguían dando los colonos el nombre de la isla Chairman.

Todo iba bien a bordo. Es de creer, sobre todo, que el aire, cargado de perfumes marinos, era excelente para Doniphan; porque éste comía, dormía y sentíase lo bastante fuerte para desembarcar, si llegaba la ocasión de emprender otra vez con sus compañeros la vida de Robinsones.

El día 12 llegó la chalupa a la vista de la isla Tamar, en la tierra del Rey Guillermo, cuyo puerto o, mejor dicho, caleta, estaba desierta en aquel momento. Por eso, sin detenerse allí, después de doblar el cabo Tamar, Evans hizo rumbo al Sudeste, al través del estrecho de Magallanes.

Por un lado, la larga tierra de la Desolación extendía sus costas áridas y planas, desprovistas de esa verde vegetación que revestía la isla Chairman. Por otro, se dibujaban los perfiles tan caprichosamente recortados de la península Crooker. Por allí era por donde pensaba Evans doblar el cabo Forward y volver a subir la costa Este de la península de Brunswick, hasta el establecimiento de Punta Arenas; pero no fue necesario ir tan lejos.

En la mañana del día 13, Service, que se hallaba en pie a proa, exclamó:

—¡Humo a estribor!

—¿El humo de una hoguera de pescadores? —preguntó Gordon.

—No... Más bien parece el humo de un transatlántico —replicó Evans.

En efecto, en aquella dirección, estaban demasiado lejos las tierras para que pudiera verse el humo de un campamento de pesca.

Inmediatamente corrió Briant a los aparejos de mesana, llegó a la punta del mástil y exclamó a su vez:

—¡Un buque...! ¡Un buque!

235

Pronto se halló a la vista el barco. Era un vapor de ochocientas a novecientas toneladas, que marchaba con una velocidad de once a doce millas por hora.

De la chalupa partieron hurras, y también algunos disparos.

Había sido vista la chalupa y, diez minutos después, abordaba el transatlántico «Grafton», que navegaba con rumbo a Australia.

En un instante pusieron al capitán del «Grafton», Tom Long, al corriente de las aventuras del «Sloughi». Por lo demás, la pérdida del *schooner* había tenido gran resonancia, tanto en Inglaterra como en América. Tom Long se apresuró a recoger a bordo a los pasajeros de la chalupa y hasta se ofreció a llevarlos directamente a Auckland, lo cual se apartaba poco de su rumbo, puesto que el «Grafton» iba con destino a Melbourne, capital de la provincia de Adelaida, al sur de las tierras australianas.

La travesía fue rápida, y el «Grafton» fondeó en la rada de Auckland el día 25 de febrero.

Dos años, día más o menos, habían transcurrido desde que los quince alumnos del Colegio Chairman fueron arrastrados a mil ochocientas leguas de Nueva Zelanda.

Renunciamos a describir la alegría de aquellas familias, a las que les eran devueltos sus hijos, aquellos hijos a quienes se creía en el fondo del Pacífico. No faltaba ni uno de aquellos que la tempestad había llevado a los parajes apartados y solitarios de la América del Sur.

En un instante se esparció por toda la ciudad la noticia de que el «Grafton» repatriaba a los jóvenes náufragos, y toda la población acudió y los aclamó, cuando cayeron en brazos de sus padres.

¡Y qué ansia tenían todos por saber detalladamente cuanto había sucedido en la isla Chairman! Mas no tardó en quedar satisfecha la curiosidad. En primer lugar, Doniphan dio algunas conferencias sobre ese tema, conferencias que tuvieron verdadero éxito, del que no dejó de mostrarse bastante orgulloso el muchacho. Luego se imprimió el diario llevado por Baxter, puede decirse que hora por hora, el diario de la Cueva del Francés, y se necesitaron miles y miles de ejemplares, nada más que para contentar a los lectores de Nueva Zelanda. Por último, los periódicos de ambos mundos los reprodujeron en todas las lenguas; porque no había nadie que no se hubiera interesado por la catástrofe del «Sloughi». La prudencia de Gordon, la lealtad de Briant, la intrepidez de Doniphan y la resignación de todos, chicos y grandes, fueron universalmente admiradas.

No hace falta insistir sobre el recibiento que se hizo a Kate y al contramaestre Evans. ¿No se habían consagrado a la salvación de los niños? Y por suscripción pública se dio al bueno de Evans un barco mercante, el «Chairman», del que llegó a ser a la vez propietario y capitán con la condición de que se matriculase en Auckland. Y, cuando los viajes le llevaran a Nueva Zelanda, siempre hallaría entre las familias de «sus muchachos» la más cordial acogida.

En cuanto a la excelente Kate, fue reclamada y disputada por los Briant, los Garnett, los Wilcox y otros muchos. Finalmente, se instaló en casa de Doniphan, cuya vida había salvado con sus cuidados.

Y, como conclusión moral, he aquí lo que conviene retener de este relato que así justifica su título de DOS AÑOS DE VACACIONES.

Sin duda, nunca se verán los alumnos de un colegio expuestos a pasar las vacaciones en circunstancias semejantes; pero, sépanlo todos los niños: con orden, celo y valor, no hay situaciones por peligrosas que sean, de que no pueda uno salir con bien. Y sobre todo, al pensar en los jóvenes náufragos del «Sloughi», madurados por las pruebas y hechos al duro aprendizaje de la existencia, no se olviden de que, a su regreso, los pequeños eran casi mayores, y los mayores, casi hombres.